柿本人麿像（奈良県葛城市柿本神社所蔵）

沙弥島（坂出市）

新潮文庫

水底の歌

—柿本人麿論—

上巻

梅原猛著

新潮社版

2961

水底の歌 ——柿本人麿論——（上巻）目次

水底の歌・総目次

〈上巻〉

〈下巻〉

水底の歌（上巻）

――柿本人麿論――

第一部　柿本人麿の死

――斎藤茂吉説をめぐって――

第一章　斎藤茂吉の鴨山考《かもやまこう》

歌聖・柿本人麿《かきのもとのひとまろ》の秘密

日本の詩人といえば、誰しも、二人の名前を逸することが出来ないであろう。柿本人麿と松尾芭蕉《まつおばしょう》（一六四四—一六九四）である。たとえば現在において、もっとも深く日本の詩歌を理解している一人であると思われる山本健吉氏は、次のようにいっている。

「私が少年時代に文学書を読み出して以来、一貫して私の念頭を去らない二人の日本の詩人がある。柿本人麻呂と松尾芭蕉とである。

もちろんその外にも、『古事記』の神話的世界や、『源氏物語』の物語的世界や、世阿弥《ぜあみ》や近松の劇的世界があり、近代の文学者としても鷗外や漱石があるけれども、この二人の古典的詩人のやうに、久しく持続して私の脳裏を支配してゐたわけではない。時としてはアポロ的な赤人を、ディオニゾス的な人麻呂と並べて考へたり

(これは赤彦の『万葉集の鑑賞及び其《その》批評』の影響である)、あるいは隠者的な芭蕉よりも絢爛《けんらん》として浪曼《ローマン》的才華を誇つた蕪村《ぶそん》を上位に置いたり(これは子規《しき》の『俳人蕪村』の影響である)したこともあつたが、けつきよく一時のことに過ぎなかつた。いつも私の思ひは、人麻呂と芭蕉との上に帰つてくるのである」

(山本健吉『柿本人麻呂』新潮社)

思いはいつも、人麿と芭蕉に帰ってくると山本健吉氏はいう。私もそうである。数学少年であった中学三年の私は、芭蕉を読むことにより文学の毒を知り、そしてまもなく人麿の歌の不思議な魅力にとらわれた。そして、戦争に行く私の背嚢《はいのう》にこっそりしのばせた本は、西田幾多郎《にしだきたろう》(一八七〇―一九四五)の『善の研究』と万葉集であった。けれど、戦争から帰った私は戦争に関するすべてを忌《い》み嫌った。私は西田哲学の痛烈な批判者となり、同時にますらおぶりと称せられる万葉集の否定者となった。万葉集より『古今集』を、ますらおぶりよりたおやめぶりを。そういう思いで書いたのが私の論文集『美と宗教の発見』の中に収められている「美学におけるナショナリズム」であった。そこで私は『古今集』の歌の繊細な美しさを論じ、そしてその繊細なる感受性に裏づけられている美意識が、いかにその後の日本文化を支配しているかを論じた。『古今集』万歳、私はそう叫んだけれど、私の意識の中に何かが残った。万葉集の歌はどうなるのか。私は、万葉集の歌の恐ろしい魅力を感じていた。しかし、それを、ますらおぶり、壮烈というおもりをつけて意識の底に沈ませ、正岡子規（一八六七―一九〇二）によってなされた価値転倒の試みを、もとにもどす作業の面白さに心を奪われていた。

しかし今、私の心の底深く沈ませた万葉集が、意識の上に浮かんでくる。私の古代研究の進展と共に、今、万葉集は全く別な相貌《そうぼう》を伴って私の心に浮かび上がる。人麿と芭蕉、日本の詩歌について真剣に考える人は、誰でもこの二人の詩人に帰ってくる。そして、この二人の詩人を歌聖、俳聖とたたえた日本人の感覚は正しい。しかし、人麿、芭蕉と二人の詩人をならべるとき、両者は、彼等についての認識の程度の点ではなはだ異なっていることが分かる。芭蕉については、ほぼ、その人生の全貌が知られている。もちろん、若き日の芭蕉、あるいは妻子との関係などまだ分からぬこともあるが、彼の後半生、つまり芭蕉を芭蕉たらしめる旅の生活については、『おくのほそ道』をはじめとする彼の多くの紀行文などによってほぼその全貌を知ることができる。

彼はいわゆる旅の詩人である。美を求めて一生を旅に送る漂泊の詩人。芭蕉を一人の俳聖にするものは、その俳句がすぐれている点によるばかりではなく、彼の孤独、漂泊の旅の生活によるのであろう。彼の生活と芸術の到達点は、例の辞世の句「旅に病《やん》で夢は枯野をかけ廻《めぐ》る」(『笈《おい》日記』)という句に表わされる。この句は、さびを追求した彼の芸術の到達点であると共に、旅を理想とした彼の人生の究極点でもあったのであろう。

柿本人麿の場合はちがう。彼の歌は万葉集に数多く残されて多くの人の心をとらえるが、その人生は明確ではない。また特に日本では一人の芸術家を聖《ひじり》たらしめるものは、その芸術においてと共に、その生活においてのはずであるが、彼の生活についでは一向に分からない。人麿が聖人とされた歴史は古い。『古今集』の仮名序《かなじょ》においても、人麿は次のように語られる。

「いにしへより、かくつたはるうちにも、ならの御時よりぞ、ひろまりにける。かのおほむ世や、哥《うた》のこゝろをしろしめしたりけむ。かのおほん時に、おほきみつのくらゐ、かきのもとの人まろなむ、哥のひじりなりける。これは、きみもひとも、身をあはせたりといふなるべし。秋のゆふべ、たつた河にながるゝもみぢをば、みかどのおほんめには、にしきと見たまひ、春のあした、よしのの山のさくらは、人まろが心には、雲かとのみなむおぼえける。又、山の辺のあか人といふ人ありけり。哥にあやしく、たへなりけり。人丸は赤人がかみにたゝむ事かたく、あかひとは人まろがしもにた、むことかたくなむありける」

ここで人麿と山部赤人《やまべのあかひと》（生没年未詳、万葉集第三期）が比較され、人麿と赤人は同列におかれているように見えるが、二人の間には、はっきりしたちがいがある。人麿は、「哥のひじり」であるが、赤人はただの「人」なのである。すでに、『古今集』撰集《せんしゅう》のときに、ただの人である赤人とちがって、人麿は「ひじり」であった。

なぜに人麿は聖であるのか。われわれは、聖徳太子《しょうとくたいし》（五七四―六二二）がどうして聖であるかという真の理由について、すでに十分に探求した（『隠された十字架―法隆寺論』）。その後の文学者、芸術家では、菅原道真《すがわらのみちざね》（八四五―九〇三）や世阿弥（一三六三―一四四三）や利休《りきゅう》（一五二二―一五九一）や西行《さいぎょう》（一一一八―一一九〇）や芭蕉が聖とされてきた。菅原道真は明らかに政治的流人《るにん》であり、世阿弥もまた佐渡流罪の経験をもち、利休は秀吉（一五三六―一五九八）に死を命ぜられた。他の二人の文学の聖者である西行と芭蕉も、流竄《りゅうざん》と死刑の経験こそないにせよ、その流浪孤独の生活が、彼等を聖とする必要欠くべからざる条件でもあった。

人麿一人が、どうしてかこのような条件をまぬかれているのである。「おほきみつのくらゐ（正三位）」と『古今集』は人麿を呼ぶ。しかし、万葉集の巻二・二二三番の人麿の辞世の歌には「柿本朝臣人麿、石見国《いはみのくに》に在りて臨死《みまか》らむとする時、自《みづか》ら傷《いた》みて作る歌一首」という詞書《ことばがき》がつけられている。『養老律令《ようろうりつりょう》』の「喪葬令《そうそうりょう》」に親王および三位以上は薨《こう》と称し、五位以上および皇親は卒《しゅつ》と称し、六位以下庶人にいたるまでは死と称するとあるから、契沖《けいちゅう》（一六四〇—一七〇一）は柿本人麿は六位以下であろうと断定した。つまり、下級官吏として人麿は、石見国に派遣されて死んだというわけである。この下級官吏という契沖によってつけられた身分に更に、賀茂真淵《かものまぶち》（一六九七—一七六九）によって「朝集使《ちょうしゅうし》」という役目がつけ加えられる。人麿は多くの旅の歌をつくっている。彼は筑紫《つくし》へも讃岐《さぬき》にも石見にもいったことがある。こういうふうに、地方を転々と旅をする下級官吏は朝集使にちがいないという。朝集使とは中央へ職務の報告に行く地方官吏である。つまり人麿は、下級官吏として、筑紫へ、讃岐へと行き、朝集使としてしばしば上京し、石見国で現役の地方官吏として死んだというわけである。

こういう人麿像が、どうして聖という名と結びつくのであろう。彼の歌には、天皇および皇族の扈従《こじゅう》の歌および挽歌《ばんか》が多い。つまり、彼は身分高い人々の伴《とも》をして、身分高い人々に代わって多くの歌をつくった。これが詩人としての人麿の像である。この詩人としての人麿の像が、どうして孜々《しし》として地方行政にはげむ下級官吏としてのもう一つの人麿像と調和するのか。そしてその二つの像が、どのようにして「おほきみつのくらゐ」という『古今集』の規定と重なり合うのか。契沖以来、『古今集』の「おほきみつのくらゐ」というのは、誤りとされる。しかし、『古今集』が出来たのは、醍醐《だいご》天皇（在位八九七―九三〇）の延喜《えんぎ》五年（九〇五）、人麿が死んだとされる和銅《わどう》年間（七〇八―七一五）から二百年と経《た》っていない。そして、『古今集』は勅撰集である。公《おおやけ》の仕事である『古今集』が、どうして、このような重大な誤謬《ごびゅう》を犯したのか。『古今集』の序文が、人麿を「おほきみつのくらゐ」と呼ぶのには、万葉集巻二に「死」という言葉を使うのと同じように、必要欠くべからざる理由があるのではないか。

契沖以来の万葉集注釈者は、こういうことを深く考えようとしない。そして、彼等は、人麿を下級官吏ときめつけ、勝手に石見国で病死をさせているのである。斎藤茂吉（一八八二―一九五三）によれば、人麿の死は、病気、おそらくは「痢疫」であったという。砂鉄事業の監督にいった人麿は激務に疲れはて、伝染病にかかって死んだというのである。

このようにして、契沖以来、人麿像は一見明確になったかに見える。彼の身分も役職も定まり、死んだ病気まで明らかになったとすれば、彼の人生はほぼ完全に明らかにされたといわねばならぬ。しかし、このように明らかになればなるほど、柿本人麿の人間像がますます曖昧《あいまい》になることは、どうしようもない。このような人間像が、もう一つの別の像である詩人の像とは調和しにくいからである。このような、あまりにも散文的な人間像は、どうしても詩人・人麿の人間像と結びつきがたい。

終焉《しゅうえん》の地をめぐる謎《なぞ》

私は、先に日本の文学者において「聖」と呼ばれる人間のもつ共通の運命を見た。それはある種の人生の悲劇性であった。人麿だけは、このような悲劇性をまぬかれているかに見えるけれど、はたして、実際そうであったろうか。悲劇性をまぬかれているのは、人麿の実人生のほうであろうか。それとも契沖以来の人麿を見る眼が全く狂っていて、人麿の実際の人生をはっきり見る眼を失っていたのであろうか。

私は、この万葉集についての長い論文を、こうした秘密の探求からはじめることにしよう。明確にしようとすればするほど曖昧になってゆくこの人麿像の秘密はどこにあるのであろう。私は、まず人麿像を眺め直したい。そして、人麿像が確定するとき、万葉集の像もまた確定する。その結果、全く常識と相反した人麿像および万葉集の像が出現したとしても、われわれはそれにうろたえてはならないのである。人麿の人生を明らかにするためには、まず、その死を明らかにしなくてはならぬ。歌聖・人麿は、俳聖・芭蕉と同じように辞世を残しているからである。万葉集巻二には、次の歌がある。

鴨山《かもやま》の岩根し枕《ま》けるわれをかも知らにと妹《いも》が待ちつつあらむ

（巻二・二二三番）

この歌には、先にあげたように「柿本朝臣人麿、石見国に在りて臨死らむとする時、自ら傷みて作る歌一首」という詞書がつけられている。いわゆる辞世の歌であるが、もしも通説のように下級官吏、朝集使、人麿痢疫病死説に従えば、この歌は、「旅に病《やん》で」の句が芭蕉の人生の集約であるというような意味を、けっしてもちえない。なぜなら、このあまりにも散文的な人麿の生と死は、大詩人・人麿の生と死に全くふさわしくないからである。詩人は詩人らしい生を生き、詩人らしい死を死ぬはずであろう。そういう詩人らしい生と死において、一人の詩人が聖といわれる。しかるに、今、ここに、はなはだ詩人らしくない生と死を送った詩人が、わずか二世紀後には「聖」とされるのはどういうわけか。

はなはだ理解に苦しむことが常識の名で通り、そのために辞世の歌も、辞世の歌としての役目を果たさなくなる。それは、詩人の人生が偽物《にせもの》なのであろうか、それともわれらの知性が狂っているのであろうか。

この歌の語るところによれば、人麿が、石見国の鴨山で死んだことはたしかである。鴨山はどこにあるのか。今、手元にある本で、その所在をたしかめてみよう。日本古典文学大系（岩波書店）の『万葉集 一』の注に、次のようにある。

「鴨山―古来異説が多く、高角山《たかつのやま》と同じ所という説や、島根県江津《ごうつ》市神村《かむら》説、同県浜田市旧城山の亀山《かめやま》説、同県邑智《おうち》郡邑智町亀《かめ》説などがあり、奈良県の葛城《かつらぎ》連山の中とする見解もある」

ところで、人麿の辞世の歌は、単独で万葉集にとられているわけではない。この歌に続いて、次の歌が載っている。

　柿本朝臣人麿の死《みまか》りし時、妻依羅娘子《よさみのをとめ》の作る歌二首

今日《けふ》今日《けふ》とわが待つ君は石川の貝に一に云ふ、谷に交《まじ》りてありといはずやも　（巻二・二二四番）

直《ただ》の逢《あ》ひは逢ひかつましじ石川に雲立ち渡れ見つつ偲《しの》はむ　（同・二二五番）

丹比真人《たぢひのまひと》名をもらせり柿本朝臣人麿の意《こころ》に擬《なずら》へて報《こた》ふる歌一首

荒波に寄りくる玉を枕《まくら》に置きわれここにありと誰《たれ》か告げなむ（同・二二六番）

或《あ》る本の歌に曰《いは》く

天離《あまざか》る夷《ひな》の荒野に君を置きて思ひつつあれば生《い》けるともなし（同・二二七番）

右の一首の歌、作者いまだ詳《つばひ》らかならず。但《ただ》し、古本、この歌をもちてこの次《つぎて》に載す。

人麿の死について、以上五首がとられている。もっとも最後の一首は作者も分からず、また、どういう理由でここに置かれているのか、注記者も理解できず、古来からの慣《なら》わしに従ってここに置いたという。たしかにこの歌の意味を正確につかむことはむつかしいが、われわれはやはりこの歌をここに置き、全体として人麿の死の状況を理解しなければならない。

ところで、人麿の妻、依羅娘子（生没年未詳）の歌には「石川」という川が出てくる。それゆえ、人麿は、石川という川の近くの鴨山で死んだことになる。石川はどこにあるのか。同じ本の注は、次のようにいう。

「石川—未詳。島根県邑智郡邑智町浜原・亀・粕淵《かすぶち》付近より川本町に至る江《ごう》の川《がわ》のことか。鴨山を大和の葛城連山のうちとする説では、その西麓《せいろく》を流れる河内国の石川（大和川の支流で、河内長野市・富田林《とんだばやし》市・中河内郡を北流）と見る」

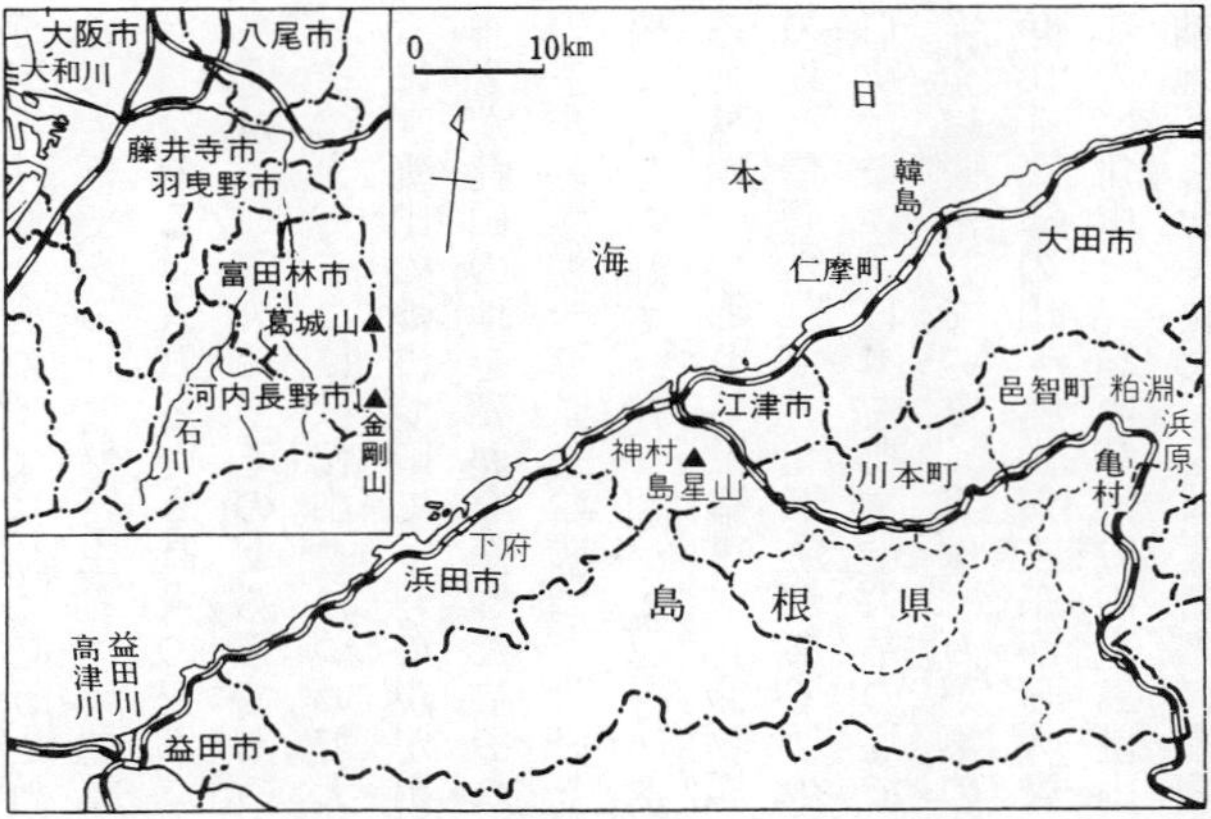

「鴨山」推定地地図

日本古典文学大系の注は、一種の懐疑主義の立場をとっており、鴨山の地は異論が多く、①高角山《たかつのやま》と同じ所、②島根県江津《ごうつ》市神村《かむら》説、③浜田《はまだ》市旧城山《しろやま》の亀山《かめやま》説、④邑智郡邑智町亀《かめ》説、⑤奈良県葛城連山の中、という五つの説をあげている。このうち、高角山と同じ所というのは、万葉集巻二の一三二番に「石見のや高角山」の歌があり、その注に「高角山—高い、都野《つの》の地にある山の意か。江津市の島星山《しまのほしやま》との説がある」とある。真の懐疑主義とは、はっきりと決定できない事実にたいして行なう、真理探求者の正しき判断中止から生まれる。日本古典文学大系の注釈者も、また、鴨山の地について判断中止を行なっている。しかし、人麿の死の場所について、代表的な注釈書が判断中止を行なってよいものかどうか。せめて、その説の真偽の検討ぐらい行なったらどうであろう。懐疑主義は、認識の良心であるより、知性の怠慢であることがしばしばある。人麿という詩人の死んだ地という大切な問題に、いささかの自己主張をも避けているのは、そのどちらであろうか。

その上、ここには鴨山説について大きな見落としがある。あとでくわしく述べるように、鴨山の地について多くの説が出てきたのは徳川末期以後である。それ以前は、誰もが鴨山の地を疑わなかった。それは、今の益田《ますだ》市の鴨山、高津川《たかつがわ》の流域にあり万寿《まんじゅ》三年（一〇二六）の大津波で水没した鴨島が、人麿の終焉の地であるという説が一般に信じられていた。その説がはじめて文献に見えるのは、文安《ぶんあん》五年（一四四八）ころできたといわれる歌論書『正徹物語《しょうてつものがたり》』であるが、それ以前にも、その地が人麿終焉の地と信じられていた形跡がある。少なくとも、他の地が人麿終焉の地と信じられた形跡はない。日本古典文学大系の注では、いかなる理由によるのか、この伝承の地が完全に脱落している。実は、万葉集の歌に出てくる高角山は高津の山であり、この高角山＝高津の山＝鴨山が古来から人麿の死亡地であると考えられてきたのであるが、この高角山を「高い都野の山＝島星山」としてしまったら、結局、この伝承の地を候補地から全く落してしまうことになる。おそらく、この注釈は、現代の多くの学者が賛成する斎藤茂吉の懐疑説に、いたって懐疑なく従ったのであろうが、もしそうとすれば、それは懐疑主義の原理に忠実に従っているとさえいえぬ。つまり、それは懐疑すべきでないところを懐疑し、懐疑すべきところを懐疑しない知性の怠慢の結果であるといわねばならない。

斎藤茂吉による鴨山・石川の推定

私の語り方は、どうやらその最初からあまりに峻烈《しゅんれつ》すぎるようである。私は、この峻烈なる告発が、いつかは私の身にふりかかってくることを知っている。できれば私もおだやかな調子で、おだやかに真理を語りたい。しかし、私はこの人麿という人間と、万葉集という歌集をおおっている誤解の厚さにおどろいているのである。契沖以来、人麿と万葉集にたいする誤解はつもりつもって、ことの真相は深くおおわれている。この誤解を一掃しなくては、とうてい真理の開示を望めない有様である。そして、その誤解のすべては、現代文明の病根と深く関係しているように思われる。現代文明の感性的涸渇《こかつ》に深い病根を見る私は、この万葉集についての誤解という病気の痕跡《こんせき》を徹底的に分析することにより、人麿と万葉集の真理を明らかにし、それによって人間と世界とをもう一度根本的に考え直そうとしている。それゆえに、ここで私の言葉は峻烈ならざるを得ず、私の告発も激烈ならざるを得ないのである。

万葉の遺跡を知るには、格好なガイド・ブックがある。それは犬養孝《いぬかいたかし》氏の『万葉の旅』（上中下三巻、社会思想社）である。この本は広く読まれていて、私もこの本を使って万葉の遺跡をあちこち見て歩いた。写真も美しく、犬養氏の注釈も簡潔で要領よく出来ている。この本の下巻に鴨山の地があり、次のような説明がつけられている。

「柿本朝臣人麻呂、石見国《いはみのくに》に在りて臨死《みまか》らむとする時、自ら傷《いた》みて作る歌
鴨山《かもやま》の　磐根《いはね》し枕《ま》ける　われをかも　知らにと妹《いも》が　待ちつつあらむ
（巻二—二二三）

人麻呂は題詞に『薨』とも『卒』ともなく『死』とあるところから六位以下の微官とされ、没年は平城遷都《せんと》前後とみられ、『鴨山』はその没所または葬地と考えられている。『鴨山』の所在は諸説紛々定まるところがないといってよい。斎藤茂吉は昭和五年から同一二年までに五回実地踏査をして、はじめ邑智郡粕淵の津目山《つのめやま》と結論したのを、のち粕淵村役場の土地台帳によって邑智郡邑智町大字湯抱《ゆがかえ》小字鴨山を発見し、現、湯抱温泉西北一キロの鴨山（高さ、三六〇メートル）を『人麿がつひのいのちをはりたる』ところと断定し、昭和二八年には温泉にほど近い鴨山の見

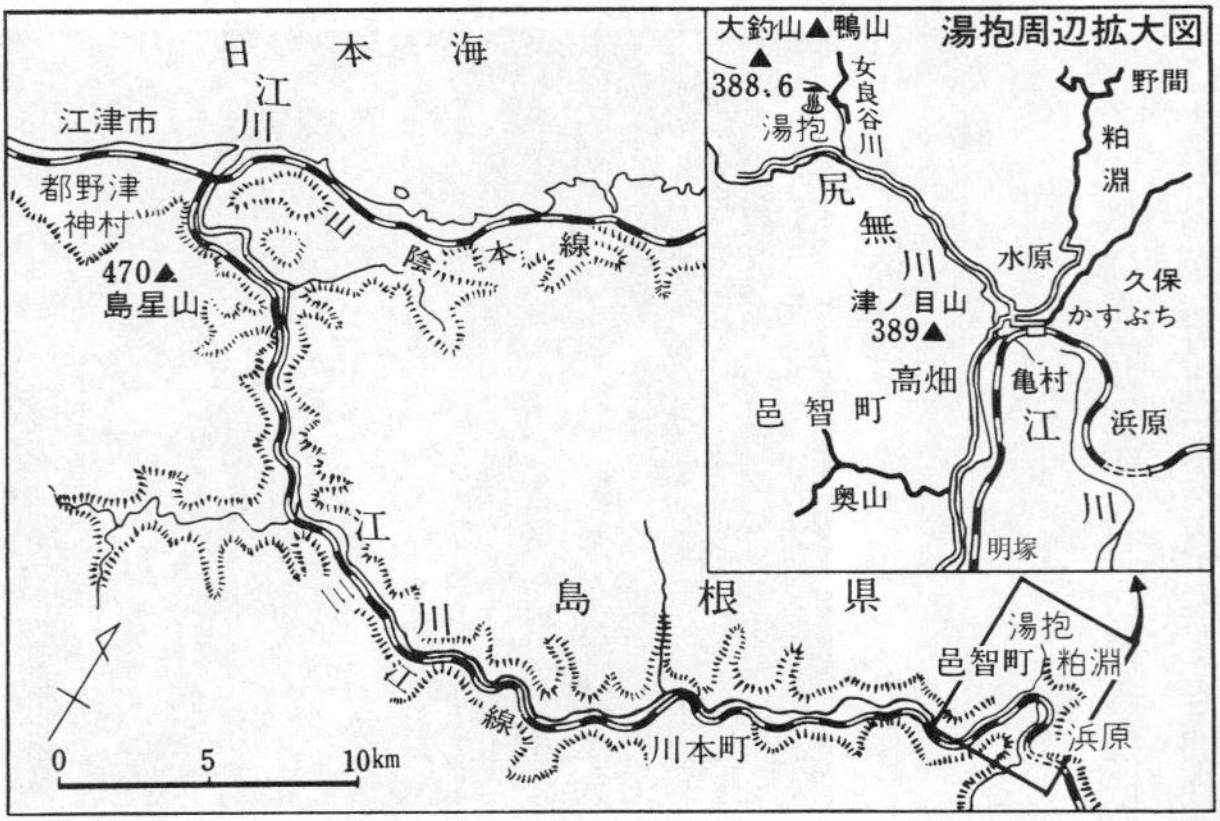

江ノ川沿岸地図

える丘に茂吉の歌碑を立てて、鴨山公園ができあがった。湯抱は三瓶《さんべ》山麓を縫う細流女良谷《めらだに》川に沿う谷あいのいで湯で、山陰本線石見《いわみ》大田《おおだ》駅からバス一時間のところながら、四軒の旅館だけしかないような、こんにちは稀《まれ》に見る閑雅な温泉だ。茂吉の説にも難点はつけられ確定はしがたいとしても、人麻呂によせる茂吉のひとすじの執念はもう湯抱の山峡からはなれることはない。山の夜、女良谷川の河《か》鹿《じか》の声をきき、とびかう蛍の光を追うとき、人は人麻呂のついのいのちを考えるとともに、美しい執念の火を思わないではいられないだろう。土地の人はここをユガカイとも呼ぶ」

犬養氏は茂吉の説を必ずしも全面的に認

斎藤茂吉歌碑（湯抱・鴨山公園）

めているわけではない。氏は、「茂吉の説にも難点はつけられ確定はしがたい」といいつつも「人麻呂によせる茂吉のひとすじの執念はもう湯抱の山峡からはなれることはない」としていられる。つまり犬養氏は、茂吉の推論より、茂吉の執念を評価して、多少の疑問符をつけつつも、茂吉説を認めていられるようである。そして、鴨山の地として、人麿終焉の地として、湯抱の地が写真にとられている。鴨山が定まったとすれば、それに従って石川も定まる。

「直《ただ》の逢《あ》ひは　逢ひかつましじ　石川に　雲立ち渡れ　見つつ偲《しの》はむ――依羅《よさみの》娘子《をとめ》――

（巻二―二二五）

この歌は人麻呂が没したとき妻依羅娘子がよんだ歌二首の一つである。依羅娘子は人麻呂が石見から上京のとき別れてきた妻であろうが別人とみる説もある。石川の所在も、人麻呂が死に臨んでよんだ歌の鴨山の所在と関連して十指におよぶほどの諸説がある。斎藤茂吉は粕淵一帯の江ノ川の上流とし、また湯抱温泉を流れる女良谷川を考える説（大井重二郎氏）、鴨山を大和葛城連山にもとめて石川を河内（大阪府）の石川とする説（土屋文明氏）、この歌の前の歌に『石水之貝《いしかはのかひ》』とあって集中の例『貝』は海貝をさすから河口の地にもとむべきだとする説（森本博士）などあって定まるところがない。すべて正しくは後の考をまたなければならない。

江ノ川の川辺の路《みち》は山陽にぬける交通路でもあるし、茂吉もよく調べたところであって、この辺の地勢の概要を知るのには国鉄三江《さんごう》線は好都合である。三江線は江津から川本を経て粕淵・浜原まで二時間、その間、終始江ノ川の清流に沿う渓谷である。上流にダムのなかった以前は、水量も豊富に舟運の便もあったが、いまはたまに小さな渡船を見かけるだけで、屈折した山また山のあいだをゆくすきとおる清流を望むばかりである。人気《ひとけ》はわずかで、これほど山川の美しさを味わせる鉄道もいまは珍しい。この川は霧の多いところで土地の人は三瓶山の霧も江ノ川から涌《わ》くとさえいっている。〝もう、じかにお会いすることはとうていできないだろう。川に雲が立ち渡っておくれ、その雲を見てあの方をお偲《しの》びしよう〟の趣きにふさわしい景は川の屈折のあちこちで遭遇し、江ノ川が石川であってもいいような気さえし

てくる」（前掲書）

犬養氏は学者として、茂吉の湯抱＝鴨山説に多少の懐疑を感じていられる。しかし、その懐疑を発展させようとせず、氏は茂吉の執念に驚嘆しつつ、茂吉説に従っておられる。もしも鴨山が湯抱の奥の鴨山ならば、石川もその近くに求めねばならないはずである。犬養氏がここで石川として採用したのは、江ノ川上流の粕淵地方である。ところが、この江ノ川の上流と鴨山は、約三キロ離れている。万葉集にとられた人麿の歌と妻依羅娘子の二つの歌を虚心に読む限り、鴨山の地と石川の地は、きわめて接近していると考えねばならぬであろう。夫は鴨山の地で死ぬという終焉の歌をよむ。そして妻は石川の地で夫をしのぶ。鴨山と石川は、ほぼ同じ場所にあると考えねばならぬであろう。夫が死んだ場所から三キロほど離れた場所を選んでわざわざ夫をしのぶ馬鹿《ばか》な妻はめったにいないであろう。人麿の妻、依羅娘子をしてそういう馬鹿な妻の役割をさせたのは、茂吉の執念であろう。

最初、茂吉は鴨山の地を江ノ川沿岸などに求めた。彼は「石川の貝《かひ》」という言葉を「石川の峡《かひ》」と解釈し、その所在を高津川の上流に求め、そしてそれが困難になると、今度は江ノ川の上流に求めた。そして茂吉は、ついに、江ノ川上流に「亀」なる地を、地図で見出《みいだ》した。この「亀」は「鴨」の同音転化に違いないとして、彼は亀の地の近くにある津目山《つのめやま》を鴨山と考えた。しかし後に、土地の苦木虎雄《にがきとらお》氏の手紙により、この粕淵の地から三キロ離れた湯抱の奥に鴨山という名の山があることを知らされた茂吉は、その地を訪れ、そこを人麿終焉の地ときめたのである。

「人麿がつひのいのち乎《を》終はりたる鴨山をしも此処《ここ》と定めむ」という碑が、今日、湯抱に立てられている。もしも、鴨山の地を湯抱の奥にある鴨山にとり、鴨山と石川をごく近く考えると、茂吉説にもとづいて大井重二郎氏がとなえたように、石川を、鴨山をめぐって湯抱に流れる女良谷川に求めなければならないが、それでは、最初茂吉が考えた大河の流域というイメージとは別な川になってしまう。茂吉はこの点について、どうもはっきりしないが、もしも犬養氏のように鴨山を湯抱の鴨山、石川を粕淵付近と考えると、人麿の妻は夫の死んだところとは別なところで夫を偲んだことになる。

女性はきわめて具体的な感情を持っている。夫が旅先で死ねば、夫の死んだ場所へ行き、夫の遺体あるいは夫の遺品にとりすがって泣くのが女の性である。こういう具体性の観察において、女性は、はるかに男性よりすぐれているのである。そういう女性が、夫が死んだ場所よりはるか三キロ離れた場所を夫の死んだ地としてしのぶなどという馬鹿馬鹿しいことがあろうか。

詩人は、人間の感情について敏感であらねばならぬ。茂吉は、もとより現代を代表する詩人である。この現代を代表する詩人が、このような無理な感情を、夫をなくした妻に押しつけたのは、彼の鴨山をめぐる一連の推論による。人麿という詩人の死と生を明らかにするには、私は、現代を代表する詩人、茂吉の人麿の死についての一連の推論にふれねばならぬ。

茂吉の詩的直観と沢瀉《おもだか》・土屋・武田三氏の反応

犬養氏は、ほぼ全面的に茂吉説を認めていられる。それには、根拠がある。それは、現在の日本の学界および歌壇が、ほぼ全面的に茂吉説に従っているからである。現在、われわれがもっとも手に入れやすい、万葉集の注釈書が三つある。沢瀉久孝（一八九〇—一九六八）『万葉集注釈』全二十巻、別巻二（中央公論社）、土屋文明『万葉集私注』全十巻（筑摩書房）、武田祐吉（一八八六—一九五八）『増訂万葉集全註釈《ちゅうしゃく》』全十四巻（角川書店）である。茂吉が鴨山＝湯抱説をとなえた昭和十二年（一九三七）以後に書かれた本で、それぞれ定評のある、すぐれた学者、歌人の労作である。この三つの注釈書に、鴨山と石川はどこと定められているだろうか。三人のうち、沢瀉久孝氏がいちばん熱烈な茂吉説の支持者であるようである。

「鴨山の位置については従来諸説があつたが、それらを検討し、更に詳細なる踏査を加へられたものに斎藤茂吉氏の『柿本人麿』所収「鴨山考」、及び『鴨山考補註』がある。そこで氏は鴨山を石見国邑智郡邑智町江川岸の津目山であらうとされたが、その後更に『柿本人麿雑纂篇《ざつさんへん》』所収「鴨山後考」を書いて、邑智町の大字《おほあざ》に湯抱といふ村があり、そこに鴨山といふ名の山があり、それであるとされた。そして更に「粕淵村（邑智町）湯抱の『鴨山』に就いて」を書き、湯抱の苦木虎雄氏の通信によりこの鴨山の存在を知り、実地に踏査された報告をされてゐるが、私も昨年（卅二年）十二月、その苦木氏（今波多野氏といふ）に迎へられ、その湯抱の、斎藤氏も泊つたといふ温泉宿に一泊した。ここの温泉は湯元よりや、離れてをり、低温の為《ため》に今は沸《わか》してゐる。「湯抱」と書くが、ユカカイと呼ばれてをり、「湯ヶ谷《ユカヒ》」の意だと思はれる。私の泊つた青山館の一家は、もとここの人ではなく、今の主婦の母が神経痛で足腰立たなかつたのが、ここへ湯治に来てすつかり元気になり、ここに移り住み宿屋をはじめたので、主婦は若い頃京都で画の修業をしてゐてここへは帰らぬつもりであつたのを、母がどうしてもここを離れようとは云はないので（今も健在）、宿の経営に当つてゐた弟が死んでから呼び戻されたのだといふ。かういふ事実を聞くと、人麻呂もここに湯治に来てゐたのかも知れない。小野老《をののおゆ》（三・三二八）が那須《なす》の湯に療養に出かけ、その地で歿《ぼつ》したやうに。斎藤氏は石見の採鉄作業に注意して、人麻呂が国府の官吏としてこの辺に出張してゐたのかといふ想像も述べられてゐる。考の条でも引用するやうに、はやくから急病説も述べられてをり、人麻呂はまだ老病を温泉で養ふ程の年ではなく、この附近に来てゐた時に急に病を発したのであるが、とにかくこの温泉にその病を養ひつゝ命を終つたといふ事は十分に考へられる」

（沢瀉久孝『万葉集注釈』）

沢瀉氏は茂吉の説を知り、茂吉の泊った宿に一泊し、そしてその土地が神経痛にきく温泉であることを知った。そして人麿もこの地に湯治に来たかもしれないと想像する。しかし沢瀉氏の注には、この温泉がいつ開けたかという点が明らかにされていない。今はバスが行っているが、当時は全くの山中であったにちがいない。この地に、人麿がどうして来たかという説明を一言もしていないのは、不思議としかいいようがないのである。詩人は勝手な空想をする権利があろう。しかし、学者は詩人の空想にブレーキをかける必要があろう。しかし、ここで、沢瀉氏は詩人茂吉の空想に乗ってこの鴨山の地を訪れ、センチメンタルな感想をつけ加えて、茂吉説をほぼ全面的に認めたように見えるのは、どういうわけであろう。当代随一の詩人が、鴨山の地を湯抱に決定し、当代第一の学者が、この説を全面的に認めたからには、鴨山の地がどうして人麿終焉の地でいられずにはおられようか。

このように、当代随一の詩人と当代第一の万葉学者の権威によって、湯抱の鴨山が人麿の終焉の地として定められたが、あまりにも証拠の乏しいこの土地を人麿終焉の地とするには、詩人の友人といえども、多少のためらいを感ぜざるをえなかったのであろう。土屋文明氏は、次のようにいう。

「カモヤマ　所在不明であるが石見国にあるものと考へられて来た。斎藤氏の『柿本人麿』には之《これ》を邑智郡亀に関連さしてそこの津目山といふものであらうとし、又附近湯抱の鴨山であらうとした。一首の趣から見ると、カモヤマは生前の人麿が死後葬斂《さうれん》されると予想出来る所、若《も》しくは彼の妻が羽易山《はがひのやま》に居ると言はれた如《ごと》く、死後行くであらうと、予想される所であるべきで、石見で死に臨むから、それは石見でなければならぬといふことはない。帰葬の習慣も既に存したと思はれる。そこで人麿の郷里に近いと思はれる大和の鴨山も、当然此《こ》のカモヤマに当て得られることになる。大和の鴨山は葛城の連山で、当時にあつても著名のものであつた。人麿が死後は故郷の大和鴨山に行くといふことは、生前に予想されないことではない」

（土屋文明『万葉集私注』）

土屋文明も斎藤茂吉と同じく一人の詩人である。そして詩人の特徴は、その空想の奔放さにある。茂吉が詩人の直観によって、湯抱の鴨山の地を人麿終焉の地と定めたように、文明も詩人の直観によって、その土地を大和《やまと》葛城の鴨山におくのである。そして、文明は同じく詩人的直観によって、依羅娘子の石川を、鴨山すなわち葛城連山の麓《ふもと》を流れる河内《かわち》の石川の地に定める。人麿の死の遺跡は、石見を離れて、大和と河内に移されたわけであるが、文明も人麿が石見国で死んだことを認めないわけにはゆかず、結局、人麿は石見で死につつ、死後に大和の鴨山で葬《ほうむ》られることを予想して辞世の歌をつくり、依羅娘子はその鴨山からはるか離れた石川で人麿をしのんだことになる。私は詩人の空想を尊重したいが、この現代の詩人の空想を認めることが、過去の大詩人の死にまつわるすぐれた歌をあいまいにしてしまうとすれば、私は過去の大詩人のために、現代の詩人の空想の告発に踏み切らざるをえないのである。

鴨山の地を、人麿の死んだ石見の地から遠く離れた大和において、はたして、あの死の歌の実感が生きるであろうか。あの歌は、異郷で空《むな》しく死んでいく己《おの》が身を歎《なげ》いている歌でなくて何であろう。また、人麿の妻は、夫が死んだ場所からはもちろん、夫が葬られた場所からもはるか離れた場所で夫をしのぶほど、鈍感でものぐさな女であろうか。

土屋氏は、たしかに人麿終焉の場所については茂吉と意見がちがうが、茂吉説の影響を多分にこうむっている。「石川の貝」の解釈については、彼は沢瀉氏同様、貝を峡《かい》と考える茂吉説を採用し、丹比真人《たじひのまひと》の「荒波に」という歌を「人麿が死後のあり場を勝手に海浜と想像して、此の作をなしたのであらう」と簡単に片づけている点も茂吉と同様である。人麿終焉の場所を山に求め、石川の貝を「峡」とする以上、「荒波に寄りくる玉を枕に置」いて人麿が死んだということを認めるわけにはゆくまい。茂吉も文明も、詩人の直感をたよりに終焉の地を定めたわけだが、人麿の死場所を決定する大切な歌を作者の思いちがいときめつけ、考察の対象からはずしてしまったのは、詩人の、子供らしい我儘《わがまま》によるのであろうか。

武田祐吉氏は、懐疑派である。彼は、鴨山について諸説をならべつつ、要するに分からんというのである。

「鴨山は、人麻呂の墓所となるべき処《ところ》と推定されるが、所在未詳である。岡熊臣《をかくまおみ》の柿本人麻呂事蹟《じせき》考弁に、石見の国美濃《みの》郡高津浦《たかつのうら》の沖にある鴨島であるとするが、その地は国府の所在より西南十里の遠隔地であり、その根拠は、その高津を以《も》つて人麻呂の作中の高角山と同地とする誤解から出てゐるので、誤りであることあきらかである。藤井宗雄の石見国名跡考には、那賀《なか》郡浜田町の旧城山の亀山とし、大日本地名辞典には、那賀郡神村《かむら》の山としてゐるが、いづれも根拠ある説ではない。斎藤茂吉博士は、邑智郡浜原村の亀であるとしてゐるが、これも根拠の無い説である。とにかく石見の国にあつて、国府の附近に求むべく、人麻呂も死ねば其処《そこ》に葬られるに定まつてゐた地と考へられる。当時の国府は、今の浜田市附近にあつたのだから、鴨山もその附近であるはずである。下の丹比の真人が、人麻呂に代つて詠《よ》んだ歌に、荒浪《あらなみ》ニ寄リ来ル珠《たま》ヲ枕ニ置キとあるを、その儘《まま》に墓所の説明とすべしとすれば、海岸の地と見るべきである。但し丹比の真人が、都にゐて追和したとすれば、その地の実状にうといこともあり得るので、確証とはしがたい」

（武田祐吉『増訂万葉集全註釈』）

鴨山には、①美濃郡高津浦（現益田市）の沖にある鴨島、②那賀郡浜田町（現浜田市）の旧城山の亀山、③那賀郡神村（現江津市）の山、④邑智郡浜原村亀の地の諸説があるが、いずれも根拠薄弱であるというのである。それでは、どこに求むべきかについては、武田氏は一言も語らない。ただ、「とにかく石見の国にあつて、国府の附近に求むべく、人麻呂も死ねば其処に葬られるに定まつてゐた地と考へられる。当時の国府は、今の浜田市附近にあつたのだから、鴨山もその附近であるはずである」と断定する点は、懐疑主義者らしくはないのである。人麿が国府の役人であったはっきりした証拠はなく、従って国府の所在地の近くに人麿が葬られねばならぬ理由はない。武田氏も日本古典文学大系の注釈者と同じように、懐疑すべきでないところを懐疑し、懐疑すべきところを疑っていない、きわめてあいまいな懐疑主義者らしい。

斎藤茂吉

なお武田氏は、「石川の貝」を、文字通り「貝」ととり、「石川のほとりで火葬にしたのを、貝ニ交ルで表現してゐるのかも知れない」というが、後の丹比真人の歌は、茂吉の如く、作者の思いちがいかもしれないというのである。ここにも、やはり茂吉の影響があると私は思う。

以上、現代の代表的学者の鴨山についての諸学説を検討した結果、私はほぼ学界の大勢を知ることが出来た。現代の学界および歌壇は、人麿の終焉地にかんして、ほぼ斎藤茂吉説の影響の下にある。茂吉の論証というよりは彼の情熱に圧倒されて、ほぼ全面的に茂吉説を認めている沢瀉氏や、犬養氏のような学者もあり、ただ、貝＝峡説と、丹比真人の歌の妄想説において茂吉に従う土屋氏や、丹比真人妄想説にのみ茂吉の影響をうけている武田氏など、茂吉説の影響の程度には差があるが、誰もがあらためて人麿終焉の地を湯抱の鴨山の地以外に定めないとしたら、茂吉説はほぼ完全に勝利を収めたと考えてよいであろう。

おそらく、そういう学界の大勢を反映してであろうか、昭文社発行の日本地図、島根県の部では、湯抱の地にはっきり柿本人麿終焉の地と書かれている。地図にまで、終焉の地が明示されている以上、もはや人麿終焉の場所について何の疑うことがあろうか。詩人茂吉の影響力の強さはまことに驚くべきである。私はここで、こういう学界の大勢に反して、はたして茂吉の説は正しいかどうかを冷静に検討しようと思う。

茂吉の鴨山発見——三つの前提条件

茂吉が石見国邑智《おうち》郡の粕淵《かすぶち》の地に、人麿終焉の地を見出したのは、昭和九年七月のことであった。石見国をあちこち旅行し、それまで終焉の地とされていたあらゆる土地に絶望した茂吉は、自らの手で人麿終焉の土地を求めるべき必要に迫られ、ついにその年の七月二十二日、江ノ川の上流にある浜原を訪れた。その浜原の亀なる字《あざ》が、茂吉の考える人麿終焉の地であったが、詩人の鋭い直観は、まさにこの浜原の地に、万葉集における人麿の歌が響いているのを見たのである。その喜びを茂吉は次のように書く。

「昭和九年七月二十一日石見国大田に一泊し、翌日乗合自動車で浜原に著《つ》いたのは午前十時過であつた。雨やうやく晴れ、江ノ川が増水して、いつぱいになつて濁流が流れてゐた。粕淵を過ぎて浜原に入らうとするところから江ノ川を眼界に入れつつ、川上の浜原、滝原、信喜《しき》、沢谷の方に畳《たた》まつてゐる山を見るに、なるほどこれは、『石川の峡』に相違ないといふ気持が殆《ほとん》ど電光のごとくに起つたのであつた。けれどかういふことを言へば、この文章を読む人々は或は失笑するかも知れない。けれども、石見国にあつて、『石川に雲たちわたれ見つつしぬばむ』の語気に異議なく腑《ふ》に落ちてくる山河の風光はこのあたりを措《お》いてほかにあるか否《いな》か。

（中略）

〔……〕私は直《す》ぐこの津目山を以て人麿の歌の鴨山だらうといふ見当をつけた。そして、その日の夕方も来て見、次の日も来て見、また次の日も来て見たが、鴨山はこの山でなければならぬといふ程までになつた。東京にゐて見馴《みな》れない地図の上で想像してゐたのと違ひ、計らずも目《ま》のあたりこの山を見たとき、私の身に神明の加護があるのではあるまいかとさへ思へた程である。世の人は私のかういふ主観的な言ひ方に忍耐せられたい。

〔……〕津目山は、今は植林もしてゐるから巖石ばかりの山ではないが、実際近寄つて見るに巖石の多い山で、縦《たと》ひ、『磐根《いはね》し纏《ま》ける』は言語上の綾《あや》があるにせよ、ただの丘陵、平凡な小山などを心中に置いて作歌する筈《はず》はないから、さうすれば、この津目山などは鴨山を具体化するに、唯《た》だ一つの山だといふ気持をさへ起させるのである。私は嬉《うれ》しさのあまり、おぼつかない技術で写真を幾枚か撮つた」

(「鴨山考」『柿本人麿 総論篇』)

詩人とは感激の動物であるといってよいかもしれない。感激が、詩人をしてはじめて詩人たらしめる。感激こそは詩人の本性であるが、わけても茂吉は、とりわけ感激性の強い人間であった。事物に関する深い純一な歌の感動が、多くの人のいう茂吉の歌のディオニソス的魅力を形成する。

ここで茂吉は、人麿の終焉の地の発見という偉大な発見をしたはずである。柿本人麿——日本第一の詩人、茂吉が追いつこうとして、ついにその力量において追いつくことの出来なかった偉大なる詩人・人麿の終焉の地、長い間、誰にも分からなかったその終焉の地を、自らの力で見つけることが出来た。まさにそれは大発見である。国文学史上の不朽不滅な発見である。その発見を今、このディオニソス的詩人が行なったのである。すでにこの歌人は、その歌人としての声望において一世を風靡《ふうび》していた。彼が天下第一の詩人であることを誰一人疑う者はない。しかるに、今、彼は天下第一の詩人であるばかりか天下第一の学者であることを実証したのである。何という幸福、何という奇跡。茂吉がこの大発見に「神明の加護」を感じたのは、無理もないのである。

　この本には、たしかに茂吉の発見の喜びがにじみ出ているが、その感激を必ずしも共有することができないわれわれは、はたしてこの感激が正当なものなのか、この発見はほんとうに学術的発見の名に価するのか、それとも、それは完全な誤解であり、彼は幻想の発見に狂喜する喜劇役者なのかを、冷静に判断しなければならぬ。

「鴨山考」における茂吉の論証を忠実にたどってみよう。茂吉はこの論証を、十の部分に分かっている。

一　万葉集巻二に「柿本朝臣人麿、石見国《いはみのくに》に在りて死に臨みし時、自《みづか》ら傷《いた》みて作れる歌一首鴨山の磐根《いはね》し纏《ま》ける吾《われ》をかも知らにと妹が待ちつつあらむ」（二二三番）という歌がある。この鴨山について、古来諸説があるが、はっきり定まらない。私（茂吉）もそれについて前々からいろいろ考えてきたが、昭和九年になってやっと考えが定まった。そこで「鴨山考」と題して一文を草して、学界の批判をあおぎたいと思うが、まず論証をはじめるにあたって、前提条件を認めてもらいたい。

1、人麿が石見国で死んだということを認容すること。これは万葉集の歌を信用することである。それゆえ、折口信夫《おりくちしのぶ》氏（一八八七―一九五三）のように、この事実を認めないようでは、これからの論証は進展しない。

2、石見娘子《いわみのおとめ》、依羅娘子が同一人であり、かつ人麿歿時《ぼつじ》に依羅娘子が石見におった、この二つを認めること。つまり、これは例の石川の歌の作者・依羅娘子を、石見出身の女で、人麿歿時に石見にいたとすることである。

3、人麿は晩年、石見国府の役人をしていたこと。これも記録が欠けているので想像にすぎないが、人麿が石見の出身で、晩年石見に帰郷していたのだというように考えるのと、国府の役人として大和から赴任してきたというのとでは、歌の解釈にちがいが出てくる。

茂吉は以上の三条件を前提にして、論証を進めようとする。

茂吉の推論――鴨山捜索の三つの鍵《かぎ》

二　鴨山について、古来からいわれている説があるが、茂吉はそれをいちいち否定する。

1、美濃《みの》郡高津《たかつ》鴨島説。美濃郡高津、今の益田市に高津川という川があり、その川の湊口《みなとぐち》に、鴨島という島があったという。その島が、万寿三年（一〇二六）五月、津波によって水没したが、この島こそ、柿本人麿の終焉の地であるという説がある。『柿《かきの》本明神縁起《もとみょうじんえんぎ》』『人丸事跡考《ひとまろじせきこう》』『人麻呂事蹟考弁《ひとまろじせきこうべん》』『底廼伊久里《そこのいくり》』『石見八重葎《いわみやえむぐら》』等をはじめ、『檜嬬手《ひのつまで》』『古義《こぎ》』『攷証《こうしょう》』『美夫君志《みふぐし》』等の諸万葉集註釈書《ちゅうしゃくしょ》、内山真竜《うちやまたつ》（一七四〇―一八二一）の『地名記《ちめいき》』、関谷真可禰《せきやまかね》氏の『人麿考』、松岡静雄《まつおかしずお》氏（一八七八―一九三六）の『日本古語大辞典』に至るまで、概《おおむ》ねこの説を踏襲し、一番有力な説である。

この説はまた、この高津の山を、人麿終焉の地とするばかりか、例の人麿が妻と別れる歌にある高角山と同一視するのである。この説は茂吉のいうように、たいへん古くからの説であり、徳川末期までこの説を疑う人は誰もいなかったが、茂吉は次のような理由でこの説を簡単に否定する。

「併《しか》しこの説は、長歌の高角山を高津に関聯《くわんれん》せしめて、それから発達せしめて行った説で、大に不自然なところがある。万寿の海嘯《かいせう》は石見一帯で、都濃津《つのづ》あたりにも伝説が伝はつてゐるが、陸地が却《かへ》つて増してゐるぐらゐである。その鴨嶋《かもしま》の絵は八重葎などにかいてあるが、海嘯でそれが無くなつたことは信ぜられない。高津の柿本神社は非常にいい場処で、風光もよく、人麿神社の場処としては理想的と謂《い》つてもいいが、鴨嶋説は奈何《いか》にしても信じ難い。藤井宗雄の石見国名跡考で、この説を否定して、『万寿の海溢《かいいつ》に託して遁辞《とんじ》せるなり』と云《い》つてゐるのは面白い批評である。高津川もなかなかいい川で、上流の方は山峡をも流れるが、是非このあたりだと感ぜしめるやうなところはない。またこの高津川即石川説は石川の貝で、海浜だといふ考に本づいてゐるのだから、そこの解釈も感心しがたい。昭和五年十一月、平福・中村二氏と共に柿本神社に参拝して大体を見、昭和九年五月、岡・土屋二氏と共に柿本神社に参拝し、鴨嶋のあつたといふ方に行つて実際を見た。縦《よ》しんば鴨嶋といふやうな小嶋があつたにせよ、鴨山の磐根《いはね》し纏《ま》けるといふやうな感じではない。そこが根本の不満である」

（「鴨山考」）

2、那賀郡浜田城山説。

「石見風土記、松平新清の石見名所松葉集、都築唯重の石見名所方角集《はうがくしふ》、藤井宗雄

の石見国名跡考、浜田鑑《はまだかがみ》、地誌備考《ちしびかう》等はこの説で、次田潤氏の万葉集新講は之に従つてゐる。これは、風土記に加茂山とあるは浜田の城山で、それを亀山ともいふのは音の通ずるところから来てゐるといふのである。また浜田川のことを陰徳太平記などで石川と云つたので、城山が鴨山ならば当然浜田川は石川になるのである」（同前）

この説にたいしても、茂吉は簡単に否定する。一つは、浜田では国府にあまりに近く、依羅娘子が国府にいたとすれば、「知らにと妹が待ちつつあらむ」という歌の感じに適当ではない。その上、この鴨山もあまりに低い山で「鴨山の磐根し纏ける」という感じではなく、また浜田川は小さい川で「石川に雲たちわたれ」という感じはしない。

このような理由で、茂吉は浜田城山説を否定するが、彼はこの説から大いなるヒントを得る。それは、鴨は亀に通じるということである。鴨が亀に通ずるとすれば、鴨山という名がなかったら、亀山という名の山を求めればよいではないか。

3、那賀郡神村《かむら》説。吉田東伍《よしだとうご》氏（一八六四―一九一八）の『大日本地名辞書』の説である。これもカムとカモの連想による。この説も、茂吉は「依羅娘子と人麿との距離が余り近」いという理由と、島星山を除いて山らしい山がなく、鴨山らしい大きな山も、小川ばかりで石川らしい川もないという理由で否定している。

4、那賀郡二宮《にのみや》村恵良《えら》説。これは茂吉が、浜田にいったとき地方史家の大島幾太郎翁《おう》から聞いた説である。これも、調査したけれど、問題にならない。茂吉は大島氏に遠慮して、「この説に拠《よ》ると、人麿と依羅娘子の距離が奈何にも近く、その点では神村説と同一であるが、期せずして神村に近い恵良村にさういふ伝説があつて、大島翁の如き地方の学者が骨折つて調査して居られるのに敬意を表した。私は口が乾きへとへとになつて都野津に辿《たど》りつき氷水をむさぼり飲んだ」（同前）といっている。

三　このようにして、鴨山にかんする従来のあらゆる学説を否定した茂吉は、新しく鴨山の地を求めるわけである。そのために、二、三の条件を考える。

第一に、その場所は石見になくてはならぬ。しかも、カモあるいはそれに類似の音をもった場所でなくてはならぬ。しかも「磐根し纏ける」であるから、ただの丘陵、あるいは小山ではいけない。巌石《がんせき》のあらわれている山でなくてはならない。

次に「知らにと妹が待ちつつあらむ」であるから、妻が国府にいたとしたら、少なくともそこから十里以上、十四、五里ぐらい隔たった場所でなければならぬ。なぜなら、人麿が鴨山の岩を枕にして死んだとすれば、通知しても間にあわない場所に、妻はいなくてはならぬ。この点、従来の浜田説も神村説も恵良説も、あまりに近すぎる。

次に「石川の貝に交りて」であるが、従来、多くの学者はこの「貝」を文字通り貝と考え、その場所を海浜にある川、あるいは海浜にある山に探し求めて、適当な場所が見つからなかったが、それはちがう。「石川の貝」は、橘守部《たちばなもりべ》（一七八一—一八四九）、近藤芳樹《こんどうよしき》（一八〇一—一八八〇）等の説にならって、「石川の峡《かい》」とすべきである。そして「雲たちわたれ見つつ偲はむ」という歌は、小さい川ではなく、大きい川でなくてはならぬので、この二つの歌は、鴨山の地を大河の上流に求めねばならぬことを示す。

このように考えて、茂吉は一つの解釈に到達する。石見国の大河、それは江ノ川である。江ノ川沿岸に鴨山の地は求められなければならぬ。

「私は大体以上のやうな条件を具《そな》へた場処を脳裏に空想しつつあつた。そしてはじめに目をつけたのは、江ノ川《ごうがは》沿岸といふことであつた。どうしても江ノ川沿岸に相違ないと目を据ゑたから、今まで漠然として居つた視野がここに限局されたわけである、併《しか》し、この江ノ川に目を附けるまでに実に長い年月がかかつたと謂つていい。なぜかといふに、私もやはり、『石川の貝』で、海浜ばかりを捜し求めてゐたからである。併し、必ずしも海浜でなくもいいこととなり、大きい川とせば江ノ川でなければならぬから、それからは極めて合理的に考が進捗《しんちょく》したのである。ゆゑに、この江ノ川沿岸といふ考は極めて大切な根拠で、将来また新説は出でようとも、これは永久に間違つてゐないと信じていい」

（同前）

かくて、鴨山発見の根本原理は見出されたのである。あとは江ノ川沿岸に鴨山という名をもつ、以上にあげた条件を満たす山を探せばよい。

カメはカモより転じ、貝は峡を表わす

四　茂吉は、最初カモの地を求めて賀茂《かも》神社のあり場所を探す。賀茂神社は石見国のいろいろな場所に存在する。邑智郡の矢上《やかみ》村、中野村、高原《たかはら》村、阿須那《あすな》村などにあるが、これらはいずれも直接江ノ川の沿岸にそってはいないので、茂吉は候補地から捨ててしまう。

茂吉は、石見の古地図を買ってきて、必死になって鴨山の名をもつ山を探す。鴨山という名の山は見つからなかったが、亀という名の村が見つかった。

『石見《いわみ》由来記《ゆらいき》』という本で、亀という名の村を見つけた茂吉は、早速、五万分の一の地図を見てみると、石見国邑智郡浜原村の対岸にたしかに亀という名の村がある。茂吉は、カモもカメも類音であり、この土地こそ人麿の終焉《しゅうえん》の地ではないかと考える。

「そのうち、石見の古地図、一つは慶安、一つは享保、この二地図を手に入れて見るに、やはり亀といふ村がある。なほ調べて見るに、南北朝時代の丸屋城といふのがこの亀にあつたから、この亀といふ名称は決して近世のものではない。

〔……〕さういふ時代の一つの土地の記号として、現在のカメはカモであつたのかも知れない。亀といふ名称は佐波《さは》郷の土著の豪族佐和善四郎あたり数代以来、ある物知人《ものしりびと》がゐて、亀と改良したので、もつと古代は鳥の鴨であつたかも知れない。信《し》喜《き》も大和地方の名だが、それをもつと溯《さかのぼ》れば鳥の鴨《しぎ》（万葉十九、羽ぶき鳴く志芸《しぎ》）であつたかも知れない。

〔……〕また、万葉集で鳥の鴨を詠《よ》んだのは可なりあるが、亀を詠んだのは、『図負《フミオヘル》神亀毛《アヤシキカメモ》』（巻一）『卜部座亀毛莫焼曾《ウラベマセカメモナヤキソ》』（巻十六）だけであるところを見れば、人麿時代には、亀といふ地名よりも鴨（加茂、賀茂、加毛等）といふ地名の方が考へる可能性が多いと見ねばならぬ。そこで、人麿時代にカモと云つて、賀茂氏族の一分岐が住んだために名づけたか、或は住民が目標として鴨の群れる江ノ川の特徴に名づけたか、何しろカモと云つてゐたと想像してもただの妄想像ではあるまい。

とかう思つたのである。

〔……〕粕淵村のこの小山を亀山、亀尾山と云つた時代があつて、今はその名が土地台帳の中からも無くなつてゐるが、部落の名が亀といふ名になつてから、その江ノ川対岸の小山を亀山、或は亀尾山と命名した、その名残だといふことを証明してゐるのでなければならぬ。それだから、この亀尾山の命名は佐和氏が勢力を得てから以後の事のやうに思はれるのである。私がなぜ斯《かか》ることをくどくどと云ふかといふに、カモといふ名の方が前で古く、カメといふ名の方が後で新しい名だらうといふ想像に証拠を与へむがためであつた。

さて、私の如上《じよじやう》の想像が合理的で、現在のカメが人麿時代にカモだつたとせば、現在の亀の対岸にある浜（浜原）あたりに人麿が来てゐて、カモ部落の山、即《すなは》ちカモ山を望んで、自分の死んだ時のありさまを其儘《そのまま》想像しつつ、臨終に近き時の感慨を漏らして、『鴨山の磐根しまける』云々《うんうん》と歌つたこととなり、無理なく山の解釈が附き、従つて人麿の此歌一首を、心を安んじて鑑賞することが出来ることとなるのである」（同前）

茂吉はこのようなさまざまな想像をめぐらして、このカメの地がむかしカモと呼ばれていたことを論証しようとする。

五　鴨山の地はだいたい見当がついたとして、それでは石川はどうなるか。これについても、茂吉は想像をたくましくして、江ノ川が人麿の時代に石川と呼ばれていたことを論証しようとする。

「併《しか》しなぜ、浜原あたりの江ノ川を石川と云つたかといふことになれば、毫《がう》も文献的証拠はなく、私の想像的産物であるが、これにはいささか根拠を云ふことが出来る。元来、江ノ川といふ名は下流の方から命令《ママ》されたものに相違なく、いろいろ説（石見国名跡考、石見潟等）があつても、浜原あたりの流を、人麿当時江ノ川と称《とな》へたかどうかは疑問である。無論伝説にも無し、記録にも無い。そこでさういふ固有名詞の川の名が無かつたとせば、普通名詞的に、部落の住民が、一つの約束として、石川と呼んでゐたと解釈してもそんなに無理な考へ方ではない。〔……〕

〔……〕また、文化ごろ、出雲《いづも》頓原《とんばら》町に土屋文晴といふ医師がゐた。なかなかの流行医で安芸《あき》備後《びんご》石見地方まで往診し、江ノ川を上下したことも幾たびなるかを知らないほどであつたが、江ノ川に軽枯船《かんこぶね》といふのがあるので、非常に便利を得てゐることを経験し、広瀬藩主松平斎恒に、『御註進申上《ル》難瀬之岩間を通り軽枯船之事』といふ意見書を上申して居る。その中に、『今より後、川上急流之石川をば、予が注進申上る軽枯船を造り、御通し被成候節は、御疑もなく通ひ申候』といふのがある。この文中の、『石川』は普通名詞に使つてゐるのだが、かういふ言ひあらはし方が遠い古代から石見出雲あたりに行はれてゐたと解釈して毫も差支《さしつかへ》はないとおもふのである。よつて、人麿時代に、その辺の江ノ川区域を石川と呼んでゐたと想像しても敢《あへ》て無理では無い。また、人麿時代に、この区域を江ノ川と呼んでゐたと考へるよりも、石川と呼んでゐたと考へる方がどのくらゐ自然だか知れない。かう私は思考したのである」（同前）

また、この辺には石見《いじみ》、石見山《いじみやま》、石見谷《いじみだに》、石原《いしはら》、畳岩《たたみいわ》など、石に関係ある名称が多い。それゆえ、茂吉は「むかし人麿時代にそのへんの現在の江ノ川区域のことを、石川と呼んでゐたのではなからうかといふ考を強くしたのであつた」（同前）といっている。

また、彼は他の川ではなくして、この江ノ川が石川と名づけられねばならぬ必然性を、次のように要約する。

「高津川、浜田川、恵良川等は、『石川』と普通名詞的に名づくべき特色を欠き、つくづく古代人の心理と土地命名との関係に想到するとき、自然、この浜原あたりを中心とする江ノ川区域を石川と呼ぶことの奈何に自然だかといふことが分かるのであり、またその愚按《ぐあん》の石川説の反証は今のところあげられない以上は、愚按を一説として保存するのみならず、学界は愚按について一顧の労を取るべきだとさへその時おもつたのである。稍僭越《ややせんゑつ》なことだともおもひつつ」

（同前）

六　さて、こうして石川がきまったわけであるが、ここに一つ問題がある。それは、依羅娘子の歌に「石川の貝に交りて」とあるから、石川は浜辺にあるのではないかという説である。それゆえ、古説は、すべて石川を海辺に求めた。

これについては、先に述べたように、橘守部の貝を峡とする説を茂吉は受け入れる。

「然《しか》るに橘守部は、やはり石川を山峡の歌の感じとして受納《うけい》れたのみならず、この貝字に新解釈を附けた。そのために、『石水』をイハミと訓《よ》み、川でなくて山だとし、山字を加へて、『石水《いはみ》山《やま》』（石見山）とし、『貝爾交而』をカヒニコヤシテと訓み、貝《かひ》を峡《かひ》の義だとした。『石水山。諸本此《この》山を落して、石水《イシカハ》とよみ、貝爾《カヒニ》交而《マジリテ》とよめる故《ゆゑ》に、何事とも知られずなりし也。故《カレ》、今考へて山の字を補ひつ。貝《カヒ》も峡《カヒ》なる事、一本に谷爾《タニニ》とある以《モ》て知るべし』（檜嬬手）といふのである。貝《かひ》を峡《かひ》の借字としたのは卓見であつたが、そのかはり石川《いしかは》を石見《いはみ》山《やま》とせねばならなかつた。ついで、近藤芳樹がやはり貝《かひ》は峡《かひ》だといふ説を樹《た》てた。そして此《これ》は石川を其儘川として立論した。『芳樹按に、貝《カヒ》は借字にて峡《カヒ》なり。和名抄に考声切韻云。峡ハ山間ノ陵《セバキ》処也。俗云山之加比《ヤマノカヒ》とあるカヒにて、石水《イシカハ》は国府近辺の山間の谷川なるゆゑに、その谷川のある山と山との峡にまじりての意なり。交而《マジリテ》とは、野山《ヤマノカヒ》に入て遊ぶことを古今集などにマジリテといへり。ここに交と書るは借字にて、こをマジリと訓るは、祝詞式の御門祭に悪事爾《マガゴトニ》相麻自許利《アヒマジコリ》相口会賜事無久《アヒクチカヒタマフコトナク》とある、麻自許利《マジコリ》に同じ』（註疏《ちゅうそ》）云々《うんうん》といふので、これも卓見であり、山田博士も芳樹の説を抄記しなほ布衍《ふえん》して説明してゐる。ただ貝《かひ》は峡《かひ》だといふ説の先取権《プリオリテエト》は守部にあるので芳樹にあるのではない」　（同前）

このように、峡を貝と書いた例は他に万葉集にはない。祝詞、古事記、日本紀にあるか、それをまだ調査できずにいると茂吉はいう。しかし、地名にはたくさんある。たとえば、栃木県下野国芳賀《しもつけのくにはが》郡。久下田《くげた》町の字に谷田貝《やたかい》があり、長沼《ながぬま》村の字に、谷貝《やがい》、谷貝新田《やがいしんでん》、上谷貝《かみやがい》があり、小貝《こがい》村があって、その字に続谷《つづきや》、文谷《ふみや》、刈生田《かりゅうだ》、椎《しゅう》谷《がい》、大谷津《おおやつ》、杉山《すぎやま》等がある。こういうふうに、茂吉は多くの貝の名のつく地名をあげ、これは峡という意味にとらなければ理解できないという。

そして、この石見国の浜原の近くにもまた、多くの貝の字のつく地名がある。貝谷《かいがたに》、貝詰《かいづめ》、貝詰門《かいづめもん》、貝詰門畑《かいづめもんばたけ》、地《じ》貝谷《がいだに》、貝《かい》ノ平《たいら》など、これらはすべて「貝」と解しては解釈できず、「峡」と解してはじめて腑《ふ》におちると茂吉はいう。

「かう記述して来れば、依羅娘子の歌の貝は峡と解釈して解釈が出来るといふことになる。即ち守部・芳樹等の説は認容し得るといふことになり、『石川の貝』は、『石川の峡』で、石川は狭間《はざま》を流れて居る大川でなければならぬといふことの証拠となり、それならば、この浜原・亀あたりを中心とする江ノ川をば、『石川の峡』と想像したならどうであらうか。これならば無理ではなからうといふことになつたのである」

(同前)

浜原への道――人麿のルートの推定

七　このようにして、鴨山にかんする茂吉の理論的探求は終わった。もはや江ノ川沿岸の亀の地が、人麿終焉の地・鴨山であることは明白なことであった。あとは実地観察のみが残されている。ついに、昭和九年七月二十二日、茂吉はこの浜原の地にゆき、雨をおかしてそこの風景を観察するのである。このとき茂吉をおそった感激が、どのようなものであったかは、先に引用した茂吉の文章からもうかがえる。

まさにその日、世紀の大発見が行なわれたのであった。今まで、誰一人見つけることのできなかった、日本第一の詩人の終焉の地を、今、一人の大詩人が見つけることができたのである。茂吉が「神明の加護」と感じたのも無理はない。

霊感にみたされた茂吉は、一日で、鴨山を発見する。浜原の対岸に、かなり高い巌《がん》石《せき》のあらわれた、白雲の去来する山がそびえている。それこそ鴨山にちがいない。この山を、土地の人は津目山《つめやま》と呼ぶ。津目山が、過去において鴨山と呼ばれていたかどうか、もはやそうした疑問は茂吉をおとずれない。もう、この山が鴨山に、人麿の死んだ場所にまちがいないことは、神明によって保証されているところなのである。

茂吉は喜び、七月二十二日、二十三日、二十四日と足かけ三日も浜原にとどまる。それから、浜田、都野津《つのづ》、神村、恵良を実地踏査し、そこにけっして鴨山がないことを確証して、二十七日に再び浜原に来た。

私は、この二十四日から三日間、浜田、都野津、神村、恵良などの実地踏査におもむいた茂吉に、自然科学者を感じる。人麿終焉の地は見つかったが、まだ一抹の懐疑は残っている。その懐疑を一掃するには、今までの説が誤りであることを自分の眼ではっきりたしかめねばならぬ。これは、ほとんど実地踏査ということをしたことのな

津　目　山

い日本の国文学者には到底見られない態度であるが、この自然科学者としての態度に優先するものは、茂吉の詩人としての直観である。彼はどのような眼で七月二十四日以来、浜田や都野津を見たのであろう。霊感にみちた茂吉の眼が、浜田や都野津であるべきものを冷静に見たとは思えない。この「鴨山考」の第二節で茂吉自ら語っているように、浜田にも、都野津にも、神村にも、恵良にも、鴨山や石川にふさわしい山も川も存在しないように彼には思われた。

こうして、人麿終焉の候補地を否定しつつ、茂吉は再び浜原に帰ってくる。もはや、ためらうことは何もないのである。

八　ところで、浜原の地は、今でも不便な山間僻地《へきち》である。この山間僻地に、なぜ人麿が来たかということが問題となる。この問題についても、茂吉は彼一流の推論、あるいは想像をめぐらすのである。

たしかに今は浜原の地はさびれているが、昔はそうではなかった。この土地は、江ノ川の上流にあり、「他の部落に比して重要な位置を占め、従つて歴史的に顧みてなかなか栄えて居る」所であったと茂吉はいう。水流の便ばかりか、この土地は陸路の要地でもあった。浜原を通って、出雲《いずも》の赤穴《あかな》（赤名）、備後《びんご》の布野《ふの》、三次《みよし》に出る道があるが、それは、かつて大森《おおもり》銀山の盛んなときにぎわった道であって、茂吉は、人麿が生きていた頃もその道を通って人々は都へ行ったという。

「そんなら、人麿時代の国府、浜原間の交通道路はどうだつたらうかといふに、これも大体さういふ具合だつたと私は想像して居る。つまり、国府を出発して、都野津、江津を経、江ノ川を渡り、浅利《あさり》、温泉津《ゆのつ》、五十猛《いそたけ》あたりか、或は仁万《にま》あたりまで行つて、それから東に折れたと見てよく、人麿が妻に別れて上京する時の長歌にある地名が大体その道順を示してゐるのだが、そんならなぜ国府から浜原あたりに来るのに、さういふ廻りくどい道筋を経るかといふに、これは江ノ川の支流の関係で、南方には八戸《やと》川、矢上《やかみ》川のやうな大きい支流があり、八戸川の如きは戸《と》川、勝地《かちぢ》川の合する迄《まで》も長い距離であつて通過が面倒であるし、北方でも江津辺で江ノ川を渡つても、直ぐ東に折れて江ノ川に沿うて来ないのは、都治《つち》川などの支流のある関係である。都治川などは細い川だが、橋が無くて徒渉するのだから、少し雨が降ると交通が絶えるのである。現に粕淵のところの渋谷《しぶたに》川、早水川なども県道のつくまでは、飛石で渡つてゐたから、矢張り雨が降つて増水すれば交通が絶えてゐたさうであつた。このたびも江ノ川が増水して、亀や滝原へ渡る小舟が通はぬので減水するまでは交通が絶えてゐるのであつた」（同前）

ふつう、人麿は都と石見国の間を、山陰道を通って往復したと考えられている。なぜなら、今でさえ交通不便な山道を、人麿の当時、国府の役人が通るはずはないと思われるからである。しかし、交通不便の亀の地が、人麿終焉の地と確定された以上、ここに人麿は来ないはずはなく、ここに、石見の国府から都へ行く道がないはずはないということになる。

茂吉は、国府と浜原を結びつけるが、ここで厄介なことが起こる。なぜなら、万葉集巻二にとられている、人麿が妻と別れて上京するときの歌には、「津野《つの》」とか「辛《から》乃《の》埼《さき》」とかいう地名が歌われており、今の都野津、江津の地を通ったこととなり、従って江ノ川に沿って人麿を東行させるわけにはゆかず、支流の関係で、仁万《にま》あたりで東に折れて、浜原の地にきたと考えるのである。はたして、こうしたコースに道があるかどうかはたいへん疑問であるが、道なきところに道をつけるのが、詩人・茂吉に許された特権なのかもしれない。

「柿本人麻呂事蹟《じせき》考弁の著者、岡熊臣は、人麿上来の道筋を出雲路となし、『人麻呂ノ帰京ハ、中略国府ヲ立テ、邇摩《ニマ》郡、安濃《アノウ》郡ヲ経テ、出雲路ノ方ヘイデテ上リ給《タマ》ヘルナリ。渡村・矢上村ナド云地ハ、今邑智郡ニアレド、ソハ安芸・備後ノ方ヘイヅル道ニテ古代ノ駅路ニ非《アラ》ズ。官人ハ間道ヲ経ベキニアラズ。必駅路ヲ通ルベシ』と論じてゐるが、この説は一応もつとものやうで尤《もつと》もでない。即ち古代の駅路を通過するのは便利だからである。若し便利でなく難儀ならば必ずしも駅路を通らずともいい。若し人麿が石見から備後路へ出《い》でて、瀬戸内海を船で上来するとしたら、出雲伯耆《はうき》を遥々《はるばる》徒歩或は馬で通過するよりもどのくらゐ便利で楽だか知れない。かういふ場合に学者と雖《いへども》空論は許さない。自分が人麿の身になり、自分みづから上来するつもりになつて思考せねばならぬのである。況《いはん》や駅路の制の完備は和銅四年ではないか。和銅四年には人麿はもう死んで居る」

ここにきて私は、詩人茂吉の空想力の奔放さにほとほと感嘆せざるをえないのである。空想力の奔放さに感嘆するというのはアイロニイである。むしろ私は、幻想力の強烈さにあきれざるをえない、というべきかもしれない。何が何でも茂吉は、この地に人麿をつれてきて、この地で人麿を殺さずにはいられないのである。

（同前）

「なぜ私は人麿上来の道筋について、ここに論ずるかといふに、人麿が臨終のとき、浜原あたりに来てゐても別に不思議ではないといふ証拠を示さんがためであつた。即ち、浜原あたりは、人麿時代にすでに一つの交通路に当り、石見備後を通ずる唯《ゆい》一《いつ》の道路であつて見れば、どういふ機会にか人麿が此処《ここ》に来て居てもかまはぬことなるのである。もう一度念を押せば、人麿は臨終のとき、忽然《こつぜん》とただ一人かういふ土地に来てゐたのでなく、来るべき理由があつて来、病むべき理由があつて病み、死ぬべき理由があつて死んだと考へねばならぬから、煩《はん》をいとはずその証明をしたのであつた」

（同前）

九　砂鉄の地の伝染病——人麿の死因の推定

かくて人麿が浜原の地に来たことは、確実になった。次に、何のために来たかが問題である。浜原に来て、茂吉は土地の人から、この土地にはかつて砂鉄の事業が盛んであったと聞く。それを聞いて、茂吉は思う。そうだ、柿本人麿も砂鉄の仕事の監督に来たのにちがいない——と。浜原には、スバイ釜《かま》、小艾新釜《しょうがいにいかま》、釜《かま》スリ、庭釜《にわかま》など、砂鉄に関係のある地名がたくさん残っている。それによっても、この地方で砂鉄事業が盛んであったことはたしかであるが、人麿時代にも相当活発にこの作業が行なわれていたのではなかったろうか、と茂吉はいう。

「右の如く採鉄の作業が相当に活潑《かっぱつ》だつたとせば、国府と無関係といふことはない。従つて国府の官吏と何等かの交渉があるわけである。特に人麿は国守の如《ご》き長官でなかつただらうから、（本居宣長も、『蓋《けだ》し石見国の掾目史生《じょうさかんしじやう》などの間なるべし』と国歌八論評の中に云つて居る）或はかういふ統治下にある国の大切な作業をして居る地方には出張などもしたかも知れない。出張などは絶待にしなかつたといふ反証の挙らない以上は、人麿が臨終の時、かういふ土地即ち浜原あたりに来て居ても、毫《がう》も不思議ではないのである」

（同前）

かくて、人麿は、砂鉄事業の監督のために、この地、浜原の地へ来ていたのは、確実なこととなった。あとは、人麿をどのように殺すかが問題となるだけである。茂吉は、人麿に命じる。「お前は痢疫で慶雲《けいうん》四年（七〇七）四月二十九日に死ね」と。

「次にもう一つの説を私は持つてゐる。真淵等は大体和銅二年ごろ人麿が歿したと想像してゐる。それを私は、人麿は慶雲四年に疫病で死んだのではなからうかといふ説をたてた。即ち、続日本紀《しよくにほんぎ》、慶雲四年夏四月丙申《ひのえさる》の条に、『天下疫飢《えきき》、詔《みことのりして》シ加《フ》ニ賑恤《しんじゆつ》ヲ一、但《とくニ》丹波・出雲・石見三国尤甚《もつともはなはだし》』とある、その疫病《えやみ》流行の時に人麿が伝染して歿したと想像して居り、夏四月であるが、慶雲四年四月朔《ついたち》が戊辰《つちのえたつ》だから、丙申は二十九日に当り、陽暦の六月七日となる。即ち、もはや暑い気候に入る頃であり、消化器系統を主証とした痢疫の類《たぐひ》であつたと想像してゐる。人麿の歌から見て、どうもさうである。腸チフスのやうな熱を主証とするものではないやうである」

（同前）

慶雲四年陰暦四月二十九日は、陽暦の六月七日にあたる。初夏、伝染病のはやる頃である。人麿は伝染病で死んだにちがいない。死んだにちがいないというより、死なねばならぬ。もしも、死ななかったら、茂吉の力で死なせねばならないのである。

「流行病は、人の集まるところに見る場合が多く、特に労働者等の群集するところに多いとせば、鉄の作業と関聯して浜原あたりに流行せしめるといふことも決して不自然ではなく、またさういふ時に、国府の官吏が賑恤救助或は視察の目的を以《もつ》て出張してゐたと想像することも決して不自然ではないのであり、人麿が流行地に出張して来たとせば、伝染したと云つてもこれも亦《また》決して不思議ではない。そして妻にあはずして歿したといふことになるのである」（同前）

ここで人麿は、野口英世《のぐちひでよ》（一八七六—一九二八）となってしまった。彼は、伝染病の救助にゆき、自らが伝染病にかかったというのである。ああ、何というたくましい想像力。しかしその想像は、何と近代的、何と常識的なことか。茂吉は、市民社会に根ざした、おどろくべき奔放な想像力、というより、おどろくべき荒唐無稽《こうとうむけい》な想像力で、人麿の死を推理する。そして、できあがった人麿像は、近代の市民像なみの、卑小で、日常的な人麿像になってしまっている。

私はここで、茂吉の人麿論を、忠実に紹介すべきであった。批評はあとまわしにすべきであった。しかるに、つい、筆がすべって、批判の言葉をもらしたのは、茂吉のこの文章が、正当な理性をもっては、到底理解することができない文章であると思うからである。私の中にある道理の感覚が、この文章をどうしても理性的な文章とは思わさないのである。このような断定に、茂吉も少しはてれている。それゆえ、それについで、次のようにいう。

「世の人々は、私の如上の記述を読んで二たび失笑せられるであらう。なぜかといふに、人麿に関する資料が、ただ三四首の歌に過ぎないのに、私はいかにも見て来たごときことを記述してゐるからである。併し世の人々は一考せねばならぬ。人麿が石見で鴨山の近くで死んだのが事実とせば、必ず一定の原因と経過とを有せなければならぬ。それがさういろいろ雑然とある訣合《わけあひ》のものではない。ここに於《おい》て人類のこれまでの事実に本づく経験を根拠として論理を進めて行けば、結局私の文章のごときものに落著かねばならぬのである。よつて私の文章は空想なるが如くにして空想ではないといふことになる。世の人々はここに一考を費されたいのである。例へば、或る説では、人麿は横死などか、頓病などのために歿しただらうといふことを云つてゐる。けれども横死するやうな外傷性の重いものなら、かういふ歌は先《ま》づ出来ないと看《み》ねばならぬ。また頓病といつてもどういふ種類の頓病か、流行性のものでなしに、例へば卒中のごとくに、死んでしまふやうな頓病なら、やはりかういふ歌は詠《よ》めないと看ねばならぬ。かう、除去の論法を採つてゆけば、あとに残る無理のない考へ方はやはり一つか二つに帰著してゆくのであり、私の考のやうなのが即ちそれだといふことになるのである」

（同前）

これはまことにものすごい論理である。自己の主観的判断を、客観的真理とせずにはおかないすさまじい意志に、この文章は貫かれている。私はもとよりこのような論理を認めることが出来ないが、茂吉の意志にはほとほと感嘆せずにはいられない。このようなすさまじい意志は、天才か狂人にのみ許された意志のように私には思われる。

不都合な二首は万葉編者の失態である

十　こうして、人麿が浜原村の亀の地で死んだことは確実になり、茂吉はその成果を要約する。

「そして人麿は現在の邑智郡浜原あたりで死したごとくである」

「石川は石見にあつては江ノ川でなければならぬ」

「人麿の歌の、『知らにと妹が待ちつつあらむ』といふのだから、人麿臨終の地と国府との距離は三四里や四五里のところではない。少くとも十数里を隔ててゐねばならぬ。さういふ点で浜原あたりは最も腑に落つる場処である」

「また一国に疫疾が大流行してゐる時に国府の役人が安閑として国府に作歌などして居られる訣もないから、人麿が浜原・亀あたりに出張して来てゐるのは、最も自然的な行為と看做《みな》さなければならない」

（「鴨山考」）

かくして、世紀の大発見は完成されたわけである。茂吉はそれになお、二、三の注釈を加える。

(1)「鴨山は丘陵或は小山にあらざること」（同前）

「鴨山の磐根し纏ける」という言葉を茂吉は単なる埋葬をいうのではなく、やはり津目山くらいの高さの山に埋葬されたことをいうのであるとする。

(2)「人麿死時依羅娘子石見に居ること」（同前）

依羅娘子の歌は、鴨山をも石川をも知っているらしい口吻《こうふん》である。それゆえ、娘子は石見の女で、多分国府にいたのであろうが、浜原までは二日で行かれるから、そこを想像してつくったのであろう。

(3)「丹比真人歌或本歌は大和で作ったこと」（同前）

ところが、ここで、一つの大きな問題が出てくる。それは、さきの茂吉の人麿解釈は、もっぱら万葉集巻二に採られている人麿の歌一首と、妻・依羅娘子の歌二首によってなされているが、先に述べたように、万葉集では、人麿の死に関してのせられている歌は、この三首だけではない。丹比真人が柿本人麿の意《こころ》に擬《なぞら》えて、依羅娘子に報告し、歌った歌がある。「荒波に寄りくる玉を枕に置きわれここにありと誰か告げなむ」（巻二・二二六番）という歌である。これに続けて「或本歌曰」という詞書《ことばがき》がついて、「天離《あまざか》る夷《ひな》の荒野に君を置きて思《おも》ひつつあれば生《い》けるともなし」（巻二・二二七番）という歌があり、この歌には「右の一首の歌、作者いまだ詳《つばひ》らかならず。但《ただ》し、古本、この歌をもちてこの次《つぎて》に載す」と注がついている。

茂吉のように、鴨山の石川を山辺にもっていくと、この歌の解釈が苦しくなる。それゆえ、こういう歌を認めるわけにはゆかない——茂吉はそう考えて、万葉集からこのような歌を抹殺したいと思ったのであろうが、そうするわけにもいかないので、口をきわめてこの歌をののしるのである。

「私の考では、これは詞書の如くに擬歌で毫も現実的価値の無いものである。恐らく丹比真人は大和にあつて、人麿の死を聞き、娘子の歌をも聞いて、仮に人麿のつもりで咏んだもので、作歌の時期は後れるのであらう。それから、大和にあつて、石見のことを想像するのであるから、その根拠とするところは、海浜にある国府の事か、人麿の歌の、『石見の海角の浦回を浦なしと人こそ見らめ』云々の事しか知らず、第一想像も出来ないほどの場処であるから、この歌の地理的価値などは殆《ほとん》ど無いもので、石見で実地に咏んだ娘子の歌と同日に論じてはならぬものである。それであるから、この歌の句に『荒浪に寄りくる』などとあつても、直《す》ぐ人麿が海辺で死んだなどと誤魔化されてはならない。この歌も、次の『夷の荒野』の歌も、擬歌で、空想の拵《こしら》へものであるから、全体が空空《そらぞら》しく、毫も対者に響いてくるものがない。此等の擬歌と人麿の一首乃至《ないし》娘子の二首との差別を鑑別出来なければ、到底、鴨山のこと石川のことを云々するのはむづかしい。抒情詩《じよじやうし》としての歌の価値はごまかしの利《き》かぬ点にあるから、従つて鑑賞者は眼光紙背に徹する底の修練を以てそれに対《むか》はねばならぬのである。従つて、『石川の峡』説は動揺せず、やはり山間を流れてゐる川といふことになるのである。それから、丹比真人といふ者が、仮りに国府あたりにゐて咏んだとするなら、かういふ遊戯的な擬歌などを作る者は、人麿と奈何の関係にあつたものか、実に怪《け》しからぬ者で、此は殆ど問題にはならない。

次に、或本歌曰（二二七）といふ、『天離《あまざか》る夷の荒野に君を置きて念《おも》ひつつあれば生けるともなし』は、妻の依羅娘子のつもりで歌つてゐるのだが、これも大和で歌つた擬歌で、贋物《がんぶつ》で誰かの戯《たはむ》れか、当時人麿の死に同情して戯曲化した心理から生れた偽作でなければならない。石見の大体の地理を知つて居て、『石川の貝に交りて』といふ如き具象的な真実な句を吐く娘子が、『あまざかる夷の荒野に』などといふ空空しいことをいふ筈《はず》はない。この句が奈何にも馬鹿《ばか》らしいので、前人も解釈に苦しみ、牽強《けんきやう》の説を敢《あへ》てするに至つた。例へば童蒙抄《どうもうせう》では、この『あまざかる夷の荒野』は、近くてもいい用例として、『大和の帝都の時、近江《あふみ》を天さかるとよみたれば、遠国にかぎりたる義とも不レ見』と云つたが、いかにも苦しい解釈である。以上の如くであるから、私が『鴨山考』を立つるに際してこの二首を眼中に置かなかつた。これまでの学者が、かういふ邪魔物をも念頭に置いたために正当の判断がつかなかつたと謂《い》つていい。ただかういふ二首の存在する価値あるのは、この二首を作る頃すでに人麿に関する史実が朦朧《もうろう》としてゐて、また既に戯曲化され物語化されてゐたといふことの証拠となる点にある。それゆゑ、人麿の史実を考察するに際して邪魔をするのであるが、人麿の歿処の如きは、必ずただ一つ、欠くべからざる場処があるのであるから、その一処を飽くまで求尋しようとする者は、さういふ邪魔物は思ひきつて除去してかからねばならぬ」

（同前）

私はここにきて再び、恐るべき茂吉の意志に驚嘆せざるをえない。それはあくまで、津目山を鴨山に、江ノ川を石川にさせずにはおかない、すさまじいまでの意志である。確かに詩人らしい意志にちがいないが、それは詩人の意志より、それ以上に帝王の意志に似ているような気がする。帝王の意志で、茂吉は命じる。ここで人麿が死んだことにせよ、と。その帝王の命に草はなびき、山は伏したわけであるが、この帝王は、万葉集すら、そして、それによって人麿自身の運命さえ変更しようとするのである。

万葉集の編者が、深い底意をもってここに置いた丹比真人の歌ともう一首の歌を、茂吉は除去してしまう。邪魔者は殺せ。私はそこに、茂吉天皇の専制的意志を感じるが、そのような専制的意志によって、はたして万葉集が正しくとらえられるかどうか、そして人麿の死が正しくとらえられるかどうかが問題である。この専制的意志は、人麿にすら、勝手にここへ行け、ここで死ねと命じるほど、暴君的であると私には思われる。

茂吉による人麿像の学界および歌壇制覇

以上が茂吉の「鴨山考」なる論文の大要である。客観的にはとにかく、茂吉の主観においては、それは画期的な大発見のはずであった。そして茂吉は、そのような大発見を全世界に認めさせ、永遠不滅の真理たらしめようとする、おどろくべき執拗《しつよう》なる意志をもっていた。

茂吉はこの発見をもとにして、『柿本人麿』なる本を書いた。この本には付録として「鴨山考」がつけられているが、本の眼目は、津目山を人麿の終焉地とする主張にある。この主張を中心に、茂吉は「人麿伝諸記」を書き、その次に「人麿作歌年次配列」「人麿評論史略」「柿本人麿私見覚書」「柿本人麿雑纂《ざっさん》」を書き加え、それに付録第一として「鴨山考」を、人麿を御用詩人と批判した長谷川如是閑《はせがわにょぜかん》（一八七五―一九六九）をぼろくそに罵《ののし》った「長谷川如是閑氏の人麿論を読む」を付録第二に加えて厖《ぼう》大《だい》なる本をこしらえた。総ページ四四七ページ、それに補遺と索引を入れると五〇〇ページを越える堂々たる本である。この堂々たる本の中で、茂吉は、津目山＝鴨山説を、あたかもそれが絶対の真理であるかのような確信に満ちた口調で語ったのである。

この歌壇の大家の画期的なる大発見は、多くの歌壇や学界の権威たちの感嘆をよばざるをえなかった。

「世界的詩人にして、その伝記の精確を欠く、ホーマーの如きあれば、我が邦《くに》の歌聖人麻呂の伝記について、異説紛々たるも、強《あなが》ち不思議はあるまい。

我等は、今、斎藤博士の本書によりて、一切の雲霧を排除し、青空に芙蓉《ふよう》峰を望むが如く、我が人麻呂の全能を、着手し得たとは云《い》へぬが、然《しか》も本書によりて、我等が人麻呂に関する、知識と鑑賞とは、一大躍進をしたものと間違あるまい。この人麻呂の百貨店には、何等のインチキ貨物はない。凡《およ》そ人麻呂に関する、一切の資料と研究とを、かくまで精約に盛り上げ、織り込んだ著作は、前代未聞《みもん》と云ふも過奨ではあるまい」

（『毎日新聞』）

言論界の長老、徳富蘇峰《とくとみそほう》（一八六三―一九五七）の激賞である。

「斎藤博士の著『柿本人麻呂』は、従前の人麻呂研究の、集大成に加うるに、整理と批判と独創の意見が盛られてある。その博捜《はくそう》と努力とは、驚くべきものがある。しかも斯《かか》る論考の性質として、或は見る人によつて、その一部に見解の相違があり、異見をたてる余地はないといへぬが、しかも今後、人麻呂研究に関しては、何人も先《ま》づこの書を、ひもとかねばならぬ」

（佐佐木信綱『短歌研究』）

「人麻呂のやうな、万葉集以外に根本資料の、見られるものは極めて尠《すくな》く、詩人的直観にまつべきものの多い、対象に対しては、斎藤氏の如き歌人によつて、闡明《せんめい》される所が殊《こと》に多いのである。例へば、本書の附録になつてゐる、『鴨山考』を見ても、人麻呂が石見で死に臨んで詠んだ、『鴨山の磐根しまける』の歌の、鴨山の地誌的考証であるが、この地を追求する著者の態度は、実地踏査の精密さも、たたへらるべきであるが、それよりも一層、全体に流れてゐる、著者の直観があざやかに見られる。

氏のこの説に対しては、『貝にまじりて』の貝を、峡とされる点などに、多少疑問もあるが、なほ極めて卓《すぐ》れた説であると思ふ。この『鴨山考』にみられる如き態度は、本書の基調をなしてゐるのである。人麻呂病死などは、鴨山考と関係した考究であるが、ここには造る者としての造詣《ぞうけい》と、結びついた結論が見える。要するに本書は、従来の人麻呂研究の、総括集と見るべきであるが、単なる集成でなく、詩人的直観と、科学的な資料整理と相まつて、まことに光彩ある、統一と創造とがある。そこには万葉集の人麻呂と、現代の斎藤茂吉氏とが、一つになつてゐる」

（久松潜一『帝大新聞』）

「本書は人麻呂に関する、あらゆる知識を網羅してゐる。それは、伝と論と文献との、三部門を兼備した、人麻呂に関する空前の大著である。著者の博捜と独創と、犀利《さいり》なる論断とは、見事にこの事実を成した。日本の歌聖人麻呂の真面目こそは、正にこの書において、開顕《かいけん》したと云つてもよいであらう」（武田祐吉『短歌研究』）

佐佐木信綱（一八七二―一九六三）、久松潜一（一八九四―一九七六）、武田祐吉は、当時の国文学界の重鎮である。この重鎮の讃辞《さんじ》に、沢瀉久孝の鴨山説のほとんど無批判と思われる採用を考えると、当時の国文学界が、茂吉の『柿本人麿』の衝撃に、ほとんど無抵抗に降参してしまったことがよく分かるのである。

そして、歌人たちが、学者以上に、この茂吉の大著述に賞讃を送ったことはいうまでもない。

「『鴨山考』と題した、人麻呂没所の研究は、著者の特に精力を傾けた、考察と思はれる。人麻呂を伝するに当つて、その没所に中点を置いたのは、著者の烱眼《けいがん》であり、没所鴨山を、石見国邑智郡浜原の地と断言したのも、正しく著者の新発見である。この考証に際して斎藤氏には、先づ人麻呂臨終の歌一首からして、結論の方向を直観し、その直観を客観化し、具象化するために、文献の研究及び、実地の踏査といふ、科学的方法をとつたかに見える。この考証において、歌人茂吉氏の熱と、科学者斎藤博士の智《ち》とが、真に能《よ》く融合してゐる。人麻呂の死を、慶雲四年夏四月の、流行病（疫痢《えきり》）によるとしてゐるのも、如何《いか》にも斎藤博士らしい、確実性のある推定である」

「本書の特色は、『豪快』の二字に尽きる。人麻呂の作品は、日本文学史上類稀《たぐひまれ》な、享宏《きやうくわう》な色彩を帯びる。著者の文また、奔放雄勁《いうけい》を以て聞えてゐる。特に注意を惹《ひ》かれる特色は、歌人『茂吉山人』と、科学者『斎藤博士』とが、相兼ねてゐる点である。第四章人麻呂私見には、作歌としての面貌が、濃すぎる程で、『鴨山考』の如きでは、驚く程細緻《さいち》周到な、科学者の風格が現れてゐる。この二者が、からみ合ひ滲《にじ》み合つて、調和面白く顕現する所に、本書の数少い特徴がある。語を代ふれば、前者に原始的気息を、後者に十八世紀以後の、文化人を併《あは》せ見る観がある。特に前者については、現代歌人中、最も人麻呂的な歌作、ディオニソス的声調の、作品をものする人は、斎藤茂吉その人なのであるから、人麻呂の伝記は正に、当代無比の適任者を以て、永世に記録される事となつたわけである」（森本治吉《もりもとじきち》『読売新聞』）

たしかに、茂吉の『柿本人麿』は大成功であった。学界及び歌壇の大家たちは、一斉にこの茂吉の著書に賞讃を送り、彼は大歌人であるばかりか大学者であることをも実証したではないか。

しかし、「鴨山考」を絶対の真理ならしめようとする茂吉の執拗な意志は、このくらいの賞讃で満足しはしなかったのである。茂吉は、佐佐木信綱や久松潜一や武田祐吉などの国文学者の賞讃の言葉の中にある多少の懐疑的な言葉に憤激した。そして茂吉の津目山＝鴨山説を疑い、浜田＝鴨山説を捨てかねていた武田祐吉氏にかみついた。その論理の根拠は、例の依羅娘子の歌をもとにして、国府にいたはずの依羅娘子と、死んだ人麿との間に十五、六里の距離があるにちがいないという論拠であるが、武田祐吉氏の主張があいまいである以上、この論争はどうしても茂吉に軍配を上げざるをえない。

武田祐吉氏をこのようにへこました茂吉は、この新説にたいして沈黙しているかに見える折口信夫にたいしても間接的に攻撃を加える。ちょうど折口門下の谷本政武《たにもとまさたけ》氏が「人麿の死と伝説」という論文を書いた。この論文が、茂吉にとりあげられ攻撃されるが、茂吉の攻撃のねらいは、その背後にある折口信夫に向けられているように思われる。

茂吉の折口一派にたいする批判を論じようとするとき、私はやはり、折口信夫の柿本人麿論にふれざるをえない。

折口信夫の人麿・吟遊詩人集団説

折口信夫の「柿本人麻呂」という論文は短い論文であるが、茂吉の人麿論を含めて、常識的な人麿論を転倒させせるに十分、画期的であり、独創的な論文である。折口信夫のこの人麿論は、ちょうど茂吉の人麿論の出る前年、昭和八年二月に春陽堂から発行された『万葉集講座』の第一巻にのせられた。

折口信夫は、柿本人麿なる歌人を、個人としてではなく、集団としてとらえることを提案する。柿本人麿は柿本氏の出身である。柿本氏とはいかなる種族か。柿本氏は大春日《おおかすが》、小野《おの》、布留《ふる》、粟田《あわだ》などと共に、大和の出身である。この氏族の間では、後世小野氏のみが栄えた。小野氏の職業は何か。

ここで折口信夫は、師匠・柳田国男（一八七五―一九六二）の、小野氏の神は巡遊神人の祭る神ではないかという説をとりあげる。

「今日においては、推測は出来るが、決定の出来ぬ多くの事実がある。其中《その》にも、考慮に残してよい事は、柿本氏人が、巡遊神人であつたのであらう、と言ふことである。大春日氏と同祖は同祖でも、単に其《それ》だけではなく、寧《むしろ》、春日ノ和珥《ワニ》ノ臣《おみ》の分れと見る方が、当然であらう。〔……〕

（中略）
柳田先生は、小野神の祭主の資格を、猿丸大夫《さるまるだゆう》の名で表したもの、と決定してゐられる。此点を拡充して行くと、思はれるのは、故芳賀矢一《はがやいち》博士の、柿本氏の中、最《もつとも》著しい『猨朝臣《さるのあそみ》』を猿丸とする説と、ある暗合を示す事になるのだが、其では、人丸・猿丸の交渉が、あまり近づき過ぎる。姑《しば》らくとり放して考へる方がよささうである。後世の仮託は、古い形を想見するに足らぬと言へば、其《それ》きりだが、柿本氏には、『安永《やすなが》朝臣』に限らず、ある弁口についての記憶が、民俗の上にあつた様だ。一種の御伽《おとぎ》草子には過ぎないとしても、其が比較的古く、又、連歌の上の柿ノ本・栗ノ本の座の名義と、通ずる所があると思ふ」

（「柿本人麻呂」折口信夫全集第九巻、
中央公論社）

折口信夫

人麿がこのような集団的巡遊詩人の一人

であるとすれば、それは、万葉集においてどのような痕跡《こんせき》を示しているのか。折口信夫はその痕跡は、人麿の歌の中にある多くの羇旅《きりょか》歌と辺土の生活に関係ある歌の中にあらわれているという。

「だがその上に、更に考へねばならぬのは、人麻呂自身の旅行よりも、もつと昔から、更に後世にも亘《わた》つて、続いて行はれてゐた柿本族人の絶えざる漂泊生活の、社会に投じた一つの姿である。だから、万葉集に載録せられた人麻呂作と称するものにも、この氏人等の旅中作歌――と言ふよりも、巡遊詞人としての吟詠――が、多く含まれて居るのではないか、と考へる。たとへば、人麻呂の実在は、儼《げん》たる事実であるとしても、世間から、柿本人麻呂の名を以て認められた筈の幾多の詞人が、幾代に亘つてあつたことも考へて見ねばならぬ」（同前）

折口信夫の中には、おそらく、ひそかに人麿をホメロスに比したい気持があったのであろう。現在ホメロスの名で残っているギリシャの叙事詩『イーリアス』や『オデッセイア』は、ホメロスという天才詩人一人の作品ではなく、何世紀かにわたりホメロスを吟ずる詩人たちによってつけ加えられ、発展させられていったことは、西洋の古代文献学の明らかにするところである。人麿の歌もホメロスの劇詩と同じように、柿本族という伝統のもとに立つ詩人たちの、何代かにわたる作品ではないかと折口信夫は考える。かくして個人人麿は、集団柿本族の中に解消する。しかし、はたして柿本人麿なる天才詩人が、そのような吟遊集団の中に、全面的に解消されることが出来ようか。

「ある考へ方によれば、人麻呂をも、ほめろす同然架空の人物であると考へられる。更に、柿本氏人の仮想した職業祖先と見ることも出来ようが、一方存在の否定すべからざるものもある様だ。其は、万葉集巻七その他に見える漢文学素養を予期する事の出来る人々――其は同時に、存在の明らかな――と、作物が排列せられ居る事、さうして其配置が如何にも適切なる事から見られる。其上、人麻呂より前に、短歌様式の独立を導くと共に、内容を文学的に、発想を正確に鍛へあげて来た人々は、亦《また》皆帰化人の子孫か、漢学素養のあつた人である」 (同前)

たしかに、その通りである。折口信夫がどのように歌人・人麿を柿本族なる吟遊詩人の集団の中に解消しようとて、どうしても解消出来ない何かがある。このようなものと、集団的なるものはどのように関係するのか。折口信夫は、このような問いに、はっきりと答えていない。例によって彼の語り口は、神秘的で曖昧模糊《あいまいもこ》としているが、彼は、従来個人として考えられていた人麿を、集団の中に、事実と考えられた人麿の人生を伝承の中に解消することに、全力をあげているかに見える。

「譬《たと》へば、人麻呂の石見に居り、又石見から都へ還《かへ》つたり、又石見において死んだ痕《あと》を想像させる歌などは、悉《ことごと》くは、人麻呂自身のものと言ふことが出来ない様にも思ふ。其死に際《ぎは》に作つた歌、和銅二年頃の作、

鴨山の岩ねし枕ける我をかも、知らにと　妹が待ちつゝあらむ　——柿本朝臣人麻呂在石見国臨死時自傷作歌

は、人麻呂自身よりも、後世の伝承者が、此時に死んだものと信じて伝へてゐたので、万葉集にもかう書いたことは明らかである。事実については、問題はあつても、伝説上の人麻呂は、茲《ここ》に終つてゐるのだ。翌三年一月には、奈良奠都《てんと》があつた。だから、かう言ふ所から見れば、人麻呂は正確に、奈良朝前の歌の、最後を記念した人になる訣《わけ》だ。此歌や、此に和《あは》せた妻依羅娘子《よさみのをとめ》の『石川の……』の歌の如きは、人麻呂墓と言ふものが、石川の地にあつた事を意味する外には、何の確実性も持たぬものと思ふ。歌自身は共に比擬作であらう。人麻呂は、さうした歴史と伝説と、真実と空想とを、併せて成立した人格と見た方が、ほんたうなのではないかと思ふ」

（同前）

人麿の死にかんする事実を否定した折口信夫も、なお、はっきりした実在の人物である憶良《おくら》（六六〇―七三三頃）などとの関係において、個人・人麿の年齢と個性を問題とせざるをえなかった。

「真淵等の仮説の如く、人麻呂が五十で亡《な》くなつたとすれば、此年頃生れてゐる訣で、其歿年《ぼつねん》和銅二年は、憶良も亦五十である。さすれば、同時代の此二人の間に、あれだけ、歌風の相違のある事は驚かれる事となる。と共に、人麻呂の作物の持つてゐる近代味、或は外国文化の影響についても、会得《ゑとく》が出来る訣だ。問題は、憶良と同年位か、稍若いか、或はもつと長じてゐるかと言ふことだ。普通は、年長説に傾くだらう。其ほど、二人の間には、発想の新旧性が見られる」　（同前）

つまり鴨山における人麿の死を、一種の集団的フィクションとした折口信夫も、やはり個人・人麿の年齢と作風を問題にしなくてはならないことになった。

「かう言ふ風に何処《どこ》まで行つても、実在の個人柿本人麻呂と、柿本人麻呂を以て呼ばれた、群衆の神伶《しんれい》柿本族人との交錯が、明らかには弁別出来ないのである。其故に、私のこの記述の道も、この通り循環を極めなければならなかつたのである」　（同前）

たしかにその通りである。折口信夫の記述は、自らいう通り循環を極めているが、この説について、私は上半身は間違っているが下半身は正しいと考えている。いずれ後に、この説についてもゆっくり批判検討を加えよう。今は、この折口信夫の説と斎藤茂吉との関係のみに問題を限定しなければならない。

折口・高崎・谷本説と茂吉の猛烈なる反撃

折口信夫より先、折口の弟子、高崎正秀《たかさきまさひで》氏は「柿本伝私見」なる論文を書いて、人麿＝巡遊伶人《れいじん》説をとなえた。

「人麻呂は石見国で死んだと伝説されてゐて、その国には柿本神社さへ残つてゐる。が学者はよつて以て、彼の郷里をこの山陰の地の某々に定めたいとあせつてゐる。恐らくは大和を推す説が正しいのであらうと私は見てゐる。それでは、何故《なにゆゑ》に彼は石見に出かけたか。

論者は答へて、はじめ日並知皇子《ひなみしのみこ》、高市皇子《たけちのみこ》の舎人《とねり》に歴仕したが、其薨後《こうご》かの国の属官として赴任し、つひに生涯を果てたのであらうと。又彼の長逝《ちやうせい》を万葉集は死と記した。薨とも卒とも書かれてゐない処《ところ》に、その如何に卑官であつたか、後世の正三位云々が如何に信用出来ないものであるかが訣《わか》ると云ふのだ。

人麻呂の足跡は、若《も》し記載を信ずるとすれば、決して石見に止《とど》まらぬ。近江は勿論《もちろん》、南海西海にも及んだと云ふことになつてゐる。拾遺集《しふゐしふ》では、入唐説さへ確定的なものとして採録されてゐる。〔……〕

（中略）

舎人説は、今日は取るに足らぬ説として完全に打破された。私は更に此の石見属官説も信ずべき筋のものとは思はないのである。

人麻呂は大歌所に仕へる宮廷詩人であつた。彼のみならず、他の黒人赤人らも、従駕《じゆうが》以外にも度々遠く旅した様である。思ふに其れは、恐らくは采詩《さいし》官《かん》としてではなかつたらうか。これが私の最初の仮説であつた」

（「柿本伝私見」『万葉集叢攷《そうこう》』高崎正秀著作集第三巻、桜楓社）

高崎正秀は、最初、人麿、采詩官説をとっていたが、その後、師・折口信夫の「翁の発生」を読んで、采詩官説を捨て、巡遊伶人の一員という説をとったという。

「小野氏の本拠は、近江の湖畔小野和珥《わに》の地にあつたらしく、同じく此の日吉山麓《さんろく》に族党繁衍《はんえん》して、猿神を祭り歌舞伝承に習熟してゐた猿女《さるめ》とは深い親縁関係を生じ、柳田先生の謂はれる『猿女小野氏』とも称すべき一団の神人（「早稲田文学」、記紀文学号—稗田阿礼《ひえだのあれ》—）が、遠く日本の各地に移動殖民し、活潑なる布教宣伝に従事した。彼らの奉ずる所謂《いはゆる》小野神《ヲノガミ》は、元来は水の霊として瓢《ひさご》か杓《ひしやく》によつて象徴せられる神であつたらうが、漸《やうや》く水界からする常世《とこよ》神の崇拝が衰へ、山巓《さんてん》から天降《あまくだ》る神々の時代に入れば、専《もつぱ》ら山の神・狩の神として信仰せられる様になり、瓢・杓から分化した杓子《しやくし》によつて表象せられることになつてゐたらう」

「人麻呂は其前半生にはきつと巡遊伶人としての生活を有してゐたのであらう。否宮廷詩人としての席を与へられた後にも、時折、采詩官として——でなければ巡遊伶人として、地方を廻国したのではなからうか。そしてつひに石見の国で客死したと伝承されたものであらう。

　鴨山の磐根しまける我をかも、知らにと、妹が待ちつつあらむ

（万葉巻二、二二三）

は、巡遊伶人漂泊舞楽者としての悲惨な末路を示す一首ではないか、私にはそんな風に思はれてならないのである。恰《あたか》もかの観阿弥清次《くわんあみきよつぐ》が、幕府の厚い登用を得ながらも、矢張時あつて廻国興行し、遂《つひ》に駿河《するが》の国に光輝ある一代の芸道の幕を閉ぢた様に」

（同前）

この高崎正秀の人麿論は、師・折口信夫の人麿論以上に重大な示唆《しさ》を含んでいるように思われる。高崎正秀は、後にこのような人麿論を発展させた「柿本人麿攷序説」及び「柿本人麿」という論文を書き、人麿が、水霊呪術《じゆじゆつ》に関係する吟遊伶人の一人であることを、体系的、実証的に論証したが、その発想はすでに「柿本伝私見」にあり、その方にははるかに重要な示唆がなされている。

この折口信夫と高崎正秀の考え方が、茂吉の気にいるはずはなかった。なぜなら折口信夫のように、鴨山の歌をフィクションとしてしまえば、今まで誰によっても発見されなかった鴨山の地を発見した彼の世紀の大発見が、全くのナンセンスになってしまうであろうから。そして、高崎正秀の「山陰の地の某々に定めたいとあせつてゐる」という言葉は、茂吉自身を揶揄《やゆ》しているように思われたのであろう。折口―高崎説が真理ならば、彼の大学説はカルカチャーにすぎない。それゆえに、彼は折口―高崎説を許しがたいものと感じていたであろう。こういう時期に、彼等二人よりもっと思い切った、もっと欠点多き、折口門下の谷本政武氏の論文が現われたことは、茂吉にとって渡りに船であった。

「要するに今日まで人麿辞世の歌とされてゐるこの歌は、人麿自身の作ではなくして、鴨山に伝はる伝説としての人麿の死を、後人の代作せるものであると思ふ。更に之を合理化して解釈するならば、此等の人麿の死に関する歌は、鴨山に伝はつた伝説を詠《よ》めるもので、それを人麿以後の柿本族によつて、詞章として持ち歩かれてゐたものではなからうかと見らる、のである」

（谷本政武「人麿の死と伝説」『短歌新人』昭和九年十二月号）

「この歌を伝説として説く為《ため》には、先づ第一に、『自ら傷《いた》みて作れる歌』とある詞書を、否定してかからなければならない。一体万葉集の詞書の無条件には信じ難いものであることは、先学者の等しく言はれてゐる所である。巻一、巻二の如く相当に統一されてゐると思はれるものでも、これを直には受け難いものである。この意味に於《おい》て、この一首を無条件に人麿の辞世の歌ときめてかかることは、冒険と言はなければならない」

（同前、昭和十年三月号）

この谷本説は、折口―高崎説が暗示していることを、露骨に語ったものである。そして、谷本氏のようにはっきり鴨山の死のフィクション説を語るとき、万葉集の詞書はもちろん、万葉集の歌すら信用しがたいものとなり、われわれはいったい何によって万葉集や人麿を論じてよいか分からなくなってしまう。

「かういふのであるから、この人麿の『鴨山の巌根《いはね》し纏《ま》ける』の歌の詞書の、『石見国に在りて死に臨みし時自ら傷みて作れる歌』といふのを否定し、同時に、この一首を人麿の作とせずに、後人の偽作だとしてゐるのである。約《つづ》めて云へば、谷本氏は万葉集の記載を否定してゐるのである。

折口氏、高崎氏のものには、否定の傾向を観取することが出来ても、さう露骨に簡明には云つてゐないが、谷本氏に至ると、もつと単純に分かり易《やす》く、否定を遂げて居るのである。

この谷本氏の鴨山の説に拠《よ》ると、人麿といふ人も複数であり、実際一個人として石見にゐたのもあやしく、石見で死んだといふのも疑はしく、鴨山はただ共同墓地で、石見だか何処だか朦朧《もうろう》として居《を》り、あの歌も人麿といふ個人の作ではなく、後人の偽作だといふのであるから、先づ否定成就の説と云つてもいいのである。かくの如く、谷本氏の看方《みかた》は辛辣《しんらつ》で、万葉集そのものをも否定しようとするほど勇猛なものであるが、一方柿本族巡遊神人説に対しては毫《がう》も辛辣ではないのである」

（斎藤茂吉「人麿歿処《ぼつしよ》に関する他の諸説」『柿本人麿　鴨山考補註篇』）

茂吉のいうように、たしかに折口一派の吟遊伶人説は、個人としての詩人・人麿の存在を否定する傾向をもち、ひいては万葉集そのものを否定することになることはたしかである。ここにおいても茂吉の議論の方がすじが通っている。しかし、彼がはたして万葉集の原歌とその詞書《ことばがき》にどれほど忠実であり、彼の鴨山説が、万葉集そのものをも否定しようとするほど勇猛である一方で、鴨山＝亀説に毫も辛辣でないかどうかは、はなはだ疑問である。

郷土史家への先制攻撃と石河邑《いしかわむら》の発見

茂吉の「鴨山考」が発表されて、誰よりも驚いたのは、地元石見の人々だったろう。当の浜原村の人々がこの茂吉の説をどのように受けとめたかは明らかでないが、とにかく、何の伝承もない山村に、突然一人の男がおとずれて、ここで柿本人麿が死んだといったのである。ふつうの男のいう事なら、何をタワケタことをいうかと一笑にふすことが出来たであろうが、何分それをいい出したのは名声赫々《かっかく》たる歌人であり、その歌人はその説を著書にし、当代の学者、芸術家が異口同音に彼の卓説を激賞するにおいては、彼等はいったいどう考えたらよいのか、狐《きつね》につつまれたような気分であったにちがいない。

浜原村の人々にとっては、その狐につつまれたような話は、よきニュースであった。

なぜなら、もし、亀が人麿の終焉《しゅうえん》の地であるとすれば、事の当否はとにかく、地元に名所が一つふえることになる。浜原村の人々にとって、この突然の事件は福音であったが、一方、人麿の終焉地としてさまざまの伝承をもち、少なくともその痕跡《こんせき》を平安時代中頃にまでさかのぼらせることの出来る柿本神社と高津の人々にとっては、はなはだ迷惑な事件であった。柿本神社の神主を中心にして、茂吉説への反論が用意されようとしていた。いちはやくそのニュースを聞いた茂吉は、その攻撃にたいして先手をうつのである。

益田の柿本神社

「愚案『鴨山考』を発表すると、間もなく世間に反響のあつたことは私の感謝するところである。従来の人麿伝が多くの俗説、妄譚《ぼうたん》によつて穢《きたな》くなつてゐたのを、洗つただけでもいい為事《しごと》の一つだと私はおもつた」

「私は、鴨山考でも、鴨山考補註でも、人麿歿処高津説には根拠が無いといふことを述べたのであるが、もう少し此処《ここ》でも繰返して置かうとおもふのである。正直をいふと、この高津の高角山で人麿が歿したといふ説は、俗説で、少し真剣に人麿の歿処について考察しようとするものにとつては、誠に困るのであるけれども、或はひよつとせば、万葉学者を以《もつ》て任じてゐるものにも未《いま》だこの説に従ふ人が居ないとも限らぬと仮定して、次に数言を費さうと思つたのである」

「大概この辺で、ものの道理が分かつただらうと思つてゐると、依然としてこのとほりである。ままよ。もう一遍同じことを繰返さうか」（「人麿歿処高津説に就て」『柿本人麿　鴨山考補註篇』）

茂吉のこの文章は、ひどく高圧的である。先に武田祐吉氏や谷本政武氏にたいしても、彼は居丈高《いたけだか》であるが、高津という田舎都市の郷土史家ごときの動きについてはまことに威圧的で、歯牙《しが》にもかけぬという有様である。それは論理よりむしろ呪詛《じゅそ》の言葉であるが、呪詛の言葉の方が、論理の言葉よりはるかに論争の武器として有効なときがある。茂吉は若いときから、呪詛の言葉を相手になげかけ、相手をふるえあがらせては沈黙させた前歴を数多くもっているが、こうした呪詛の名人には、柿本神社の神主を中心にした地方史家が到底敵しがたかったのは当然である。

茂吉の高津説否定の唯一《ゆいいつ》の論理的根拠は、その伝承が荒唐《こうとう》無稽《むけい》で信じがたいということにあった。後にくわしくのべるように『人丸秘密抄《ひとまろひみつしょう》』などでは、人麿は高津町の西、石見国《いわみのくに》美濃郡戸田《とだ》、綾部《あやべ》氏の家に生まれ、後に大和に行き、その後、官吏として再び石見国へ帰り、鴨山にて死んだという伝承が書かれていて、それについてはさまざまな不思議な由来が記されている。

茂吉は、こういう話は小説のごとく面白いが一向信じがたいといって、全面的に高津＝鴨山説を否定しようとする。鴨山の水没が書かれている最も古い伝承である『正徹物語』をも、たまたまそこに「石見のや高津の山の木の間よりこの世の月を見はてつるかな」という歌が書かれているという理由で、島の水没説は問題にならぬと否定するのである。

これはたとえばキリストや釈迦《しゃか》について後の伝承がさまざまな信じがたいことを報告するゆえに、キリストや釈迦の存在まで否定するような乱暴な議論である。多くの伝承は、用心深く、一つ一つ、後世につけ加えられたものをはぎとってゆかなくてはならない。こうして後世の伝承を一つずつはぎとっていくところに、歴史の真実は、はじめて姿を現わしてくるものである。この場合高津には人麿にかんする伝承がいろいろ残っているが、それらの伝承を体系的に思考し、後世の荒唐無稽の説を一つずつ差し引いていくとき、真実な部分のみが残る。そういう学問的操作を何一つせず、一方的に高津説は駄目だときめつけ、高津説にくみする人間を馬鹿呼ばわりするのである。

「石見高津町の有志、柿本神社社司、石見の歌人、石見の歴史家等が揃《そろひ》も揃つて、人麿終焉の地は高津だなどと固執することがあつても、私は別に驚かうとは思はない。岡熊臣の如き学者でも眼力が鈍つたのであつて見れば、現代の平凡な諸氏の眼力の及ばないのは寧《むし》ろ当然と謂はねばならぬからである」（同前）

さぞかし高津町の人々は無念であったろうと私は思う。突然、都から一人の詩人がやってきて、伝承のある人麿終焉地を、ここは人麿の死んだ場所ではないといい、そして全く伝承のない山間僻地《へきち》を、ここが人麿の終焉地だという。彼等の郷土愛ばかりか、彼等の真理の感覚が、この詩人の恣《し》意《い》的な主張に憤激したと思うが、いかんながら、彼等は茂吉説を破る論理と名声とをもたなかったのである。まさにわがままな天つ神に、あわれな国つ神は一言も抗弁することが出来なかったのであった。そのため、この国つ神は忍びがたきを忍んで、やがて矢《や》富熊一郎《とみくまいちろう》氏の『柿本人麻呂と鴨山』なる著書をまって、茂吉にたいする恨みをはらそうとするのである。

矢富氏の著書については後に語ろう。茂吉は、このように、「鴨山考」にたいするあらゆる反論に先手をうち、当世随一の詩人の権威をもって敵を沈黙させると共に、再三再四、地元へ調査を命じ、彼の鴨山＝津目山説を補強しようとする。彼にとって、あくまで、鴨山は津目山であり石川は江ノ川の上流であらねばならず、他のいずれの山であり川であってもいけなかった。しかし、「鴨山考」にかんする限り、それを証明する材料は全くとぼしい。ただ唯一の証拠らしきものは、津目山の近くにある亀という土地と鴨山との音の類似だけであった。

斎藤茂吉は自己の説に絶対の確信をもってはいたが、やはりそれだけでは不十分と考えたのか、そのカメ＝カモ説を懸命に補強しようとした。そして彼は、『八幡《はちまん》三社大神宮縁起』という文書に、亀の地から少し下流の川本《かわもと》村がむかし「石河邑《いしかわむら》」と呼ばれていたという記事を見出《みいだ》して狂喜する。これでもう、江ノ川がこの亀のあたりで石川と呼ばれていたことはまちがいない、と思う。

ここにはすでに大変な論理の飛躍がある。たとえその文書がたしかだとしても、江ノ川に沿う一村が石河村と呼ばれていたので、江ノ川が石川と呼ばれていたというのではない。たとえば大阪は淀川《よどがわ》のほとりにあり、東京は隅田川のほとりにあるが、淀川が大阪川とか、隅田川が東京川とか呼ばれていたわけではない。おそらく茂吉のように、一つの川のほとりの地名をたんねんに探せば、たいていの川の近くに石川なる名をもった地名が一つや二つ出てくると思うが、茂吉は、まさに亀の地から三里ほど離れた川本村が、むかし石河村とよばれていたという一枚の文書によって、あたかも決定的に彼の説が証明されたように考えたのである。

亀村の津目山《つのめやま》に推定するための茂吉の苦闘

全く奇妙な論理といわねばならぬが、もっと驚くべきことはカメ＝カモについての茂吉の論証である。茂吉がこの亀の地を人麿の終焉地としてきめた論理的理由は、彼が石川を江ノ川でなければならぬと思いこんだということと、依羅娘子の歌から、国府からの距離が十五里ほどでなければならぬということ――この二つとも根拠なきものであることを後に私は明らかにするが――に加えて、わずかにカメとカモの音の類似のみである。この場合も、類似はカモ山とカメ山との類似ではなかった。カモ山という山とカメという土地の名の類似で、カモ山と思われる山は、津目山と呼ばれていたのである。茂吉はこのカメとカモの一致、つまり人麿当時カメはカモと呼ばれていたことを証明することによって、ツノメ山もまたカモ山と呼ばれていたことまでも証明しようとする。

こういう意志をもった茂吉の前にいささか都合の悪い文献が現われる。『石見八重葎《いわみやえむぐら》』という本に次のような亀村の名の由来の説明がある。

「亀村。抑《そもそも》　亀村と号るは、古へ《いにしへ》此里の河に年経たる亀の居し故名づくと云伝《いひつた》ふ。一説に古へ此河の中嶋に蓍《メドハギ》の一株より芽を百本生ずるあり。此メドハギを生ずる処には、年古き亀ありて、是《これ》を守也と和漢ともに言ふ処なり。故に亀村と名づくと云へり」

つまり亀村というのは、昔、この里に年を経た亀がいたからだという説明である。もし『石見八重葎』のいうように、古き昔から、この村が亀と呼ばれていたとしたら、茂吉のカメ＝カモ説が成立しないことになる。

この説を反駁《はんばく》するのに、茂吉は、彼一流のいわば超越的論理学とでもいうものを用いる。彼はまず蓍に着目する。メドハギとは何か。彼は文献をあちこち探し、山口幸充《やまぐちゆきみつ》の『嘉良喜随筆《からきずいひつ》』や『渡辺幸庵対話《わたなべこうあんたいわ》』にこのメドハギがのっているのを探し出す。メドハギは丹波《たんば》や常陸《ひたち》などにある亀の手足のような形の植物らしい。彼はまた古今東西の植物分類書を探し、最後には柳田国男に手紙を出して、早速次のような返事をもらう。

「一、蓍とメドハギとは別ものです。盆に盛んに用ゐらるるミソハギが本名蓍萩《メドハギ》からの訛《なまり》だといふ説は古くからありますが、それもまだ確かとは申されませぬ。何故に此植物が盆に用ゐらるるかは、それこそ日本の民間伝承中の神秘ですが私にはわかりません。是がもし支那《シナ》の蓍《シ》と関聯《くわんれん》して居たとすれば愉快です。従つて御示しの一説は有力な暗示です。

（中略）

一、亀は蓍に伴なふ支那の占具ですが、我邦《わがくに》でも早くからウラベカタヤキに鹿《しか》の骨の代りとして用ゐられて居ました。ただその亀は海亀であります。故に蓍萩の株の下に石亀が居るといふ説には、やや書巻の臭気があつて、平民の間の伝承とは思はれません。即《すなは》ち易の書を学んだ人々の間に起つた空想でしよう。或は漢土の書に見えて居たのを誤つて、蓍を蓍萩と解したのでしよう。私は是以上何の知識も持ちません。十一月十日」（斎藤茂吉「鴨山考補註」『柿本人麿　鴨山考補註篇』）

この返事を見て、茂吉はたいへん喜んだ。あたかも柳田国男によって、自分のカメ＝カモ説が根拠づけられたように茂吉には思われたのである。

「石見八重葎の記事は、日本の古いころからの民間伝説に本づいたものとすると、鴨山考の説も一考を要するのであるが、『やや書巻の臭気があつて、平民の間の伝承とは思はれません』といふ結論を得て、私の説の動揺しないことを知つた。即ち、石見邑智郡の亀は恐らく後代の命名で、人麿時代には亀ではなかつただらうといふ私の想像が矢張り動揺しないこととなるのである。因《ちなみ》に云。私の質問は、鴨山考補註のためといふことをいはぬのであるから、先生のこの結論は私にとつて更に貴重なものであつた」

（同前）

これは論理の飛躍というような生やさしいものではない。超越的論理と私はいったが、茂吉の論理はおそらくこの地上で通用する論理でなく、天国か地獄か、とにかくこの世と違った国でのみ通用する論理である。柳田国男のいうのは、メドハギの下に亀がいるというのは、平民のいうことではなく易の書を学んだひとの空想だというに止《とど》まる。この話が古いかどうかは柳田国男は、決していっていない。ところが、それが茂吉にかかると、aこの話は平民の間の話ではない、b従ってこの話は新しい、c従って亀の地はむかし、亀と呼ばれていたのではない、ということになるのである。

aの命題からbの命題を推論するのが、すでに無理である。易の思想は紀元前十世紀ころまでさかのぼることができ、また古くから日本に入っているからである。しかし、それはまだよい。bからcへの推論は、全く無理である。『石見八重葎』は、亀村には古くから古い亀がいたので亀と呼ばれたということを正説として、その補説として蓍の話を出している。蓍の話がたとえ後世のものでも、古くから亀がいたから亀村だという伝承はいかんともしがたい。茂吉は、おそらく、亀村には古くから亀がいなかったということを説明したかったにちがいない。しかし、それはどうしても無理である。それゆえ、補説の伝承の新しさを指摘して、正説の伝承までも否定することが出来るとする。この正説を否定しない限り「石見邑智郡の亀は恐らく後代の命名で、人麿時代には亀ではなかつただらう」などということは出来ないはずである。しかるに茂吉は、そういう破綻《はたん》に何一つ気づかず、あるいは気づかぬようなふりをして「先生のこの結論は私にとつて更に貴重なものであつた」などとうそぶいているのである。

このようにして、完全に『石見八重葎』の亀村の名称起原説を反論した茂吉は、彼一流の言語学、民俗学を自由奔放に行使して、奈良時代前には亀という地名は日本にはありえないというに近い、驚くべき説を出す。

まず茂吉は、音韻変化の方法を考察する。カメ—カモの二音目は同じマ行に属する。同じマ行に属するモがメになることを同音相通、音韻相通（Lautwandel）という。

茂吉はマ行の「ａｏ相通」「・ｉｅ相通」「ｏｕ相通」「ａ・ｉ相通」「ａｅ相通」などの例をあげて、かくの如《ごと》くさまざまな相通があるゆえに「カモがカメと変つたと考へても、音韻通行の理論から観て必ずしも不道理ではないことが分かる」（同前）という。

しかし亀村の場合はそればかりではない。

「併《しか》し、この石見の亀村の場合は、単に音韻通行の理論、例へばヘルワーク（C.F.Hellwag）、フイエトル（W.Viëtor）等の母音図表、母音三角とか、便利説（Bequemlichkeitstheorie）とか、ついで、同化（Assimilation）とか、異化（Dissimilation）とか、又は接触（Kontakt）説とかいふ作用以外に、もつと聯想的、社会的の要素を経て、カメに変化して来てゐると考へるのである。つまり、カモが同意義のカメに変じたのでなく、音も違ひそして意味も違つたといふことになるのである。即ち単純な音韻移動でなくて、意味移動（Bedeutungswandel）の部類に属するものである」（同前）

茂吉は意味移動を説明するために、マ行の同音相通の例をあげる。たとえば備前《びぜん》の珂磨《かま》郷は今は可真《かま》と書き、出雲の鎌間《かま》は今は釜《かま》と書いている。カマはアイヌ語を起源とするものである。カモは全国に地名が多く、賀茂《かも》族あるいは賀茂神社から来ている場合が多いが、そればかりではなく、カミ→カモの転音から来ている場合も多い。

武蔵北多摩《むさしきたたま》郡大神《おおかみ》村は、昔は鴨《かも》の里《さと》といった。三河額田《みかわぬかた》郡鴨田《かもだ》も三河の設楽《したら》郡鴨谷《かもがや》も遠江浜名《とおとうみはまな》郡神谷《かもがや》と同じように、カム（神）から転化したとも考えられる。

こうしてカマ、カモの転化を説明した茂吉は、いよいよカメの音韻変化の説明にかかる。

『カメ』も、これも一様でない。尾張知多郡亀崎《かめさき》は古くは神前《かむさき》であつた。常陸真《ひたちま》壁《かべ》郡亀熊《かめくま》は和名抄の神代《かめくま》郷である。越後に亀隈《かめくま》とあるのも亦同じ種類のものであらう。天武《てんむ》紀に備後亀石《かめし》郡は、桓武《かんむ》紀に神石《かめし》に作り、和名抄に神石加女志とある。常陸鹿島郡の神谷戸《かみやど》をば亀谷田《かめやた》に作つた。また池亀をばイケガミと訓《よ》んでゐるのは元は池神・池上であつたのかも知れぬ。万葉集の東歌には、神と書いてカメと訓ませる。陸前栗田郡亀山は神山であつたといふ説があり、常陸久慈《くじ》郡の亀作《かめさく》は神佐久であつたかも知れず、亀田といふ地名は神田であつたかも知れない。以上はカメがカミ・カムから変じた例である。そして亀と書いたについてはやはり人間が幸福を希《ねが》ふといふ社会的要素が入つてゐるのであらう。富亀曾《ふきそ》村などと書くのと同様であるだらう。

豊後《ぶんご》速見《はやみ》郡竈門《かまと》の隣に亀川《かめかは》のあるのは古くは竈川《かまかは》であつたらしい。武蔵（現在東京市）の亀有《かめあり》は元は亀無《かめなし》（亀梨なども書いた）であつたのを幸福希求の念から亀有と改名した。この亀無《かめなし》の古くは、釜無《かまなし》（甲斐）などと同語原ではなからうか。（カマは淵といふ意味もある）。肥前西彼杵《にしそのぎ》郡の亀浦も釜浦に似てゐる。これ等はカマと関係あるらしいカメである。

大和北葛城郡の亀瀬越、亀瀬山は、賀茂神社の鴨建角身《かものたけつのみ》に関係あるところだから、これは古くは鴨であつたらしい。また、亀川といふ地名で鴨川であつたらしい処《ところ》もある。此はカモから改名したカメである。

亀山といふ地名は、前言した如く、古くから支那の故事に本づき、また、亀山城、亀山大神などとも関係し、上総君津郡《かづさきみつ》の亀沢などは、動物に因《ちな》んだ原始的な名のやうだが、実は文亀《ぶんき》二年に里見義豊が佐貫に城を築き、鶴の城に対して亀の城と号したのに本づくのだからやはり後世の名である」　（同前）

茂吉は必死になって後世新たに亀と名づけられた地名を探し、それによって邑智郡の亀村もカメではなかったと言おうとする。はたして奈良時代にはカメなる地名はなかったであろうか。茂吉といえども、古い日本には亀がいたことを否定するわけにはいかないので、その代わり古代の日本には瑞祥《ずいしょう》としての亀はなかったことを主張する。元正《げんしょう》天皇（在位七一五―七二四）には霊亀《れいき》、聖武《しょうむ》天皇（在位七二四―七四九）には神亀《じんき》、光仁《こうにん》天皇（在位七七〇―七八一）には宝亀《ほうき》という年号があり、また浦島伝説にも亀の話があって、亀は古くから瑞祥として用いられているはずであるが、茂吉はそれは支配階級の間だけであったという。

「以上の如く、亀に関係してゐる事柄があるが、大陸文化に接触し得る階級の範囲にとどまつてゐて、未だ民間までに一般化したとは謂《い》へないから、石見国の如き辺土の土地の古名に亀の字の附くものが見附け難く、姓に亀の字の附く人を見附け難かつたのは当然と云はねばならない」　（同前）

瑞祥としての亀がはたして「大陸文化に接触し得る階級の範囲にとどまってゐ」たという断定をどうして下すことが出来るのか。浦島伝説は民間伝承ではないのか。そもそも、石見の国あたりに住んでいる日本人は大陸からの移住民が多く、大陸の風習を身につけていた可能性は強いのではないのか。

よしんば茂吉のいうように、瑞祥としての亀は大陸移入の新思想であるにせよ、亀そのものは、どうして古くから日本にいないことがあろう。亀の多くいる村があってその村をカメ村と名づけるのは、きわめて自然なことではないか。

この自然なことを、茂吉はどうしても許すことが出来ない。なぜか。亀村が昔から亀であっては、彼の「鴨山考」なる大発見がくずれるからである。茂吉の鴨山説の最大の論拠はこのカメ＝カモにある。カメ＝カモ説が成り立たないと茂吉の論拠はくずれ、彼は一人の詐欺師《さぎし》にならねばならぬ。茂吉が全力をあげてカメ＝カモ説の論証にとりくんだのは当然である。

代用証明を積み重ねる茂吉的執念

「以上『カメ』のことを約《つづ》めていへば、最初からのカメといふ地名は、後世の命名の場合が多い。それから、はじめに一つの地名があつて、それが中途で変じた場合、即ち、第二次的（sekundär）の場合には、カマ、カモ、カムなどから転じて居る。今それを表に示せば次の如くになる。

亀
- (1)カマ（釜・竈・淵・愛奴《あいぬ》語《ご》カマ等）より転ず
- (2)カモ（鴨・賀茂）より転ず
- (3)カム・カミ（神）より転ず
- (4)亀山は荘子に蓬萊山《ほうらいさん》だといふ出典に本づき、亀は縁起嘉《よ》きものだといふに本づき、氏族・城廓《じやうくわく》等に本づいてゐる。

これを以て見ても、カメといふ地名の変化命名は、恐らく平安朝以後で、人麿時代のものでないだらうと大体結論することが出来る。

即ち、もう一度約めて云ふと、現在の石見邑智郡亀は、若し人麿時代からあつた小部落だとせば（愚按は、さう想像結論して居る）、その名はカメではなく、何か他の類似音の名であつただらう。その音は、恐らくカマかカモなどであつただらう。そして人麿の歌を念頭に置いて想像するなら、地名として最も多いカモであつたと結論することが出来る。そしてそのカモがカメに変つたのは、恐らく平安朝以後で、幸福希求の聯想から来た、社会的（sozial）命名変更であるだらう」

（同前）

茂吉は要約というが、これもまた要約といえる代物《しろもの》ではない。茂吉は、全国の数多い亀の名のつく場所から、カミなどから転化した例のみをあげる。その例でも確定的なことはいえないのである。たとえ亀崎が神崎であり、亀山が神山であったとしても、ずっと昔から亀という名をもつ地があったことは否定することが出来ないはずである。カメが古くから日本にいた限り、カメに似た山をどうしてカメ山と呼ばないことがあろう。

茂吉は音韻変化の例のみを出すが、この茂吉のあげる例においても、カミ→カメという変化の例が多いのに注意する必要がある。いかに茂吉が努力しても、カモ→カメの音韻変化の例をさがすことは困難である。大和北葛城郡の亀瀬越《かめせごえ》、亀瀬山《かめせやま》を、賀茂神社の鴨建角身《かものたけつのみ》に関係あるところだからといって、昔は鴨であったとするのは無茶であろう。亀川という地名で鴨川と呼ばれたらしいところもあったというが、どこにあったのであろう。実際にあったなら、考証癖をもった茂吉のこと、場所を指摘するにちがいないが、それをしていないのは、カモ↓カメの転音の例をさがすのは困難であることを、茂吉もよく知っていたのであろう。

ここでもまた代用証明が行なわれる。カモ↓カメの音韻変化の例をさがすのが困難であるとすれば、カミ↓カメの音韻変化の例をさがして、少なくともカメは昔からカメではなかった、カメは同行の音韻相通によってカミ、カム、カマ、カモから変化したものであるが、その中ではカモの可能性が多いという証明である。これは論理のすりかえである。亀崎の例は、カム↓カメの変化を説明することが出来ても、カモ↓カメを説明することは出来ない。茂吉はこれを知りながら、わざと知らない顔をして、マ行のいくつかの音韻変化の例をもってきて、その中で可能性の多いのは「人麿の歌を念頭に置いて想像するなら、地名として最も多いカモであつた」というのである。この場合、問題は厳密な転音の証明であり、人麿の歌ではない。人麿の歌を亀の地に関係づけるのは茂吉の勝手な空想である。その空想が、逆に空想を証明する論理的根拠になっているのである。

石見の国には賀茂や鴨の名をもつ地名や山が多い。このカモの地およびカモ山の地は依然としてカモ、カモ山と呼ばれている。しかるに、どうして亀の地のみが、鴨から名を変えたのであろう。それを「幸福希求の聯想から来た、社会的（sozial）命名変更」であると茂吉はいうが、カメ村だけがどうして、そのような幸福希求を起こすのであろうか。

茂吉に従えば、カメなる土地は、奈良時代以前にあっては、日本には存在してはならぬかのごとくである。さすがに茂吉も、そんな無茶はいえぬが、茂吉の論理は、こういう命題の上にはじめて成り立つものである。すさまじい意志よ。自己の主張を絶対化しようとする専制的な意志よ。その意志の前には日本にいるすべての古い亀は死ななくてはならぬ。茂吉は古代世界に存在した亀の痕跡の徹底的な抹殺者となる。私はここに呪術者《じゆじゆつ》茂吉のすさまじい意志を感じざるをえないが、到底、カモ→カメ転化説を納得することは出来ないのである。

この論証を読みながら、私は茂吉はきわめて頭のよい男であると思わざるをえなかった。茂吉の頭を粗雑といったのは失言であった。彼の頭脳はきわめて明敏、論争の技術は天才的であるとさえいってよい。彼はひそかに、亀村の名の起源を古くから亀がいたことに求める『石見八重葎』の記事を反論することが困難であることを知っていたにちがいない。それが困難であるので、代わりにカメの名の起源をメドハギと関係させる補説を否定するのである。また彼は、カモ↓カメの音韻変化の例がきわめてとぼしいことを知っていたにちがいない。その代わりに彼は、カミ↓カモの音韻変化の例をあげて、その類推でカモ↓カメの音韻変化の必然性を証明しようとしている。ここには、実に巧妙といってもよい論理のすり替えがある。茂吉は意識的にそれを行なったわけではなかろう。意識的に行なったとすれば詐欺師であるが、彼の場合、詐欺の意志は意識的には全くなかったといってよい。詐欺の意志は、彼の場合、他人よりまず自分にたいして働くのであろう。いやしくも、自分のいったん立てた説が間違っているはずはない、そういうことは絶対にあってはいけない。こういう目で文献を読むとき、一切が、彼の説に有利なように見えてくるであろう。しかし、たとえ、それが無意識に行なわれようと、そこに明白な論理の誤謬《ごびゅう》があり、結果的には、巧妙なる虚偽となることは、否定出来ないであろう。

茂吉の論理は、ほとんど詩人にふさわしくないほど、緻密《ちみつ》で実証的である。彼は、古今東西のあらゆる史料を調査して、綿密に彼の説を論証しようとする。この論証の作業は全く雄大であり、彼の説得力は巧妙である。人はそこに、詩人としての茂吉と、科学者としての茂吉の見事な統一があるという。このように川田順（一八八二―一九六六）や森本治吉（一九〇〇―一九七七）はこの本を評している。しかし、ここで詩人と科学者は不幸な形で野合しているのである。まず最初に、詩人の根拠なき妄想と我《わが》儘《まま》があり、鴨山の地を、浜原あたりの亀の地にきめたのである。こうして詩人茂吉が人麿の歿所《ぼっしょ》を決定した後に、今度は科学者茂吉が猛然と釈明し、詩人茂吉の妄想と気まぐれを実に科学的に論証しようとするのである。

茂吉はこのように、自説の釈明において科学的であったばかりでなく、歌壇、学界を支配する術《すべ》においても、実に科学的であった。彼は武田祐吉をやっつけ、谷本政武と共に折口信夫や高崎正秀を黙らせ、高津の住民どもをどなりつけた。もう、こうなれば、歌壇、学界ともに、誰一人として茂吉にさからう人間はいない。そのへんの支配術において、茂吉は実に巧妙であったといえる。

「鴨山考」の勝利と新しい鴨山の発見

私はしかし、茂吉自身、誰よりもよく自己の説の空虚さを知っていたにちがいないと思う。この空虚さは、何かによって埋め合わせなくてはならぬ。茂吉は、このような意志によって、最初はっきりした予定のなかった人麿の全部の歌の批評注釈を行なったのではないかと思う。茂吉が「鴨山考」を書き、それを『柿本人麿』という本にまとめて出したのは昭和九年十一月であり、ついで翌十年十月には例の論争と「鴨山考」論証をのせた『柿本人麿 鴨山考補註篇』が出され、ついで十二年三月には『柿本人麿 評釈篇 巻之上』が出て、翌十三年十一月には『巻之下』が出る。

この『評釈篇』は万葉集および『人麿集』の人麿の全作品の緻密な評釈書である。おどろくほどの健筆ぶりである。『評釈篇 巻之上』『下』ともに千ページを越える。『柿本人麿 総論篇』で茂吉が予言した人麿百貨店は、まさにここに成就したわけである。このおどろくべき健筆の原動力となった意志は、いかなる意志なのであろうか。こうした評釈の仕事においても、茂吉の関心の中心は、鴨山に関する一連の主張にあったことはたしかであり、また彼の解釈の独自性は、もっとも多く鴨山に関する見解において現われている。

「語釈には、能《あた》ふかぎり学説文献の記載に努めた。これは一は万葉学発展の径路を追尋することともなり、一は先賢の学徳を敬慕することともなるためである。従来の諸注釈書ややともすれば、この記載を怠つた観があるのを見て、敢《あへ》てこの実行を試みた。例へば、依羅娘子の歌の、『石川貝』は『石川峡』の意だとする説は、橘守部、近藤芳樹の順序に記載したるが如きである。そして、『東野炎』を『ヒムガシノニカギロヒノ』と訓ませた等、定説にまで善導した学者の名は、これを崇《たふと》んで後進の心中に常住せしむべきだと謂《い》つた如きである」

茂吉は『評釈篇』の序文にこのように書く。「語釈には、能ふかぎり学説文献の記載に努めた」という。それは、「万葉学発展の径路を追尋すること」であると共に、「先賢の学徳を敬慕すること」でもあるという。はなはだもっともである。しかし、その趣旨に従って、敬慕すべき先賢として橘守部と近藤芳樹の名をあげたことは、いささか首を傾けざるをえない。「東野炎」(巻一・四八番)を「ヒムガシノノニカギロヒノ」と読んだのは、賀茂真淵である。それ以前は、仙覚《せんがく》(一二〇三―?)以来、「アヅマノノケブリ」と読んできたが、真淵が「ヒムガシノノニカギロヒノ」と読んで以来それが定説になった。私は、この定説にもとづいて書かれた茂吉の『万葉秀歌』によってこの歌を鑑賞したが、今は、この読み方はまちがってはいないにしても不十分であると思うようになった。このことについては、いずれくわしくのべたい。

「東野炎」を「ヒムガシノノニカギロヒノ」と読むことは、賀茂真淵の説によって定説化された。しかし、「石川貝」を「石川峡」とするのは、橘守部や近藤芳樹の考え方によって定説化されたのであろうか。もちろんそれは完全に定説化されていない。貝を峡とするのは茂吉独自の考え方であるが、それは茂吉の『柿本人麿』を絶賛した佐佐木信綱などの国文学者ですら認めかねる説であった。それを茂吉は定説といい、このような「定説」を出した橘守部や近藤芳樹の学徳を、敬慕する必要があるというのである。これを強引といい、これを詭弁《きべん》といわずして何であろうか。私はここにきわめてデリケートな茂吉の心がかくされていると思う。いってみればそれは専制主義者の不安な心に似ている。もしも貝が峡でなかったら、茂吉が二冊の分厚い著書で行なった論証がすべて崩れてしまう。それゆえ、「貝」を「峡」と読むのは、学界の定説でなくてはならぬのである。この読み方を、真淵の「東野炎」の読み方と共に並べたのは、実に巧妙なるレトリックである。茂吉の一見粗暴に見える論理の中には、実に配慮の行きとどいたレトリックがかくされている。しかし、このレトリックの中に、専制主義者のすさまじい意志と、その主張にたいする不安がかくされているように、私には思われる。

茂吉の精力的な仕事に、多くの日本の読書階級はおどろかされずにはいられなかった。驚嘆と賞賛が彼を包んだ。そして昭和十二年六月、彼は帝国芸術院会員となり、昭和十五年五月、五冊にわたる『柿本人麿』という大著作によって帝国学士院賞を受けた。茂吉の「鴨山考」の推論にたいして全面的に賛同しない人も、彼の柿本人麿に寄せる情熱にたいしては敬服せざるをえなかった。

かくて茂吉の「鴨山考」は、学界に認められ、彼は偉大なる芸術家であるとともに、偉大なる学者であるという光栄をも並び得たのである。

しかし、このような彼の学説の定説化への経過で、奇妙な事件が起こった。昭和十二年一月七日のこと、つまり茂吉の鴨山にかんする論争が、茂吉の呪術的な魔力によりほぼ勝利に帰したころである。茂吉は、島根県石見国邑智郡粕淵村大字湯抱の苦木虎雄という見知らぬ人から手紙をもらった。

「前略現在私が住んで居ります湯抱に温泉がありまして、小字《こあざ》名を湯谷と申しますが、その谷から君谷村別府へ抜ける山道の傍に、『かも山』と呼称される山がある事であります。この山は参謀本部から発行されてゐる五万分の一地図には名が出てゐないのでありますが、土地の人は皆、『かも山』と呼び、古老あたりにたづねても、古くから、『かも山』で通つて来てゐるやうであります。この土地は昔から、俗にいふ『かぢや者』の群が部落をなして純粋の土著の人は少ないのでありますが、『かも山』は依然昔から『かも山』に違ひないとの事であります。

この山は相当な高さを持ち、地図にあるやうに（添付しました）ふんばりのある山であります。昨秋から官行造林を始め、今頃降雪が無い為《ため》、植栽を急いで居りますが、人夫監督に来てゐる森林官に、『かも山』の『かも』はどんな字を書くのだらうかと訊《たづ》ねたところ、『かも山』は『鴨山』で、古くから鴨が沢山ゐたのではないかなどといふのであります。鴨のゐるゐないは兎《と》もあれ、この湯抱に『かも山』といふ山があることを既に先生が御存知なれば、この一文もお笑草に過ぎませんが、もし御存知ないなれば、或は参考になりはせぬかと思ひまして拙《つた》ない文を認《したた》めました。下略」

（同前）

（「粕淵村湯抱の『鴨山』に就いて」『柿本人麿 雑纂篇』）

茂吉は喜んで、早速苦木氏に粕淵村役場でその土地台帳を調べてもらうことを依頼した。苦木氏から、早速土地台帳のうつしが付図と共に送られてきた。

「湯抱村字鴨山　第五百廿五番

一、山林反別　八町六反五畝廿一歩　七等　雑木山

此地価金弐円九拾弐銭八厘

此地租金　七銭三厘

登記通知　大正十年五月廿三日

事理　寄附　所有者氏名　粕淵村中」

あっけない変説と茂吉の鴨山歌

この知らせはもちろん、茂吉を喜ばせた。彼が、人麿の死んだ土地にちがいないと思った土地の近くに、まさしく鴨山という名をもつ山がみつかったからである。最初、茂吉は、この鴨山の発見は、津目山＝鴨山説を補強するのに、たいへん重大な論拠であると考えた。

「人麿時代にはその界隈《かいわい》で最も目立つ現在の津目山が鴨山であつたであらう。それが名が細かく分化するに従つて、別な細かい名に変り、古へのカモといふ名は、現在のカメ、湯抱の『鴨山』のカモとして、その名残をとどめて居るのであらう。さう考へて来れば、同じく粕淵村に『鴨山』と名の付く山の現存してゐるといふことは、私の『鴨山考』にもう一つ重大な論拠として役立つことになるのである」（同前）

しかし、その年の五月十五日と十六日の二日間、この土地に実地踏査に出かけた結果、茂吉の考えは変わった。

「私が実地に鴨山を見ない以前は、前言の如く広義に鴨山を解したから、やはり津

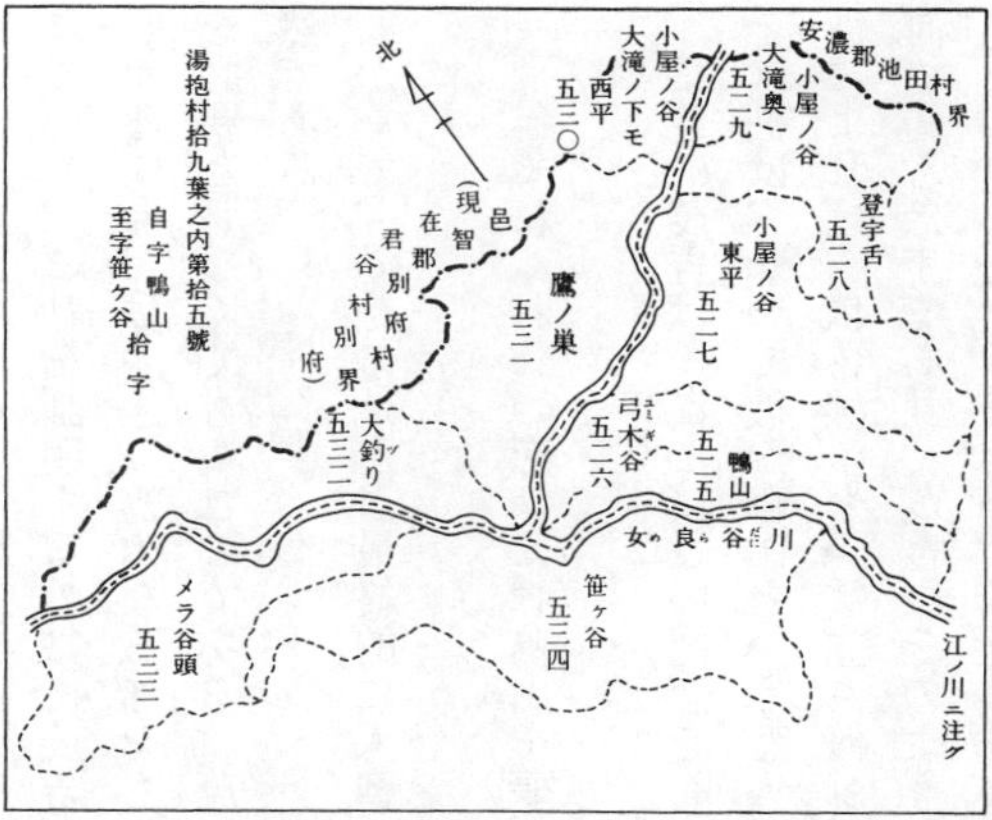

湯抱の鴨山・土地台帳写し（『柿本人麿』より）

目山として結果が移動しなかつたのであるが、実際を踏査するに及んで、人麿の歌の鴨山が即ち現在この湯抱の鴨山に当るのではあるまいかとも考へるやうになつた。

その理由は大凡《おほよそ》次の如くである。

津目山を鴨山とするのは隣地にカメといふ名の残存に拠《よ》つたのであるが、湯抱の方は直ちに鴨山といふ名であつて、同系統の賀茂族、賀茂神等に本づくものだと云つても、湯抱の方の名がもつと直接である。

津目山を鴨山だとするのは、前言の如くカメからの推定に拠るのだが、湯抱の方のは、その儘《まま》鴨山なのであるから、寧《むし》ろその方と考へる方が適当ではなからうか」　（同前）

理由はあまりにもあっけない。茂吉の津

目山＝鴨山説は、はじめからカメが昔はカモと呼ばれていたという前提の上に立てられていて、これを証明するのに、茂吉が苦労に苦労を重ねてきたのをわれわれは見た。しかるに今、はっきり鴨山なる名をもった山が発見された以上、そういう面倒な論証を必要としなくてもすむのである。茂吉が、そのような便利な説にとびついたのは当然である。

かくて、湯抱の地が、最終的に人麿の終焉の地として定められた。

　年まねくわれの恋ひにし鴨山を夢《いめ》かとぞ思ふあひ対《むか》ひつる

まさに茂吉は、ここに長い間恋をしていた鴨山にめぐり合ったわけであるが、このとき彼は、かつて彼が鴨山という恋人探しをはじめたときの厳密な条件を忘れている。彼によれば、依羅娘子が「雲立ち渡れ見つつ偲《しの》はむ」とうたった石川は、洋々たる大河であるはずであり、茂吉はそのような条件によって、鴨山＝浜田説、神村説、恵良説を否定したではないか。依羅娘子の石川の歌にふさわしい洋々たる川は、絶対に江ノ川でなければならないというのが、茂吉の確信であったはずである。しかし、鴨山を湯抱の地にもってくることによって、石川と鴨山とはかなり離れてしまうことになる。鴨山からもっとも近い江ノ川沿岸まで約四キロ、どうして依羅娘子はそのように離れた川を見て夫を偲ばねばならなかったのか。そしてもしも大井重二郎氏のように、石川を鴨山のふもとを流れる女良谷川《めらだにがわ》とした場合——これの方が論理的ではあるが——女良谷川は峡谷を流れる小さな川で、茂吉の前提条件の大河説とは矛盾することになる。

湯抱の鴨山

しかし茂吉は、そういう論理矛盾を自ら問うこともなかったし、また他の学者や詩人たちもこのような疑問を茂吉に発しようとはしなかった。彼等は、茂吉相手の論争がいかに高価につくかを、身をもって知っていたにちがいない。

茂吉は、新しい鴨山の発見と、その定説化に十分満足なようであったが、私には、一抹の不安が彼の心に漂っていたような気がする。

年まねくわれの恋ひにし鴨山を夢かとぞ思ふあひ対ひつる
我身みづから今の現《うつつ》にこの山に触《ふ》りつつ居《を》るは何《なに》の幸《さち》ぞも
鴨山は古《ふ》りたる山か麓《ふもと》ゆく川の流《ながれ》のいにしへおもほゆ
「湯抱」は「湯《ゆ》が峡《かひ》」ならむ諸《もろ》びとのユガカイと呼ぶ発音聞けば
人麿がつひのいのちををはりたる鴨山をしもここと定めむ

昭和十五年、茂吉が彼の第十二歌集『寒雲《かんうん》』にのせた歌であるが、この一首目と二首目は、鴨山にめぐり合った喜びを純粋に語っている。しかし三首目と四首目はちがう。鴨山はやはり古びたる山、つまり人麿の死せる山でなくてはならず、湯抱は湯ヶ《ゆが》峡《かい》、つまり石川の峡でなくてはならなかった。茂吉は長い間探し求めつづけた恋人にめぐり合ったはずなのに、まだ不安が心をかすめているかに見える。これが真の恋人であるならば、この山は古い山、ユガカイは湯ヶ峡でなくてはならぬ。しかし、と茂吉は思う。もはや一切の躊躇《ちゅうちょ》と懐疑を止《や》めよう、私がこの地を鴨山と定めることにしよう。そう自らと共に他人にも命じるのである。

——人麿がつひのいのちををはりたる鴨山をしもここと定めむ——

茂吉天皇が、ここに鴨山の地を定め給《たも》うたのである。私はこの歌を聞いて、万葉集の「大君は神にし坐《ま》せば赤駒《あかごま》の匍匐《はらば》ふ田井《たゐ》を都《みやこ》となしつ」（巻十九・四二六〇番）という歌を思い出した。「大君は神にしませば人麿の死にたる場所をここと定めむ」というべきか。まことに茂吉は、人麿の歌にふさわしい、壮大なる天皇、最後の天皇であった。

第二章 鴨山考《かもやまこう》批判

鴨山五首は一組で人麿の最期《さいご》を語っている

以上で私は、現在、定説あるいはそれに近い扱いを受けている斎藤茂吉の「鴨山考」について、その大要を明らかにした。私は、はじめは茂吉の「鴨山考」を客観的に紹介し、後に、それに批判を加えたいと思っていた。茂吉の最初の論証「鴨山考」の紹介では、私はできるだけ自分の意見を抑制した。しかし、茂吉の説を追いながら、この説は全面的に御託宣としてうけたまわるか、それとも徹底的に批判を加えるか、どちらかより仕方のない説であることが分かった。茂吉の人麿に関する第二作、『柿本人麿　鴨山考補註篇』の紹介に入ったあたりから、私の筆が、意識的に加えようとする抑制を破って、茂吉の論理の矛盾をつき、ついには茂吉の意識構造まで明らかにしようとする方向に進むのを、私はどうすることもできなかったのである。

しかし、とにかく、茂吉説の叙述を終えたあとは、茂吉説をどう見るかが問題であ思う。はっきりと私の考えをいおう。私は、茂吉説は、四つの点において誤謬《ごびゅう》であると思う。

(1) 万葉集の歌の誤解と除外
(2) 論理的推論の誤謬
(3) 歴史の伝承の無視
(4) 詩人の運命の忘却

詩人は直観の人間である。彼は、その鋭い直観ゆえに、しばしば重大な誤謬をおかす。そしてしばしばその誤解が、詩人の恐るべき創造力の根源となる。一人の愚劣な悪女を天使と誤解した詩人は、すぐれた詩をつくる。茂吉のこの巨大な仕事が一つの誤解から生じたとしても、私は詩人茂吉を責めようとは思わない。推論の誤謬、歴史的伝承の無視、それを詩人が行なっても、私はその詩人を責めようとは思わない。しかし、詩人が、詩人の運命を忘れてしまったら、すでにその詩人は詩人ではない。そして一人の詩人が過去の大詩人の、詩人にふさわしい悲劇的な運命を全く見失い、見失ったばかりではなく、そういう詩人の運命を探る入口まで閉ざしてしまったとすれば、私はこのような詩人を許すことができない。私は、柿本人麿の霊の名において、茂吉を許すことができないのである。

私のいおうとすることはまだ多くの人に分かるまい。私は驚くべきことを語ろうとしている。しかも、多くの人は私のいおうとすることを聞くべき耳を、まだもたないであろう。私は茂吉説の批判を通じて、徐々に私のいうべきことを語りつつ、読者の耳を驚くべき論に馴《な》らさねばならない。

人麿の死と、その場所を、正しく理解するためには、われわれは何よりも万葉集巻二に収められている人麿の死に関する歌によらねばならぬ。もちろん、人麿の死とその場所について、古来いろいろな伝承があり、それに関するさまざまな研究がある。そういう伝承および研究も、決して無視することはできないが、われわれは、まずこの五首の歌を正しく解釈し、その正しい解釈にもとづいて、彼の死およびその場所を推論しなくてはならない。

人麿の死に関する五首の歌のうち、人麿の歌とされるものが一首、その妻、依羅《よさみの》娘子《おとめ》の歌とされるものが二首、それに丹比真人《たじひのまひと》某が、死んだ人麿の立場に立って、依羅娘子に答えた歌が一首、そして作者未詳の歌と称されるのが一首である。

この五首が、人麿の死を一つの事件として報告しているのである。この五首の歌のうち、人麿が自ら傷《いた》んでつくったという辞世の歌のみが特に優先しているわけではない。どの歌も、それぞれ人麿の死という出来事を、それぞれの立場で報告し、その五首全体の中から人麿の死が理解さるべきなのである。それゆえ、そのうちの一首あるいは二首を除外し、人麿の死を理解するのは、明らかに万葉集をゆがめて解釈することになる。そして、歌の本文ばかりでなく、詞書《ことばがき》もまた重要である。詞書の一句一句に深い意味がこめられていて、人麿の死を暗示する重要な手がかりを与えるのである。それゆえわれわれは、みだりに歌の原文を変えたり、詞書を無視したりしてはいけない。たとえ、歌の意味がわれわれの常識と矛盾するようなときも、われわれは歌の本文をわれわれの常識を基礎として変更すべきではなく、歌の本文に基づいてわれわれの常識を変更すべきであろう。

斎藤茂吉も、歌の本文を変更したり歌の詞書をぬきにして万葉集を解釈してはならないという。彼が折口信夫一派の吟遊詩人説に反対したのは、彼等が万葉集の歌と詞書を尊重せず、このような態度は、結局、万葉集そのものを否定することにあるという点にあった。たしかに茂吉のいう通りである。しかし、茂吉が、彼の鴨山に関する一連の研究において、万葉集の歌と詞書をどれほど信用したかは、はなはだ疑問である。

万葉集の歌と詞書を尊重する限り、人麿の死は、五首の歌とその詞書の正しい解釈の上に、理解されなくてはならない。しかるに茂吉は、五首のうちの二首、つまり丹比真人の作とされる一首と、彼の作とも他人の作とも考えられる一首を、完全に無視してしまう。

先に私が引用した「鴨山考」の注釈の(3)(六九―七二ページ)をよく読んでほしい。丹比真人の「荒波に寄りくる玉を枕《まくら》に置きわれここにありと誰か告げなむ」という歌は、明らかに海のイメージである。この、海で死んだことを暗示しているような歌は、山峡に人麿の終焉《しゅうえん》の地を求める茂吉説にとって明らかに都合が悪い。そして、都合の悪い資料はできるだけ排除するのが、あまりにも自己の意志に忠実すぎる茂吉天皇の、万葉集解釈の絶対的原則であった。

「この歌の句に『荒波に寄りくる』などとあつても、直《す》ぐ人麿が海辺で死んだなどと誤魔化されてはならない。この歌も、次の『夷《ひな》の荒野』の歌も、擬歌で、空想の拵《こしら》へものであるから、全体が空空《そらぞら》しく、毫《がう》も対者に響いてくるものがない。此等《これら》の擬歌と人麿の一首乃至《ないし》娘子の二首との差別を鑑別出来なければ、到底、鴨山のこと石川のことを云々《うんうん》するのはむづかしい。抒情詩《じよじやうし》としての歌の価値はごまかしの利《き》かぬ点にあるから、従つて鑑賞者は眼光紙背に徹する底の修練を以《もつ》てそれに対《むか》はねばならぬのである。従つて、『石川の峡』説は動揺せず、やはり山間を流れてゐる川といふことになるのである。それから、丹比真人といふ者が、仮りに国府あたりにゐて詠《よ》んだとするなら、かういふ遊戯的な擬歌などを作る者は、人麿と奈何の関係にあつたものか、実に怪《け》しからぬ者で、此は殆《ほとん》ど問題にはならない」

（「鴨山考」『柿本人麿　総論篇』）

茂吉よ、あなたはいったいどんな権利があって、こういう馬鹿《ばか》げたことをいうのか。万葉集は、丹比真人某という、名さえもはっきり名のることをはばかる人に歌を歌わせて、人麿の死に方をそれとなく暗示しようとしているのである。しかるに、あなたにはさっぱりそのことが分からず、この悲痛な言葉も、あなたの心には豚の鳴音のようにしか聞こえてこないのだ。しかも、更に悪いことには、あなたはこの言葉が理解できないことを、あなたの無知と鈍感のせいにせず、作者・丹比真人のせいにするのである。こういう遊戯的な擬歌など作るのは実にけしからぬ者で、問題にはならないとあなたはおっしゃる。しかし、擬歌という言葉の深い意味をあなたは知っているのか。真実は必ずしもいつもそのまま語れるとは限らない。真実を語れないとき、人は擬歌をつくって、ひそかに真実を伝えようとするのである。その真実が、あなたには見えない。眼光紙背に徹する底の修練をつんだというあなたは、一体何を見ているというのであろう。あなたの眼光は、紙背どころか紙上からはみ出てしまって、妄想ばかりを見ているのであろうか。私は詩人が妄想にふけることをとがめようとは思わないが、あなたの妄想があまりにも散文的であることを悲しむのである。

「以上の如《ごと》くであるから、私が『鴨山考』を立つるに際してこの二首を眼中に置かなかつた。これまでの学者が、かういふ邪魔物をも念頭に置いたために正当の判断がつかなかつたと謂《い》つていい。ただかういふ二首の存在する価値あるのは、この二首を作る頃すでに人麿に関する史実が朦朧《もうろう》としてゐて、また既に戯曲化され物語化されてゐたといふことの証拠となる点にある。それゆゑ、人麿の史実を考察するに際して邪魔をするのであるが、人麿の歿処《ぼっしょ》の如きは、必ずただ一つ、欠くべからざる場処があるのであるから、その一処を飽くまで求尋しようとする者は、さういふ邪魔物は思ひきつて除去してかからねばならぬ」（同前）

茂吉よ、あなたは万葉集から、少なくとも二首を完全に除外しようとする。四千五百余首におよぶ万葉集のうちの二首ならば、そうたいしたことではないかもしれない。しかし、人麿の死を直接に解明できるのは、わずかに五首である。その五首のうちの二首を、あなたは全く除外、抹殺してしまおうというのだ。あなたの口吻《こうふん》は全く専制主義者の口吻である。自己の命令に従わない、自己の意にそむくものは、すべて抹殺せよ。それはまさしく専制主義者の鉄の意志であるが、あなたもまた鉄の意志をもっていう。「人麿の死を語る五首のうち、二首を抹殺せよ」と。何のためか。あなたの「鴨山考」を絶対の真理とするために。あなたは折口一派を、歌の詞書を無視するという理由で批難したではないか。しかし今、あなたは詞書ばかりか歌そのものまで抹殺しようとしているが、それがはたして万葉集と柿本人麿を尊敬する行為であろうか。私は、歌の本文の抹殺まで主張するあなたの詩人としての良心を、このような歌の虐《ぎゃく》殺書《さつしょ》をほめたたえた学者たちの学問的良心と共に、根本的に疑わざるをえない。

イハネシマケルの誤読に立つ鴨山イメージ

人麿の死に関する茂吉の解釈は、すでにその出発点において、人麿の死を綜合《そうごう》的に語ろうとする五首の歌のうちの、二首の完全な除外・虐殺の上に立っていた。それだけですでに、それにもとづいて立てられる解釈は不完全ならざるをえないが、残った三首に関しても、彼は致命的な誤解をしているのである。

人麿の死を告げる歌の第一首は、人麿が死に臨んで自ら傷んで作ったという、

鴨山の岩根し枕《ま》けるわれをかも知らにと妹《いも》が待ちつつあらむ

（巻二・二二三番）

という歌であるが、その歌から鴨山を、茂吉はかなり高い、岩の多い山であると考える。

「鴨山の磐根《いはね》し纏《ま》けるであるから、ただの丘陵或は小山ではあるまい。また巌石《がんせき》のあらはれてゐる山を聯想《れんさう》せしめる」（同前）

このような判断をもとにして、茂吉は鴨山の所在地を決定しようとする。彼が高津の鴨島説を否定したもっとも大きな理由は、鴨山をこのような岩の多い、かなりの高さの山と考えたゆえである。

「昭和九年五月、岡・土屋二氏と共に柿本神社に参拝し、鴨嶋のあつたといふ方に行つて実際を見た。縦《よ》しんば鴨嶋といふやうな小嶋があつたにせよ、鴨山の磐根し纏けるといふやうな感じではない。そこが根本の不満である」（同前、高津鴨嶋説）

同じように浜田城山《はまだしろやま》説、那賀郡神村《なかかむら》説、那賀郡二宮《にのみや》村恵良《えら》説などに茂吉が反対した一つの大きな理由はそこにあった。

「昭和九年七月実地踏査したが、余り低い山で、鴨山の磐根し纏けるといふ感じは毫もない。また、この説も石川の貝を海浜に持つて来たものである」（同前、浜田城山説）

「昭和九年五月に岡・土屋の二氏と此処《ここ》を実地に調べたが、島星山を除いて山らしい山がなく、鴨山の磐根し纏けるといふやうな感じの山は一つもない」（同前、神村説）

「高神の岡も小さく、どうも人麿の歌にふさはしくなかつた」（同前、恵良説）

そして茂吉が、かつては鴨山でなくてはならない江ノ川の沿岸、亀の地にある津目《つのめ》山《やま》を鴨山ときめたのも、そのような理由によるのである。

「津目山は、今は植林もしてゐるから巌石ばかりの山ではないが、実際近寄つて見るに巌石の多い山で、縦《たと》ひ、『磐根し纏ける』は言語上の綾《あや》があるにせよ、ただの丘陵、平凡な小山などを中心に置いて作歌する筈《はず》はないから、さうすれば、この津目山などは鴨山を具体化するに、唯《た》だ一つの山だといふ気持をさへ起させるのである」（同前）

津目山は三百メートルを少し越す山であるが、茂吉は鴨山というのは三百メートルぐらいから上の高さの山であると考えたらしい。後に、彼は湯抱《ゆがかえ》の鴨山を見て、あれほど執拗《しつよう》に固執した津目山＝鴨山説を簡単に捨てたのは、湯抱の鴨山が津目山とほぼ同じ高さの山であったことによるらしい。してみると、茂吉の鴨山決定の第一の基準は、この鴨山の歌から茂吉が導いた、「ただの丘陵或は小山では」なく、ほぼ三百メートルぐらいの「巌石のあらはれてゐる山」という基準であるらしい。

はたして、万葉集の「磐根し纏ける」という歌から、このような基準を導き出すことができるか。答えは明らかに否《いな》である。「磐根し纏ける」というのは、古代日本人にとってただの死を意味するにすぎない。この頃、少し身分ある日本人は、小高い山に石槨《せっかく》をつくって葬《ほうむ》られた。その石槨の中に孤独に横たわって死んでいるイメージが「磐根し纏ける」である。生きているならば、妻を手に纏いて、抱いて寝ているはずなのに、死んでしまっては磐を手に纏いて抱いて寝なくてはならない、そういう孤独の死のイメージが「磐根し纏ける」である。それは決して文字通り巌石のあらわれている、ただの丘陵あるいは小山ではない三百メートルぐらいの高さの山で人麿が死んだことを意味するのではなく、人麿が妻と離れて死んだことを意味しているのである。

「磐根し纏ける」の用例は、万葉集巻二の八六番の「かくばかり恋ひつつあらずは高山の磐根し枕《ま》きて死なましものを」という磐姫皇后《いわのひめ》（仁徳帝皇后）の歌にあるが、この歌でも「高山の磐根し枕きて」は「死」の別名であり、死して丘陵に葬られることをいったものであろう。また、巻三の四二一番に石田王《いしだのおおきみ》の卒去《しゅっきょ》のとき丹生王《にうのおおきみ》の作った歌に「高山の巌《いはほ》のうへに君が臥《こや》せる」とあるが、やはりこれも古墳に葬られているイメージであろう。

賀茂真淵はこれを「こは常に葬する山ならん」（『万葉考』）と注し、岸本由豆流《きしもとゆずる》（一七八九―一八四六）は「さて一首の意は、われ死なば、鴨山に葬られて、磐根を枕としてあらんをも、妹はしらずして、かへらん日をいつ〳〵とまちつゝあらんとなり」（『万葉集攷証《こうしょう》』）という。この時代の古墳は、天武《てんむ》・持統《じとう》天皇陵、草壁皇子《くさかべのみこ》陵、文武《もんむ》天皇陵など、小高い岡に葬られた例が多いのである。

しかるに茂吉ひとり、これは古墳のイメージではなくて、文字通り人麿が磐のごつごつした高い山で瀕死《ひんし》の病床にいる歌であると解釈する。これについて、茂吉は次のようにいう。

「私は、人麿の歌の、『鴨山の磐根し纏ける』の、鴨山はそんなに低い小山程度のもので無く、現在の津目山ぐらゐのものでなければならぬと感じたのは、人麿が病重篤《ぢうとく》となつて死を感じた時に、自ら死んだ時の有様をさういふ具合に云《い》ひ現はしてゐるのだと解し、即《すなは》ち人麿自身が死んで鴨山の磐石を枕にして寝て居るといふ状態だと解したのに本づいてゐる。此は当時の人の死に対する観念であつて、後世謂ふ譬喩《ひゆ》でもなければ、精霊とか霊魂とかいふものでもなく、又墓所に葬られた状態といふのでもない。自分が山の巌を枕にして寝てゐる状態におもつてゐるのである。生時と死時との観念がいまだ完全に分離しない状態で、それゆゑ、未《いま》ださういふ状態で死者が『在り』得ると考へてゐたので、神上《かむあが》り（天上）、夜見国《よみのくに》、黄泉国《よみのくに》、底《そこ》津根之国《つねのくに》、常世国《とこよのくに》などの観念までには未だ到達してゐない前過程なのである。そしてこの心理状態の源は恐らく天然葬（空気葬、風葬）の状態に本づくものとおもはれるから、この人麿の歌の場合には、実際の葬る為方《しかた》は土葬であつたのだらうが、観念はもつと前期の名残を留《とど》めてゐるものと解すべきである」

（「鴨山考」）

この文章を読んで、茂吉が何をいいたいのか、よく理解できる人があろうか。「生時と死時との観念がいまだ完全に分離しない状態」とは、何であろうか。「神上り（天上）、夜見国、黄泉国、底津根之国、常世国などの観念」に到達していない、原始的宗教意識とは何であろう。古墳時代がはじまるのは三世紀から四世紀のことと考えられ、「磐根」と「死」のイメージの観念結合はそれ以後と思われるが、人麿だけが三世紀以前の観念を八世紀になってもまだ持ち続けていると、茂吉は考えるのであろうか。空気葬、風葬とは、一体何であろう。

「人麿が、妻の死んだ時の歌に、『羽易《はがひ》の山に汝《な》が恋ふる妹は坐《いま》すと』云々といひ、讃岐《さぬき》狭岑島《さみねのしま》の石中死人を見た時の歌に、『浪《なみ》の音の繁《しげ》き浜辺を敷妙《しきたへ》の枕にし《ママ》て荒床《あらどこ》により臥《ふ》す君が』云々と云つてゐるその心持と同じなのである。つまりもう一度云へば、『磐根しまける』は、巌窟《がんくつ》などの共同墓地に葬られてしまつた状態といふ意味では必ずしもないのである。万葉巻二（八六）の磐姫皇后御作歌の、『かくばかり恋ひつつあらずは高山の磐根し纏きて死なましものを』の『磐根しまきて』も、同じやうな観念で、山の中に大石を以て作つた石槨を写象に持つやうな写実的なものではなく、もつと漠然とした原始的なものなること人麿の歌の場合も同様である。巻三（四二〇・四二一）の石田王卒去の時丹生王《にふのおほきみ》の作歌中の大体は、もつと進化した宗教的儀式の事をいろいろ歌つてゐるが、『高山の巌《いはほ》の上に坐《いま》せつるかも』『高山の巌《いはほ》の上に君が臥《こや》せる』の言ひ方は、人麿の歌に通ずるやうな原始的の観念の名残をとどめて居るのである」　（同前）

茂吉の解釈は、ことごとくまちがっている。羽易の山の歌（巻二・二一三番）は羽易の山に妻が葬られているイメージであり、狭岑島《さみねのしま》の石中死人《せきちゅうしにん》の歌（巻二・二二〇番）も、淋《さび》しい島に行き倒れの死人が葬られているイメージである。磐姫の歌も、山の中に大石を以《もっ》て作った石槨のイメージであるし、石田王の死のときの歌も、やはり古墳のイメージである。

われわれが、「磐根し纏ける」という言葉を、歴史的状況との関係において理解する限り、このように解さざるをえない。

茂吉は、ここではからずも人麿を三世紀以前の人間にしてしまったわけであるが、それはよくいわれるように、茂吉が古代人的感覚をもっていたゆえではなく、あまりに現代人的感覚をもっていたゆえであろう。現代の日本人にとって、山といえば、何よりもまず三百メートルぐらいの山を思い起こす。それが故郷の山のイメージである。この山のイメージに、磐のイメージが重なる。磐根といえば、岩がいっぱいあらわになっている風景を思い出す。三百メートルぐらいの、巌石のあらわれた山。かくて、茂吉の中に「鴨山」のイメージができあがる。そして、そのイメージにもとづいて、茂吉は「鴨山いずこ」と叫び、迷子探しをするのである。

仙覚《せんがく》・契沖《けいちゅう》・真淵《まぶち》ら古注のとる第二首の解

万葉集では、鴨山の歌について石川の歌がある。柿本人麿の死の時に、妻・依羅娘子が作ったという詞書のついた歌である。歌は二首あるが、そのはじめの歌は、

今日《けふ》今日《けふ》とわが待つ君は石川の貝に 一に云ふ、谷に 交《まじ》りてありといはずやも
（巻二・二二四番）

である。日本古典文学大系の訳によれば、「今日は来られるか今日は来られるかと、私の待つ君は、石川の貝にまじっているというではないか」とある。まあ無難な訳であるが、折口信夫の『口訳万葉集』によれば、「今日帰るか、今日帰るか、と毎日わたしが待つてゐた人は、石川の谷間《アヒ》に紛れこんでゐるといふことではないか。あゝ無駄に逢《あ》ふ日を待つてゐたことだ」とある。

これは、一体どういうわけであろうか。一見、茂吉の影響のようにも見えるが、折口がこれを訳したのは、大正五年（一九一六）のことであるという。とすれば、折口は茂吉の影響は全くなしに、独自に「貝」を「峡《かい》」ととったわけだが、はたしてそう

であろうか。折口信夫全集第四巻『口訳万葉集』の「あとがき」に、「又、下段の口訳は著者の口述を友人の数氏が分担して筆記したもので、従つて用字等が区々である。よつて初版本の面影を害《そこな》はぬ程度に著者の用字法と思はれるものに大体統一し、その他は明かに誤植と思はれる部分を訂正した」とあるが、はたして大正五年発行の初版本（文会堂書店版）にはどうあるのか、今その本を見ることができないので判断はできないが、この問題は、折口の呪力《じゅりょく》と茂吉の呪力を比べる興味深い視点を提供する。

というのは、茂吉以来、沢瀉久孝も、土屋文明も、この「石川の貝」を「石川の峡」とするが、それ以前は橘守部と近藤芳樹を除いては、この「石川の貝」を「石川の峡」ととる学者はいなかったからである。

鎌倉時代の古注である仙覚（一二〇三―?）の『万葉集註釈』には、「或本《アル》ニ、見ノ字、貝ニカク。モトモソノコトハリニカナヘリ。水ノ字、カハトヨム、此集ノ中ニモ傍例アリ。ヨリテ和換ニ云《イフ》、ケフ〳〵、ワカマツキミハ、イシカハノ、カヒニマシリテ、アリトイハスヤモ。ナニ、ヨリテカ、イシカハノカヒニマシリテ和スルトナラハ、水ノ字、カハトヨム。次下ノ歌ニ、イハク、イシカハニクモタチワタレミツ、シノハムトヨメリ。イシカハトヨムヘシト、エラレタリ。カヒニマシリテトイヘルハ、漢字、貝ニカケル本アリ」

とあり、次に源氏物語の「蜻蛉《かげろう》の巻」の、「いづれのそこのうつせに交りにけむ」という一文を引用している。「いづれのそこのうつせ」とは、どこの水底のうつせ貝に交って、という意味で、契沖の『万葉代匠記　精撰《せいせん》本』には、

「此哥《コノウタ》ニ依《ヨ》レハ、鴨山ハ海辺ノ山ニテ、其《ソノ》谷川ヲ石川トハ云ナルヘシ。水ノ字、第七ニモカハトヨメリ。神武紀云。縁《ソヒテ》レ水《カハニ》西《ニ》行。雄略紀云。久目《クメ》水《カハ》。貝ニマシリテハ、鴨山ノ麓《フモト》カケテ川辺ニ葬レルニコソ」

とあり、賀茂真淵の『万葉考』には、

「且《ケ》今日《フ》且《ケ》今日《フト》、吾待君者《ワガマツキミハ》、石水《イシカハノ》、紀にも水をかはと訓《よみ》、次にも石川と書たり、貝爾《カヒニ》交而《マシリテ》、次に玉をもいひしが、此川の海へ落る所にて貝も有べし、〔……〕有登《アリト》不言《イハズ》八方《ヤモ》、いはずやもと当りていふに、いたく歎《なげ》くこゝろあり」

とあり、荷田春満《かだのあずままろ》（一六六九―一七三六）とその弟、荷田信名《かだののぶな》（一六八四―一七五一）の『万葉集童蒙抄《どうもうしょう》』には、

「八方は歎息《たんそく》の詞にて、石水のかひまじりてなりともありといはゞ、せめてなぐさむ情もあるべきに、かひにまじりてだにありともいはぬかなと、かなしみなげきてよめる也。此集中やもといふ詞数多《あまた》ありて、大かた歎の意によめる也」

とあり、古注は明らかに海のイメージである。ところが岸田由豆流の『万葉集攷証』

などになると、少しあやしくなる。

「石水《イシカハノ》。こは鴨山のうちの川なるべし。人まろをば、この川の辺などに葬りしにや。水を、かはとよめるは、義訓也。書紀神武天皇元年紀に、縁《ソヒテカハニ》レ水 云々。景行天皇十二年紀に、水上《カハノホトリ》云々。神功皇后五十二年紀に、水源《カハノカミ》云々。本集七八丁に此水之《コノカハノ》湍爾《セニ》云々などもよめり。（頭書　雄略紀久米水《クメカハ》。）貝爾《カヒニ》。一云谷爾《タニ、》交而《マジリテ》。人まろを、この水の辺にや葬りつらん。されば、貝にまじりてとはいへり。今も、山中などを、堀に、地下より貝の出る事もあり、山川の底なるを、石とゝもに貝のながるゝ事もあれば、海岸ならずとて、貝なしともいひがたし。一云谷爾《タニニ》とあるはいかゞ」

この歌のイメージは海で死骸《しがい》が貝に交っているところであろう。とすれば、人麿の死骸が海に放置されて、貝に交っていることになるが、そんなはずはない。それゆえ、人間が賢くなればなるほど、こういうことを信じなくなり、それは川に葬ったのであろうとか、その川は海ではなくて山にあったという、一見合理的な説になる。橘守部の説は、この説を一歩進める。

「●『石水山《イハミヤマ》』諸本此山を落して、石水《イシカハ》とよみ、貝爾交而《カヒニマジリテ》とある故《ユヱ》に、何事とも知られずなりし也。故《カレ》、今考へて山の字を補ひつ。貝《カヒ》も峡《カヒ》なる事、一本に谷爾《タニニ》とある以《モ》て知るべし。

●一首の意は、毎日〳〵、今日〳〵と吾《ワ》が待つ君は、死《ウ》せ給《タマ》ひぬとては言もつきはてぬ。せめて石見山の峡《カヒ》に臥《コヤ》してありといはずや、さらば女ながらたどり行きて率《キ》て来んにといふ也。あはれなる歌なり。此あたり歌毎《ゴト》に拾ひ出《イ》でたる心ちす」

（『万葉集檜嬬手《ひのつまで》』）

橘守部は、「石水之貝」の「貝」を「峡」と読んだので、それに応じて「石水」も山にしなくてはならず、「石水《イハミ》山峡《ヤマカヒ》にこやして」とこの歌を改める。たしかにそれでこの一首は理解可能となったが、万葉集の原典に大きな改造を行なっているのである。このように貝を峡としてしまうと、例の丹比真人の歌が読めなくなってしまうが、この歌の詞書をも、守部は「丹比真人 名擬《ナニガシナリテ》㆓石《ノ》中死人《ノシニヒトニ》㆒報《テ》㆓柿本《ノ》朝臣人麻呂《ニ》㆒作歌一首」と改造してしまう。全く無理な読み方である。

また近藤芳樹の『万葉集註疏《ちゅうそ》』は次のようにいう。

「貝爾《カヒニ》交而《マジリテ》は芳樹按に貝《カヒ》は借字にて峡《カヒ》なり。和名抄に考声切韻云。峡山間ノ陵《セバキ》処也。俗云山乃加比《ヤマノカヒ》とあるカヒにて石水《イシカハ》は国府近辺の山間《ヤマノカヒ》の谷川なるゆゑに、その谷川のある山と山との峡にまじりての意なり。交而《マジリテ》とは野山に入て遊ふことを古今集などにマジリテといへり。ここに交と書るは借字にてこをマジリと訓るは祝詞式の御門祭に悪事爾《マガゴトニ》相麻自許利《アヒマジコリ》相口会賜事無久《アヒクチカヒタマフコトナク》とある麻自許利《マジコリ》に同じ。禍事《マガゴト》に相まじるよしにてあらはに死せりとはいはねど、石川の峡《カヒ》に葬れるを石川の峡にまじこりてといへり。そのマジコリのコを省きてマジリといへるなり。マジリが禍事《マガゴト》なる証はこの祝詞にて知られたり。さればマジとはふるくよりいへる虫物《マジモノ》のマジなり」

芳樹も、貝を峡にしたものの、今度は「交りて」に困って、「マジリテ」は借字で「マジコリテ」であるとする。禍事《まがごと》であって、という意味であろうが、これもまた、たいへん無理な解釈である。橘守部も近藤芳樹も天保《てんぽう》（一八三〇―一八四四）の頃の人であるが、一般に幕末になると、学問が専門化すると共にスケールが小さくなり、学者はヒネクリコネクリを弄《ろう》するようになったように思われる。

茂吉は、この守部、芳樹のヒネクリコネクリの山峡説を、真淵の「東野炎」を「ヒムガシノノニカギロヒノ」とする読み方と共に、画期的発見と考えたようである。その画期的新説に基づいて、彼の石川探しと鴨山探しが行なわれるわけであるが、私は「石水之貝」を「石川の峡」ととることは、語義上からいっても、歌の響きからいっても、また人麿の死に関する一連の歌との関係においても、無理というより、誤読であると思う。

カヒニマジリテの誤解による石川イメージ

何よりも私は、必ずしも万葉集ははじめに口誦《こうしょう》の歌があって、次にそれを漢字とその音韻を使って記したものではないかと思う。特に人麿の歌などは、はじめから漢字をもって書かれたものではないかと思う。少くともただ言葉を勝手に音韻に従って字に写しとったものではない。言葉を文章にする場合でも、その文字は、文字そのもののもっている意味を表現しつつ写しとられていると思う。それゆえ、峡を貝で写しとるような馬鹿なことは、全く起こりえない。

「さて、そんなら、貝字を峡の意味に使つた例が他にあるかといふに、万葉集には無いらしい。祝詞、古事記、日本紀等の用例はいまだ調査出来ずにゐる」（「鴨山考」）と茂吉はいうが、そういうことは誤記以外には起こりえないと私は思う。茂吉はそういう例がないので、貝の字のつく地名を探してそれが峡という意味のある字ではないかというが、峡という字がむつかしいために貝と書いた地方の地名があるにせよ、いやしくも万葉集の撰者《せんじゃ》が、そのようなあて字を書くはずはない。ずいぶん万葉集の撰者を侮辱した話である。

私は、貝が峡のあて字などということは全くあり得ないと思うが、意味からいってもおかしい。この歌は、真淵や信名がいうように、夫を失った妻の深い嘆きがこもった歌である。夫は、石川の貝に交っているというではないか。妻の眼の前には、海底に貝と交わっている夫の死体が見えている。そういう生々しい想像と、深い嘆きがこもっている歌であるが、貝を山の峡にとると、この情景の具体性と妻の深い嘆きとがどこかへいってしまうのである。山の峡に交るとはどういうことか。芳樹のいっているように、山の峡で遊んでいるというのであろうか。芳樹はそれをマジコリと考えるが、それは無理である。山の峡で遊んでいるというのでは、依羅娘子の深い嘆きはどこかへいってしまう。「交る」とは、たくさんの他のものの中に入るという意味であろうが、たくさんの峡の中に入るというのでは、何のことか分からない。

　折口信夫は、「今日帰るか、今日帰るか、と毎日わたしが待つてゐた人は、石川の谷間《アヒ》に紛れこんでゐるといふことではないか」と訳すが、不思議な訳である。これでは、まるで人麿が山の中で神隠しにでもあったようである。いかにも折口らしい、民話的で、しかも無気味な話である。たしかに不思議な訳で、さすがと感心させられるが、原文の意からは遠いであろう。

　この貝を峡ととって、この歌を山の歌としてしまうと、次の丹比真人某の歌との連関が見失われてしまう。それゆえ、古注はすべてこの歌を、前の歌および後の歌との綜合的関係において解釈しようとしている。特に真淵の「次に玉をもいひしが、此川の海へ落る所にて貝も有べし」（『万葉考』）という言葉に注意するがよい。

　私が先にいったように、この五首は、あくまで綜合的に解釈されねばならない。一首だけ孤立させ、無理な訳をつけ、それによって他の歌の解釈を不可能にするようなことは重々つつしむべきだと思うが、茂吉はこのような乱暴きわまることを、意気揚々と行なっているのである。

　茂吉の呪力はたいへんなもので、すぐれた万葉学者である沢瀉久孝氏も、また彼の友人でありながら河内《かわち》・鴨山説をとる土屋文明氏も、山貝＝山峡説には全く従っている。

　「そしてその貝を文字通りのものとして『次に玉をもいひしが、此川の海へ落る所にて貝も有べし』（考）と解されてゐたが、註疏に『貝は借字にて峡《カヒ》なり』とし、倭名抄《わみやうせう》（一）『峡』に『考声切韻云、峡、咸夾反、俗云山乃加比山間陜処也』とあるを引き、『谷川のある山と山との峡にまじりての意なり。交而《マジリテ》とは野山に入て遊ぶことを古今集などにマジリテといへり。』と云ってゐる。この説に従ふべきものと思ふ。一云として『谷に』とある事は一層その事を確認せしむ事になる。その『谷』もカヒと訓《よ》んだので、人麻呂の作に『屋上』『室上』（一三五）その他同語異字の一云があると同例かとも思はれる。今現に『湯抱』が『湯ヶ谷《カヒ》』である事前の歌の訓釈の条で述べたところであり、又同じ邑智町のうち、もと君谷村に杮谷といふ字《あざ》があり、それをカタラカイと呼んでゐる事も『かひ』の古称の残つたものとして、右の推定の傍証となるであらう。『いはずやも』は前の『けらずや』（二二一）と同じく、『や』は反語、それに詠歎の『も』が添へられたもの。石川の峡谷にこもつてゐるといふではないか、ア、、といふのである」（沢瀉久孝『万葉集注釈』）

沢瀉氏は、茂吉の、貝＝峡説ばかりではなく、湯抱＝湯ヶ峡《ゆがかい》説の学問的代弁者となろうとしているようにすら見える。おかげで、丹比真人の歌の方は、誤解によって詠《よ》まれたことになる。

「〔訓釈〕荒浪により来る玉――玉は海辺によせる貝や石の類をさしたと見るべき事既述（一・二二）。荒浪につれてより来る玉といふので、これはたしかに海岸の景の描写と見られる。それだと右に述べた鴨山の位置にも違ひ、山峡と云つた事ともあはなくなる。そこでこの歌によつて人麻呂の死処を海岸と考へたり、前の歌の『貝』を文字通りに解しようとしたりする説も生ずるのであるが、それは例の後のもので前を訂《ただ》さうとする、本末を顚倒《てんたう》した考へ方で、従ひ難い。これこそ作者の誤解を示すもので、実情に疎《うと》い作者が貝を文字通りに解して人麻呂が海岸近いところで死んだと考へた為《ため》の語であると見るべきである。なほその事考の条でも述べる」

「〔考〕檜嫣手にはこの作を（二二二）の次に移して『丹比真人 名《ナニガシ》 擬《ナリテ》二石中《ノ》死《シニ》人《ヒトニ》一報《テ》二柿本《ノ》朝臣人麻呂《ニ》一作歌一首』と題詞を改めたのは、この作が海浜の趣であり、殊《こと》に（二二二）の作に似てゐるからであるが、それはみだりな処置で、やはりその題詞のまゝにうけとるべきであり、訓釈の条で述べたやうに、作者が人麻呂の死処を誤解したものと見るべきである。この作者をやはり石見国の在住者と見たり、この作によつて人麻呂の死処を海浜と見たりする説には従ひ難い。おそらく作者は石見の地理などにはくはしくない都の人で、依羅娘子の作を見、かねて『石見の海 津野の浦みを』（一三二）などの作を愛誦してゐたところから人麻呂の死処をも海浜と考へてこの作を成したのであらう。なほいへば作者は人麻呂の狭岑島の作も依羅娘子の作と共に見てゐたので、その反歌を模してこの作となつたと見る事も出来よう。その意味でこの作が（二二二）と似てゐるのは当然と云へる」（同前）

土屋文明氏も、鴨山の場所だけをのぞけば、二つの歌の扱い方はほぼ同様である。

「〇カヒ 貝の字は用ゐてあるが、それは借字で峡の意とすべきだ。一ニ云フ タニニの谷の字は、同じくカヒと訓み、貝、谷と単に用字の別を一ニ云フとして上げたものとも思はれる。又書紀（皇極）に、谷を波佐麻と原注のあるのに従へば、こもハザマと訓むべきかも知れぬ。但《ただ》し本集の例はタニである。いづれにしても其《そ》の地は石川の峡谷、即ち鴨山と見るべき葛城《かつらぎ》連山西麓《せいろく》の峡谷と考ふべきだ。〇マジリテ　立ち入つて。上のカヒを文字に即《つ》いて、貝のこととし、水中の貝に、死骸乃《ない》至《し》遺骨が混交すると考へるのは妄《みだり》であらう」

「題詞によつて丹比真人なる者が、死去した人麿になつたつもりで死後のことを知らせてやる歌として、伝へて居ることが分る。丹比真人は、名闕《なかく》と注されて居る如く名は分らない。〔……〕イシカハノカヒを貝の意に誤り解し、それから海浜を連想したと見れば、一通りの説明はつくかも知れないが、それにしてもイシカハを海浜に持つてゆくのは変であらう。ツゲケムと訓む説の根拠はこの考へ方にあるやうだ。恐らくさうしたことには関係なく、人麿が死後のあり場を勝手に海浜と想像して、此の作をなしたのであらう。或は人麿の狭岑島の挽歌《ばんか》なども、此の作者の連想中に混入して来たのかも知れぬ。いづれにしても作歌動機が既に第二義的のものであるから、作としては、極めてつまらないものとなつてしまつて居る」

（『万葉集私注』）

丹比真人は、おそらく柿本人麿の親友であろう。だから彼は、悲嘆にくれている依羅娘子の心を慰めるために、人麿に代わって、彼の心となって歌をつくり、妻の悲嘆を慰めたのであろう。しかるに、現代のすぐれた詩人や学者によれば、丹比真人は人麿の死んだ場所をまちがえたという。丹比真人は、前代未聞《みもん》のそこつ者となってしまうが、一体そこつ者は丹比真人の方であるのか、現代の注釈者たちの方であるか、後で私はゆっくりお知らせすることにしよう。

大いなるものは悲嘆であって景色ではない

以上で私は、貝を峡ととることが、どんなに無理なことかをはっきり説明したはずである。ところが、依羅娘子の歌の方はもう一首ある。

直《ただ》の逢ひは逢ひかつましじ石川に雲立ち渡れ見つつ偲《しの》はむ　（巻二・二二五番）

日本古典文学大系では、この歌を、「直接におあいすることは、とうていできないであろう。石川のあたりに一面に雲が立ってほしいものだ。そうしたらその雲を見ては君のことをお偲びしよう」と口語訳する。まあ穏当な訳であろう。この歌について は、たいして問題はない。

この歌だけでは石川をどのように考えてよいか、はっきり分からぬが、しかし、茂吉はその歌から、石川を探し出すことのできる重要なヒントをつかみ出す。

「次に、依羅娘子の第二の歌に、『石川に雲たちわたれ見つつ偲ばむ』といふのがある。この歌で見るに、石川といふ川は、今までの諸説にあつたやうな小さい川で無いことが分かる。大きい川で、山の狭間《はざま》を流れてゐる川の感じである」

「人麿が石見で死に、鴨山といふ山があり、石川といふ川があり、石川に雲たちわたれといふ語気のふさはしい川が、石見に実際になければならぬのであるから、ここに私の新説が役立つて来るのである」（「鴨山考」）

つまり茂吉は、この歌から石川は大きな河であることを直感したわけであるが、その理由は、どうやらその歌の語気が雄大だからである。茂吉は何でも荘重雄大なものが好きで、柿本人麿を、荘重雄大、全力投球の詩人であり、それゆえに偉大であるといっている。そしてその妻・依羅娘子もまた雄大なる歌を詠む。そしてこの語気の雄大な歌に歌われている石川もまた、たいへん大きな河でなければならぬと考える。

しかし、必ずしもそのように考えることはできない。歌の作者は、夫を失って悲嘆にくれている妻である。夫に逢いたい、しかし、もう二度と夫に逢うことができない。雲よ、死霊の行末であるといわれる雲よ、せめてこの石川に立ちこめて、亡《な》き夫を思う私の悲しみを慰めておくれ。たしかに語気は激しいが、それは作者の心の悲しみゆえである。茂吉には、このような夫を失った妻の悲しみはわからず、その語気の激しさを、河の大きさのせいにしているのである。

私はここにきて、茂吉がどのように人麿を尊敬しようと、人麿という詩人と、茂吉という詩人とは、全く別な世界に住んでいる人間であるような気がしてしかたがない。茂吉は、人麿の妻の悲しみが、あるいは人間というものの悲しみが、ちっとも分かってはいないのである。

人間の悲しみにたいする理解はとにかく、この雲の歌から、石川を大きい河とも小さい川とも、決めることはできない。それについて、契沖も真淵も、何一つ語っていないのに、茂吉一人、それを大きい河と考える。このような依羅娘子の二首の歌の、はなはだ即物的な解釈によってつくりあげられた石川のイメージをもとにして、茂吉は石川探しに出かけるのである。

「橘守部、近藤芳樹等の『石川の貝《かひ》』は、『石川の峡《かひ》』の意だとせば、必ずしも海浜でなくともいい。狭間であるから却《かへ》つて海浜で無い方がいいといふことになる。次に、依羅娘子の第二の歌に、『石川に雲たちわたれ見つつ偲ばむ』といふのがある。この歌で見るに、石川といふ川は、今までの諸説にあつたやうな小さい川で無いことが分かる。大きい川で、山の狭間を流れてゐる川の感じである」　（同前）

石川探しの用意は調った。はたして、目ざす石川は見つかるかどうか。

「高津川もなかなかいい川で、上流の方は山峡をも流れるが、是非このあたりだと感ぜしめるやうなところはない。またこの高津川即石川説は石川の貝で、海浜だといふ考に本づいてゐるのだから、そこの解釈も感心しがたい」　（同前、高津鴨嶋説）

「従つて、石川に雲たちわたれ云々といふ感じはこの辺の山にもなし、浜田川にはその感じはない」　（同前、浜田城山説）

「また小流ばかりで石川らしいものが一つもなく、況《いは》んや、石川に雲たちわたれ云々といふやうなものは一つも見つからなかつた」　（同前、神村説）

「恵良川も小さい川で、〔……〕どうも人麿の歌にふさはしくなかつた」（同前、恵良説）

石川は、高津にも浜田にも神村にも、そして恵良にもなかった。石川はどこにあるのか。それは案外、容易に探すことができた。なぜなら、石川が大きな河であるとすれば、できるだけ大きな河を探せばよい。石見国《いわみのくに》で一ばん大きな河、それは江ノ川である。

「この江ノ川に目を附けるまでに実に長い年月がかかつたと謂つていい。なぜかといふに、私もやはり、『石川の貝』で、海浜ばかりを捜し求めてゐたからである。併《しか》し、必ずしも海浜でなくもいいこととなり、大きい川とせば江ノ川でなければならぬから、それからは極めて合理的に考が進捗《しんちょく》したのである。ゆゑに、この江ノ川沿岸といふ考は極めて大切な根拠で、将来また新説は出でようとも、これは永久に間違つてゐないと信じていい」（同前）

江ノ川が石川であることは絶対にまちがっていないと茂吉はいう。そして、地図で江ノ川の沿岸に亀なる地名を見つけて狂喜する。亀へ行こう、きっと石川と鴨山を発見することができる。そして茂吉は、昭和九年七月二十二日、その亀の地を訪れた。

「雨やうやく晴れ、江ノ川が増水して、いつぱいになつて濁流が流れてゐた。粕淵を過ぎて浜原に入らうとするところから江ノ川を眼界に入れつつ、川上の浜原、滝原、信喜、沢谷の方に畳《たた》まつてゐる山を見るに、なるほどこれは、『石川の峡』に相違ないといふ気持が殆ど電光のごとくに起つたのであつた。かういふことを言へば、この文章を読む人々は或は失笑するかも知れない。けれども、石見国にあつて、『石川に雲たちわたれ見つつしぬばむ』の語気に異議なく腑《ふ》に落ちてくる山河の風光はこのあたりを措《お》いてほかにあるか否か」（同前）

こうしてついに茂吉は、石川と鴨山を発見したわけであるが、このような原則によって鴨山と石川を正しく発見することは、けっしてあるまいと私は思う。なぜなら、茂吉がつくりだした鴨山と石川の発見の原則は、はじめから万葉集にたいする誤解とこじつけと、万葉集とは関係のない幻想によってできあがっているからである。

くりかえしていうが、人麿の死とその場所を知る手がかりとして、万葉集には五首がとりあげられている。茂吉はそのうちの二首を除外し、鴨山の歌を誤解し、石川の貝をこじつけ、そして雲の歌の原意とは関係なく、そこから石川が大きな河であるという原則を導き出しているのである。私はこのような方法によって、鴨山と石川はけっして発見されることはあるまいと思うが、茂吉はそれを発見したといい、事実、茂吉の発見は一般世間に認められ、彼は学士院賞をうけ、永久に万葉学界に大きな貢献を残したことになった。不思議なことである。

当代随一の詩人がなぜ辺境で淋しく死んだか

正直にいえば、私はいささかいらいらしはじめている。早く人麿について語りたいのに、いつまでも茂吉にかかわっていなければならないことに、いらだっているのである。茂吉という人は、まことに不思議な人物で、茂吉につき合っていると私まで不思議な呪力に憑《つ》かれそうである。正しい人麿理解のために、日本の万葉学界を茂吉の呪力から切り離そうとしているのに、私もときどき茂吉の呪力に引き入れられそうになるのである。茂吉という人はドン・キホーテのような魅力をもっていて、セルバンテスたろうとする私すら、セルバンテスであるよりもむしろサンチョ・パンサになってしまいたいという誘惑を感じるほどである。しばらく茂吉の鴨山発見の冒険についてゆくことにしよう。

ところで、茂吉が鴨山の発見に成功したと思ったのは、当の亀の地が、彼が万葉集の歌の解釈から導き出した鴨山、石川についての原則に加えて、もう一つの条件をみたしているという理由であった。それは、鴨山の地が国府から「少くとも十里以上、十四五里ぐらゐ隔つた場処でなければならない」という条件である。

茂吉は、国府を現在の浜田市東北、国府町にあったと考える。そして人麿が国府の役人として赴任してきた以上、その妻は国府にいるにちがいないと思う。この妻こそ、人麿の死を嘆じた依羅娘子であると共に、同じく巻二にある、人麿が妻に別れて上来したときの歌である有名な長歌の中の娘子であると考える。人麿の妻と、妻と別れたときの歌についてはあとでくわしくふれたいが、この二人の妻はだいたい同一人と考えてよく、また妻と別れたときの歌の中に、角《つの》とか渡《わたり》とかという名前が出てきて、それと同じ地名が現在江津《ごうつ》市の近くにあるが、この場所はあまり国府町から離れていない。

そして、また明らかに人麿の辞世の歌は、人麿の死の場所に妻がいなかったことを語るし、また妻の歌も人麿の死後、石川の地へ妻がたずねて行ったか、少くとも地理的にさほど遠くないところに彼女はいて、石川の地を妻は知っているような感じである。鴨山あるいは石川の地が、国府の近くにいたであろう妻から少し離れた場所にあることという茂吉の指摘は、認めてもよいであろう。

「それから、『知らにと妹が待ちつつあらむ』であるから、妻が国府にゐたとして、少くとも十里以上、十四五里ぐらゐ隔つた場処でなければならない。なぜかといふに、仮に人麿が急性の病に罹《かか》つて歿《ぼつ》した（私は、慶雲四年の石見の疫病大流行時に人麿が歿したと考へるのである）としても、数日手当をして、そのうち容態が険悪になり、それからはじめて妻に通知するといふ手順になるのであり、併し其《それ》も間にあはず、人麿の死去を通知した趣の歌である。それだから人麿の歌から見て、どうしても距離がそんなに近い筈はない。〔……〕さういふ点で、従来の浜田説も、神村説も、恵良村説も余り距離が近過ぎる」（同前）

もとより病気云々は茂吉の想像にすぎないが、人麿が国府および妻の住んでいた場所から少し離れたところで死んだことは否定できないだろう。このような条件に合うのは、茂吉が候補地としてあげる諸地のうち、長い間、人麿終焉《しゅうえん》の地として信じられ、数々の伝承の残る高津説と、茂吉が新たに発見した亀あるいは湯抱の地のみであるが、ちなみに国府町からの直線距離をはかると、高津までは約四〇キロ（十里）、亀までは約五〇キロ（十二里半）ほどである。

『島根県史』によれば、奈良時代には国府は仁万《にま》の地（邇摩《にま》郡仁万町）にあり、国府が現在の国府町に移ったのは平安時代のはじめとされるが、とすると、二つの候補地への距離が大幅に変化し、直線距離にして高津まで六五キロ、亀まではわずか二〇キロ足らずになる。山峡の地は現在でさえ道がけわしい。まして当時のこと、ほとんど道らしい道はついていなかったであろう。近い場所でも、どれほど日時がかかったか容易に推量できない。

茂吉は、この亀の地から国府まで二日で行くことができるというが、はたしてそうであろうか。国府と鴨山との距離をそう簡単に十里から十五里の間と決めることはできないであろう。むしろ茂吉は、この土地を鴨山の地として選んでから後に、十里から十五里の間と考えたものであろう。どうやら茂吉は、国府がかつては仁万にあったという説を「鴨山考」を書いた後に知ったらしいが、この仁万説を茂吉は採用しない。はじめから仁万説を知っていたら、茂吉はおそらく国府までの距離を十里から十五里までの間などとはいわなかったかもしれない。

しかし問題は、なぜそのような国府から離れた山間の地に人麿は行き、そこで死んだかということであった。茂吉にすれば、人麿は国府の役人であるはずであった。もとより、天下第一の詩人である。その詩人がそんなに下の官であるはずはない。守《かみ》ではないにしても、介《すけ》か掾《じょう》であろう。つまり、県知事ではないにしても、副知事か局長クラスである。なぜ、そういう国府の幹部がこのような辺地へ行き、そこで死ななければならなかったのか。病気としても急病にちがいない。なぜなら、慢性の病気ならば、必ず国府、つまり任地へ帰って、妻のもとで死ぬことができるはずである。何のために人麿は、そのような国府から離れた場所へ行き、そこで死ななければならなかったのか。

石見国は、当時の都から見れば辺境の辺境である。その辺境の辺境の国の、しかも国府を離れた辺境の地で、名声赫々《かっかく》たる当代随一の詩人がどうして死んだのであろう。この問いは、人麿の人生の本質にかかわる問題である。従来、この問いにかんして、四つの説があった。

契沖の下級官吏説と真淵の朝集使説

㈠　下級役人赴任説　これは契沖、真淵以来の、もっとも有力なる説である。『古今和歌集』仮名序《かなじょ》において、人麿は「おほきみつのくらゐ」と呼ばれ、真名序《まなじょ》において「先師柿本の大夫といふ者《ひと》あり」といわれる。「おほきみつのくらゐ」とは正三位である。「大夫」は令制《りょうせい》では職の長官、後に四位五位の通称、更に転じて五位の通称となった。しかるに人麿のことは日本書紀、『続日本紀《しょくにほんぎ》』にも見えず、はたして『古今集』の序の記述が正しいのかどうかは、万葉集の研究がはじまった村上《むらかみ》天皇（在位九四六—九六七）の時代から疑問にされてきた。三位ならばもちろん、たとえ五位であっても、一度ぐらい人麿にかんする記事が日本書紀や『続日本紀』に見えるはずである。

この懐疑をつきつめて、人麿が六位以下の役人であると断定したのは、契沖である。契沖は、例の鴨山の歌の、人麿の「死に臨んで」という言葉を手がかりに、六位以下であったと断定する。

「延喜式云。凡百官身亡者、親王、及ヒ三位以上ニハ称シレ薨ト、五位以上、及皇親ニハ称シレ卒ト、六位以下達ルマテハ二於庶人ニ一称スレ死ト。コレニヨレハ人丸ハ六位以下ナル事明ケシ」（『万葉代匠記　精撰本』）

つまり、三位以上の身分の人が死する場合は「薨《こう》」といい、五位以上の人の場合は「卒《しゅつ》」といい、六位以下の人の場合は「死《し》」という。だから、人麿は当然六位以下であったことは明らかだというのである。

「其後石見守ノ属官ト成テ、彼国《かのくに》ニ居住セラレケル歟《か》。第一第三ニ近江《あふみ》ヘ下リ、第三ニ筑紫《つくし》ヘモ下ラレタル哥《うた》アリ。此等モ亦《また》其国〻ノ属官歟。又第三ニ、笥飯《けひ》ノ海ノニハヨクアラシト云哥ヲ以テ思フニ、越前国ヘモ下ラレタリト見エタリ。後ニ石見国へ下リテ死セラレタルモ、亦再タヒ彼国ノ属官ニ下ラレケル程ノ事ナルヘシ。其時ヨマレタル哥ト、依羅娘子カ、ケフ〳〵ト吾待君ハトヨメルニテ知ヘシ。臨死時ト云ヘルニテ六位以下ニテ官位ハ云ニ足ラサル程ナルコト知ラレタリ」（同前）

契　沖

契沖は、人麿を六位以下と断定した後、万葉集には、彼があちこち旅している歌が多いので、属官すなわち下級官僚で、あちこちに赴任し、その果てに任地、石見国で死んだと考える。

この契沖の考え方は、賀茂真淵にうけつがれる。

「さて人麻呂は、崗本《をかもとノ》宮の頃にや生れつらん、藤原宮の和銅の始の頃に身まかりしと見えたり、さて巻二挽歌の但馬皇女薨後云云 此皇女和銅元年六月薨、の下、歌数のりて後此人在二石見国一死と志るし、〔……〕其次に和銅四年と志るして他人の歌あ

賀茂真淵

り、同三年奈良へ京うつされたりすべて此人の歌の載たる次《ツイ》でも、凡《およそ》和銅の始までなり、齢《よはひ》はまづ朱鳥三年四月、日《ひ》並知皇《なみしのみ》子命《こノ》の殯宮《もがりのみや》の時此人の悼《いたみ》奉《たてまつ》れる長歌巻二に有、蔭子《おんし》の出身は廿一の年よりなると、此歌の様とを思ふに、此時若くとも廿四五にや有つらん、かりにかく定め置て、藤原宮の和銅二年までを数るに、五十にいたらで身まかりしなるべし、此人の歌多かれど老たりと聞ゆる言の無にてもしらる、且《かつ》出身はかの日並知皇子命の舎人《トネリ》にて、大舎人なり、〔……〕其後に高市《たけちノ》皇子命《ノ》の皇太子の御時も同じ舎人なるべし、巻二の挽歌の意にてしらる、筑紫へ下りしは仮の使ならん、近江の古き都を悲み、近江より上るなど有は、是も使か、又近江を本居にて、衣暇《イカ》田暇《デンカ》などにて下りしか、〔……〕いと末に石見に任《マケ》て、任の間に上れるは、朝集使税帳使などにてかりに上りしものなり、此使には、もろ〳〵の国の司《つかさ》一人づゝ、九十月に上りて、十一月一日の官会にあふなり、其上る時の歌にもみぢ葉をよめる是なり、即《すなはち》石見へ帰りてかしこにて身まかりたるなり、位は其時の歌、妻の悲める歌の端にも死と書つれば、六位より上にはあらず、三位以上に薨、四位五位に卒、六位以下庶人までに死とかく令の御法にて、此集にも此定めに書て有、且五位にもあらばおのづから紀に載べく、又守なるは必任の時を紀に志るさるを、柿本人麻呂は惣《すべ》て紀に見えず、然《しかれ》ば此任は掾目《じようさかん》の間なりけり、此外に此人の事考べきものすべてなし、後世人のいふは皆私ごとのみ」

（『万葉考別記』）

契沖の与えた属官、すなわち下級官吏という規定は、真淵においてはもう一歩進んでいる。万葉集によれば、人麿はあちらこちらの国を旅しては歌を詠んでいる。契沖はそれを、属官としてあちこちに派遣されたのであるとするが、真淵はもっと合理的に考える。真淵は、人麿の歌に上京の歌が多いことから彼の職を考える。それは、朝《ちよう》集使《しゆうし》であり、税帳使《ぜいちようし》であると。朝集使とは、国郡の官人の考文（勤務評定書）および多数の雑公文を中央に進上する使である。真淵は、人麿の石見国で妻と別れるときに歌った歌の中に、黄葉《もみじ》の話があるので、十一月一日、官会に間に合うために上京したので、九月、十月の間、妻と別れるに際してこの歌を歌ったのであろうと考えた。

このような考え方が、真淵以後、定説化して、以後のほとんどすべての万葉学者は、この説の上に立つ。

「こゝをもて下官なるは明らか也、さるを同列の人の序に、いかで正三位とは云べき、又賀茂真淵の説に、此人の出身は草壁皇太子の大舎人《おほとねり》なりしが、太子薨御《こうぎょ》の後は、高市皇子の舎人なりし事、万葉集の挽歌を読て知らるゝ也、其後筑紫に下向ありしは、御使歟《か》、近江にくだりて大津の旧都を悲しめる歌、且かの国にいきかひの歌も見ゆるは、是も御使か、或は本土なる故に、衣暇田暇などにて下向ありしか、石見に任ぜられて其の任の間に、いきかひせられしとも見ゆるは、朝集使・税帳使などに差《つかは》されて、仮に上られしならむ、さて又くだりて、かしこにて終られし也と云り、契沖の説も石見の属官ならむと有は此由也、寔《まこと》に舎人ならむ事、其世の出身の例にかなへり」　（上田秋成《あきなり》『歌聖伝』）

ひねくれ者の秋成（一七三四―一八〇九）も、懐疑なく契沖、真淵の説にそのまま従っている。

また名著の名の高い鹿持雅澄《かもちまさずみ》（一七九一―一八五八）の『万葉集古義』には、簡単に

「柿本ノ朝臣人麻呂（この七字、古本に過ノ字の上に有、）は、父祖は、考フべきものなし、

さて柿本氏の事は阿部氏ノ考ノ別記に委《くはし》くいへり、考フべし」とある。つまり、人麿伝については真淵にまかせておけというのであろう。雅澄ばかりではなく、多くの学者が人麿伝を真淵にまかせたように思われる。以後、人麿について語られる場合、必ず下級官吏の話、朝集使の話が出る。

「はじめ舎人として出仕し、のち他の官に移り、やがて地方官ともなつたらしい。紀伊の国にはすくなくも二回は旅行した。そのうちの一回は大宝元年の行幸に従つて赴いた。その他、山城の国を経て、近江の国に旅し、西の方は内海を航して、讃《さぬ》岐《き》および筑紫に赴いた。晩年、石見の国にあり、そこから上京する作をも留めたが、遂《つひ》にその国に歿した。その時の位は六位以下であつた」（武田祐吉『万葉集全註釈』）

「石見国滞在の事は史に見えない。人麻呂は石見国で死んでゐるらしい（二二三―二二五）ので、一度の旅行ではなくて、石見に滞在し、この上京以後にも再び石見に住んだのではないかと思はれる。即ち国府の役人として『掾目などのうちにありしならむか』といふ講義の説の如《ごと》く、考に『この度は朝集使にて、かりに上るなるべし、そは十一月一日の官会にあふなれば、石見などよりは、九月の末十月の初に立べし、仍《よつ》て此哥《このうた》に黄葉の落をいへり』といふ推定によるべきか」

（沢瀉久孝『万葉集注釈』）

「人麿が石見国から上京の時の作であることは題詞によつて知られる。人麿が石見国にあつたのは国司として在任した為だらうと言はれて居るが、其以外に京畿を本貫としたと見える人麿が地方にあつた理由は考へられないから、之《これ》はまづ動かない所であらう。人麿が国司としてどの位の地位であつたかは明かでない。人麿は其の終を死と記されて居るにより六位以下の身分であつたことは分るが、石見は民部式にも中国であるから其の守《かみ》も官位令によれば正六位下相当であり、又史生《しじやう》も国司の列に加へられ四度使に立つこともあるので、人麿の国司としての地位は守から史生まで其のいづれか明かでない。守にしても六位以下の任命は史に載せられない。又国に於《お》いても四等官が常にそなはつて居たわけではないから、たとへ人麿が掾目であつてもひどく地位の低い属吏といふわけではなく、地方としては十分重い職分をもつて居たかも知れないが、さうしたことは今は分つて居ないし、歌を理解するにはそれで別に差しつかへはない」

（土屋文明『万葉集私注』）

土屋文明氏の意見が、現在では穏当な意見であろう。氏がいう「其以外に京畿を本貫としたと見える人麿が地方にあつた理由は考へられない」というのが、まあ良識であろう。良識に従えば、人麿属官あるいは朝集使説は、きわめて穏当で正当な考え方であろう。

下級役人赴任説のもつ数々の矛盾

このように考えると、人麿下級官僚説は、どうしても疑うことのできない事実であるかに見える。そして、われわれがどのように人麿を考えようと、このような事実から出発しなければならないかのように思える。

しかし、私のこの日本古代にかんする一連の研究を読み続けてこられた読者にはすぐに判《わか》っていただけたにちがいない。いかに確実そうに思える事実も、われわれが正しい理性を働かせてその根拠を問いつめるとき、疑わしくなってしまうということを。特に歴史的認識においては、それははなはだしい。誰かのつくった学説、あるいは誰かのめぐらした想像が、そのまま定説になっていることが多いのである。そして日本の古代学は、まだ、生まれたばかりの学問であり、古代学における通説は、根本的に考え直されねばならぬことを私はたびたび強調した。

この人麿下級官僚説も、よく考えるとおかしい点が数々ある。契沖は人麿を属官であったと考える。彼が死んだとき、死と書かれ、薨とも、卒とも書かれなかったからである。六位以下は属官にちがいなく、彼があちこち旅行しているところを見ると、属官として派遣されたのではないかと契沖は考える。

真淵は、人麿を朝集使・税帳使と考える。真淵もやはり、人麿があまりにもしばしば旅行しているので、彼は地方役人として朝集使あるいは税帳使として上京したにちがいないと考えた。

このような解釈には、致命的ともいうべき問題点が二つある。それは、人麿を石見国の地方官と考えると、そういう下級官吏の像が、名声赫々《かっかく》たる当代随一の宮廷詩人という人麿像とどう結びつくかということである。われわれが万葉集を読む限り、天皇あるいは皇子の行幸に常にお供をし、天皇あるいは皇子にかわって荘重にして雄大なる歌を歌い、宮廷の内外にあまねくその名を高からしめた人麿が、なぜ、晩年よりによって辺境の地の属官にならねばならなかったか。石見国の掾《じょう》と目《さかん》の間の朝集使という官は、どう見ても宮廷第一の詩人にふさわしくない職業であったように思えるが、真淵よ、あなたはどう思う。

万葉集に採られた人麿の歌を年代別に配置してみると、はっきり年代の分かっている人麿の歌は、持統《じとう》三年（六八九）、草壁皇子（六六二—六八九）の死去のときの挽歌《ばんか》に始まり、文武《もんむ》四年（七〇〇）の明日香皇女《あすかのひめみこ》（？—七〇〇）死去のときの、挽歌に終わることが分かる。もっとも、万葉集巻二にある、

　大宝《たいほう》元年辛丑《かのとうし》、紀伊国《きのくに》に幸《いでま》し時、結び松を見る歌一首
後《のち》見むと君が結べる磐代《いはしろ》の子松がうれをまた見けむかも　（巻二・一四六番）

という『人麿歌集』の中にある歌を人麿の作と見るならば、われわれは宮廷詩人としての人麿を大宝元年（七〇一）まで、もう一年遅らせることができる。

　文武四年から大宝元年にかけては、日本歴史において画期的な時期であったことをわれわれは知る。それは、『大宝律令』が制定され律令国家ができあがったときであり、それとともに藤原氏の独裁体制の基礎ができた年である。そういう年と共に人麿の宮廷詩人としての活動が終わっているのを、われわれはどうみたらよいであろう。

　持統三年から文武四年まで、それはほぼ持統天皇（在位六八六—六九七）が政治の実権を握っていた時代である。この持統天皇の時代と共に人麿の活躍は始まり、持統時代と共に人麿の活動は終わる。持統天皇が死んだのは大宝二年であるが、この時人麿は挽歌をつくってはいない。おそらく彼が何度か扈従《こじゅう》し、数々の讃歌《さんか》を捧《ささ》げた女帝の

死が、彼の心に感動をよばないはずはないが、なぜか、彼は挽歌を残していない。おそらく、すでにそのとき彼は都にいず、挽歌をつくるべき位置にいなかったためだと思われるが、一体それはどういうわけであろう。

持統三年から文武四年まで、それを人麿の前半生とすれば、以後、都から消息を断った人麿が、その姿をはっきり現わすのは、讃岐と石見《いわみ》においてである。万葉集の巻一、巻二は、だいたい時代順に歌が配列してあるが、讃岐において人麿が死人を見た歌が、文武三年七月二十一日の弓削皇子《ゆげのみこ》（?―六九九）の死の後に載せられているところを見ると、人麿が讃岐にいたのは文武三年以後、おそらくは大宝元年以降と見なければならないし、それに次いで例の石見国での人麿の死に関する歌が五首並べられているところを見ると、人麿が石見国にいたのもそれ以後と考えねばならぬ。もっとも人麿の歌は巻三に旅の歌があり、また筑紫国へ下ったときの歌があって、これらの旅の歌と筑紫旅行をどう考えるかは問題があるが、これについては後に詳しく論じることにしよう。今のところは、人麿は持統三年から文武四年までの花やかな宮廷詩人としての活躍の後に、讃岐国と石見国へ行ったことが分かるだけでよい。

この讃岐、石見旅行を、はたして国の属官としてと考えることができるか。属官と考えてみたまえ。なぜ、名声赫々たる当代随一の詩人が、僻地《へきち》の中の僻地、石見国へ属官として赴任しなければならなかったか。通説は、こういう矛盾を深く考えず、当代随一の詩人をして、石見国の下級官僚とさせ、地方官の職務報告書をもたして上京せしめ、いっこうに怪しもうとはしないのである。

まだ不思議なことがある。人麿の死の場所である。それは古来、高津の沖合の鴨島とされてきた。その島は万寿《まんじゅ》三年（一〇二六）の大津波のとき水没したと称せられ、それが高津説の強力な根拠とされたが、もしこの島が鴨山ならば、どうして人麿がかかる辺鄙《へんぴ》な場所で死んだかが問題である。茂吉はそれを疑って、人麿死亡の場所を浜原の亀の地に、ついで湯抱の鴨山にとっているが、そうとしても、なぜ国府の役人がかかる場所に行って死ななければならぬかが問題となる。特に、高津は、当時国府があったとされている浜田の近くの国府町からはるかに西である。人麿が国府の属官であるとしても、そんなに下級であるはずもないのに、どうしてそんなに辺鄙な場所で死ななければならないかが問題である。

こういう疑問を、人麿研究家は当然抱いたはずである。幕末から明治にかけての地方の学者、藤井宗雄は、国府の役人である人麿がかかる僻地で死ぬはずはないと考え、人麿の終焉地を国府の近くの浜田にもってきた。藤井の否定の理由には、人麿の終焉の地を津和野《つわの》藩に属する高津の地ではなく、己れの属する浜田藩にある浜田の地に求めたいという地方史家にありがちな郷土への身びいきと同時に、そのような通説の上に立った当然の疑問があったことを忘れてはならない。茂吉はこの藤井宗雄の鴨山＝高津説の否定を高く評価するが、われわれも藤井宗雄のように無理に人麿の死亡地を国府町の近くにもってこないかぎり、なぜ人麿が辺境の石見国の、中でもとりわけ辺境の地で死なねばならなかったかという疑問は消えないのである。

石見出生説・遊芸集団説・流《る》罪《ざい》説

㈡　帰郷説　このような疑問をもとにしてであろうか、人麿は高津の地の生まれで、上京して仕官し、再びまた高津の地へ帰ったという説がある。この説は寛文《かんぶん》十年（一六七〇）につくられたという『人丸秘密抄《ひとまろひみつしょう》』にはじまる説であるが、明和《めいわ》九年（一七七二）に書かれた僧顕常《あきつね》の『柿本人丸事跡考』及び文政《ぶんせい》四年（一八二一）に書かれた岡熊臣（一七八三―一八五一）の『柿本人麻呂事《じ》蹟考弁《せきこうべん》』及び石田《いしだ》春律《はるのり》によって書かれた『石見《いわみ》八《や》重葎《えむぐら》』なども、この説をとる。

「石見国美濃郡戸田郷小野といふ所に語家命《かたらひ》といふ民あり。ある時後園柿樹の下に神童まします。立よりとへば、荅《こたへ》て曰《いはく》。われ父もなく母もなし、風月の主として敷島の道をしると。夫妻悦《よろこび》てこれを撫育《ぶいく》し、後に人丸となりて出仕し和歌にて才徳をあらはし玉へり」

（『人丸秘密抄』）

つまり、人麿を石見の生まれと考える説である。石見の柿本家に生まれた人麿は語《かた》部《べ》の綾部《あやべ》家で撫育され、後、成長して都で当代随一の歌人としての名声をあげ、故郷に帰って死んだというわけである。

この人麿出生についてはいろいろな伝説があり、現在まで存在する戸田の綾部氏の家には筆柿《ふでがき》といって筆の形をした柿があるとか、さまざまな神秘的な話が伝えられる。しかし問題はここでも残る。人麿は石見国で生まれたとしても、いったん中央で名をなした高名な詩人が、どうして再び帰国したのか。いったい石見国で人麿は何をしたのか。この点については、石見国出生説、人麿帰郷説をとる諸説の中でもいろいろ考えが分かれる。

私は、やはり石見出生説は無理であると思う。それは、文献的証拠として『人丸秘密抄』をさかのぼることは出来ず、はたして柿本なる朝臣《あそみ》姓の名家が石見にありえたかどうかも疑問なのである。論者は、近くの小野神社の存在をもって、小野と柿本との同族説から柿本氏の石見在住を証明しようとするが、それは無理であろう。当時中央と地方との教養の落差はひどく、人麿のような教養をもった詩人が、到底、僻地の生まれであるとは思えない。また『人麿歌集』などにある大和《やまと》地方の風景にたいする愛情の強い歌は、人麿も大和出身であることを感じさせる。

人麿・石見出生説、帰郷説は、やはり人麿・国府属官説と高津＝鴨山死亡説との矛盾を解決しようとする努力に、郷土びいきがつけ加わってできた説ではないかと思う。

㈢ 吟遊詩人説　先にあげた折口信夫、高崎正秀氏らによって唱えられた説である。柿本家は小野家と同じく水に関係のある呪師《じゅし》、遊芸師であり、その一員として生まれた柿本人麿は、遊芸をもって全国をまわり、そして子孫もまた柿本人麿を称したというのである。

先に述べたように、この説は人麿をホメロスと比較し、人麿個人を柿本族集団の中に解消しようとする考えであるが、この説にも問題が多い。

はたして、古代日本にホメロスの如き吟遊詩人が存在しえたか。もしそうだとしても、柿本氏が小野氏と共にはたしてはじめからそういう遊芸神人の家であったかどうか。またもし万葉集巻二の人麿の死を一つの伝承としたとしても、なぜ人麿を石見国で死なせなければならなかったのか。そのようなことは、こういう説では依然として説明不可能であろう。

㈣　流罪説　この説は古く由阿《ゆうあ》（一二九〇—？）の『詞林采葉抄《しりんさいようしょう》』が、『石見国風土記《いわみのくにふどき》』なるものを引用して伝える説である。仙覚の『万葉集註釈』と共に、中世では万葉集研究の必読書とされた、この『詞林采葉抄』は次のように『石見国風土記』を引いている。

「天武三年八月、人丸石見守に任ず、同九月三日左京大夫正四位上行に任ず。次年三月九日、正三位兼播磨守《はりまのかみ》に任ずと。これより以来、持統、文武、元明、元正、聖武、孝謙の御宇《みよ》に至るまで、七代の朝に奉仕する者か。是に於て、持統の御宇に四国の地に配流され、文武の御代に、東海の畔《ほとり》に左遷《させん》さる。子息、躬都良《みつら》は隠岐《おき》の嶋《しま》に流され、謫所《たくしょ》に於て死去す云云」　（原文漢文）

この『石見国風土記』説にたいし、「かくの如くの沈淪《ちんりん》の時分死生の真偽定まらざる者か」と由阿自らいう。われわれはこの『石見国風土記』の説をそのまま信じることは出来ないであろう。なぜなら、もしも天武三年（六七四）人麿が石見守《いわみのかみ》になったときが二十五歳としても、孝謙《こうけん》天皇（在位七四九—七五八）が即位した天平勝宝《てんぴょうしょうほう》元年（七四九）には彼は百歳となり、とても七代の朝に仕えることは出来ないであろう。この『石見国風土記』の逸文はことごとくは信ずることが出来ない。

この人麿流罪説は『人丸秘密抄』にも出てくるが、これも荒唐無稽《こうとうむけい》の話が多く、到底そのまま信じることが出来ないであろう。流罪説が契沖、真淵以来消えてしまったのも当然であろう。

私はどうやら茂吉の人麿論を離れて人麿そのものの問題に深入りしすぎたようである。茂吉について論じることがまだ残っている。茂吉に帰ろう。

茂吉の浜原・人麿終焉地説と矢富氏の実証的反論

さて、茂吉は長い苦労の果てに人麿の終焉地・鴨山を発見した。茂吉はどんなにこの発見を喜んだことか。この発見をあたかもそれが絶対の真理であるかのように確信をもって語り、そして彼の感激が強烈にして純粋であったので、人は茂吉と共に、彼が発見した鴨山は絶対確実なものではないかと思いはじめたのである。鴨山が見出《みいだ》された以上、そこへ人麿が来て、何かをし、そして死なねばならないことは明らかである。それゆえ茂吉は、医学博士としての科学的推理を働かせて、人麿をこの地につれて来、この地で仕事をさせ、この地で殺すのである。人麿がこの地に来るためには、ここに道がなくてはならぬ。たしかに茂吉が最初、偶然ここを通った昭和九年五月には、この地を通って山陽と山陰を結ぶ道が立派に開けていた。茂吉の友人中村憲吉《なかむらけんきち》（一八八九―一九三四）の葬式の帰りであった。憲吉は故郷三次《みよし》でほうむられたが、茂吉は岡麓《おかふもと》（一八七七―一九五一）、土屋文明と共に、かつて憲吉がよく来た中村家所有の赤名峠《あかなとうげ》で弁当をたべ、赤名村、沢谷村、浜原村を経て大田《おおだ》へ着いた。

「暫《しばら》く行くと、向つて左手に江ノ川が見え出した。三次で見て、それから一度も見ない江ノ川に会したので、物珍しく車窓から川の流を見つつ通つた。其処《そこ》は浜原村で、山間の静かなところである。それから粕淵《かすぶち》を経て無事大田に著《つ》いた」

（「石見瞥見記《べっけんき》」『柿本人麿　鴨山考補註篇』）

これが茂吉と浜原との最初の対面であるが、私は、後に茂吉が高津説をはじめとする人麿終焉伝承地を疑ったとき、このときの江ノ川沿岸の風景が頭に閃《ひらめ》いたのではなかったかと思う。「物珍しく車窓から川の流を」詩人は見ていた。ここはどこかと運転手にたずねると「浜原村」という。この浜原村の美しさが詩人茂吉の脳裏に焼きついていたのであろう。私はこの旅行の印象が、この年の七月、鴨山の地をこの土地に求めさせたもっとも大きな理由ではないかと思う。

ところが奇妙なことに、茂吉は人麿もまた自分と同じ道を通ったにちがいないと考える。

「銀山の盛なころには、浜原を通つて、出雲の赤穴（赤名）を経て、備後《びんご》の布野、三次に出たもので、そのころ浜原は栄えた。旧道は稍《やや》高く番所は今の役場のあたりにあつて、其処から江ノ川の川縁を行き、間もなく断崖《だんがい》を上つて半田抱《はんだがかへ》、貝谷《かひがたに》あたりを通つて沢谷の方に行くのであるが、陸の交通の点から云つても、浜原は欠くべからざる場処であつた。そしてその通路は、大森からいへば下城、殿畑、湯抱《ゆがかへ》を通過する県道とおもへば間違はなく、旧道は上下の面倒があるだけで大体は同じである。

そんなら、人麿時代の国府、浜原間の交通道路はどうだつたらうかといふに、これも大体さういふ具合だつたと私は想像して居る。つまり、国府を出発して、都野津、江津を経、江ノ川を渡り、浅利、温泉津、五十猛《いそたけ》あたりか、或は仁万あたりまで行つて、それから東に折れたと見てよく、人麿が妻に別れて上京する時の長歌にある地名が大体その道順を示してゐる」（「鴨山考」）

つまり、彼は亀のある浜原と国府を結ぶわけであるが、彼は万葉集巻二にある人麿が妻と別れて上来する旅のコースを、そのコースと合致させるのである。つまり、浜原、亀の地は、かつて人麿が妻と別れて上京したとき一度通り、いつも人麿が都への往復に使っていた道の近くにあるというわけである。それに対して当然の異論が出よう。この道は現在でも不便な道である。山峡をバス道路が通じているが、ときどき山崩れがあって不通になりやすい。いわば間道である。国府の役人が、こんな道を通るかという疑問が起きる。道路の整備は、古代律令国家の支配政策の一つであるが、駅路の制が確立され、やっと山陰道が無事通れるようになった頃ではないか。

「人麻呂ノ帰京、此度ハ、朝集使ニモセヨ、任限ノ帰京ニモセヨ、国府ヲ立テ、邇磨郡、安濃郡ヲ歴《へ》テ、出雲路ノ方ヘイデ、上リ給《タマ》ヘルナリ。渡村、矢上村ナド云地ハ、今邑智郡ニアレドモ、ソハ安芸、備後ノ方ヘイヅル道ニテ、古代ノ駅路ニ非《アラ》ズ。官人ハ間道ヲ経ベキニアラズ。必《カナラズ》駅路ヲ通ルベシ」

（岡熊臣『柿本人麻呂事蹟考弁』）

岡熊臣の考え方は正論である。また、この茂吉説に対して、益田に住む地方史家、矢富熊一郎氏は次のように批判している。

「慶雲元年貢調使として、人麻呂が上京したものと考えられる旅は、本来の性質から、おびただしい貢物を輸送せねばならない旅だけに、相当数の駄馬と、脚夫の徴発を要した。これには各駅の駅長や、土地の国司、郡司の警備と援助がなくしては、到底全うされない旅で、官道を通過する以外には、他に道がないはずである。宿駅の制度は庶民のためではなくて、全く官司のためこうした場合、便宜を与えるために、設けられた制度である。

〔……〕

（中略）

更に豊田氏のこのヒントから、赤名を越え備後の鞆《とも》に、出たものと考えるものに、斎藤茂吉氏がいる。尚《なお》、江川を溯行《そこう》して、三次《みよし》に出で、陸路鞆の津へ出たものと想像する、原田虎夫氏（「島根タイムス」所載文責高崎東風）がおる。以上豊田・斎藤両氏の赤名、或は原田氏の三次間道通過説は、ただ思いつきの想像から来たもので、その間何等、歴史的の実証をあげていない。縷々《るる》述べたように、貢物をどっさり積んだ駄馬や、脚夫の一団が、駅舎も管理者も、何一つ整っていない、険悪な間道を、何等の援助もなく、通過しようとすることは、何としても信じられない。大体駅路の制度は、官吏の行旅に資するための、便益にあるのであって、誰のために多額な施設を、つぎこんでまで、設けられたものかを反問したい。況《いわ》んや養老の律令には

凡《オヨソ》駅馬ニ乗リ、輙《タヤス》ク道ヲ枉《マグ》ル者五里、笞《ムチ》五十云々《ウンウン》。駅ヲ経《ヘ》馬ヲ換《カ》ヘザル者ハ笞四十。

とある。養老の律令は人麻呂の没後、間もなく発せられたものであるが、当時駅馬

制が、相当厳重に規定されていたことを知る、一の参考史料ともなる」
（『柿本人麻呂と鴨山』）

これまた正論である。特に『養老律令』の指摘はするどい。この矢富氏の著書は茂吉の死後、昭和三十九年に書かれたもので、もちろん茂吉はそれを見ることが出来なかったが、たとえ見ても、茂吉が己れの説の誤謬《ごびゅう》に気づいたと思えない。この浜原の地へ、何が何でも人麿を引っぱってこずにはいられない、すさまじい茂吉の意志はどうしようもない感じがする。

たとえば、例の岡熊臣の説を批判して次のように茂吉はいう。

「この説は一応もつとものやうで尤《もつと》もでない。即ち古代の駅路を通過するのは便利だからである。若《も》し便利でなく難儀ならば必ずしも駅路を通らずともいい。若し人麿が石見から備後路へ出でて、瀬戸内海を船で上来するとしたら、出雲伯者《はうき》を遥々《はるばる》徒歩或は馬で通過するよりもどのくらゐ便利で楽だか知れない。かういふ場合に学者と雖《いへども》空論は許さない。自分が人麿の身になり、自分みづから上来するつもりになつて思考せねばならぬのである。況や駅路の制の完備は和銅四年ではないか。和銅四年には人麿はもう死んで居る」
（「鴨山考」）

これはすさまじい論理である。岡熊臣は、国司は必ず駅路を通ったにちがいないという。その説を茂吉は一応もっともであるが、もっともではないという。一応もっともというのは、駅路を通った方が便利だからである。しかし茂吉は、本当はもっともではないという。なぜか。その理由はよく分からない。「若し便利でなく難儀ならば必ずしも駅路を通らずともいい」という意味はどういう意味であろう。まことに変な文章であるが、察するところ、もしも山陰道が便利でなく、難儀ならば必ずしも駅路を通らないでもいいという意味であろう。まことに変な論理である。駅路とは国司の往復に便宜をはかるためにつくられたものではないか。その駅路のほかにどんな便利な道があるというのであろう。茂吉は人麿を、石見国から一気に瀬戸内海に抜けさせているが、人麿も茂吉のように自動車に乗って快適に赤名峠をかけ抜けたのであろうか。「学者と雖空論は許さない。云々」とは、おそれいる他《ほか》ない。茂吉の説だけが実論で、あとはすべて空論となる。和銅四年（七一一）の駅路の制の完備はどういう典拠によったのか分からないが、もしそうだとしたら、それ以前は大変交通が不便であり、従って出来るだけ便利な公道を通ったとわれわれは考えるが、茂吉は駅制が完備しなかったので、従って道なき道を通ったと考えるのである。新幹線の駅を余分につくって交通不便なところに止めさせる現代の政治家の意志などより、はるかにスケールの大きい意志をわれわれはそこに見る。

このような茂吉の強引な論証によって、古来から人麿終焉地といわれた益田の高津は、その名を、はじめは浜原に、ついで湯抱にうばわれ、今日、はっきり湯抱の地に人麿終焉地とあるが、このように何の理由もなく、一人の気まぐれな暴君のために伝承を否定された高津のひとびとの無念さを、茂吉はどのように考えているのであろう。おそらく矢富熊一郎氏はこういう無念さをかみしめた一人であったが、氏自ら言うように、当時、高津のひとびとはこの茂吉説に反論する十分な用意をもたなかった。雌《し》伏《ふく》三十年を経て矢富氏は『柿本人麻呂と鴨山』なる本を書いた。矢富氏は長い間、益田の高等学校の教師をしておられ、地の利を利用してあちこち調べると共に、広く文献にあたって茂吉説の誤謬を知り、徹底的に茂吉説を切った。その切れ味の鋭さの一端は以下の如くである。

「王朝時代、特に人麻呂時代の交通は、全国的に不便を極めていた。万葉集中に見る、信濃《しなの》の岐蘇《きそ》（木曾）街道が、大宝二年新しく開拓された時、不便極まる道だったことは

信濃路は今の墾道《はりみち》かりばねに足踏ましなむ靴はけわが背

の歌を見ても、大凡《おおよそ》の想像がつく。或は平安朝にものされた、『更級日記《さらしな》』に見る、

東路の武蔵野・足柄あたりの、記事を見ても、その不便さは同様である。にも拘《かかわ》らずこの両道は、当時日本でも最も重要な街道であったのである。況んや間道である赤名越の備後道が、より以上に想像を絶した、不便極まる道だったことは、今日なお、鉄道が全通せず、バスが最近やっと、大田・赤名間を、往復しておることから考えても、大凡の想像がつく」

「人麻呂当時の浜原は、後項にも述べるように、江川は洪水の度ごとに、浸水または冠水し荒れ放題に任《まか》された、氾濫《フラッドプレーン》原の段丘をなす浜の原であった。従って護岸工事が施され、人家が建った吉野朝以後においても、洪水に出くわすごとに、『浜原の尻洗《けつあら》い』(町の背後が洪水に浸蝕《しんしょく》されること。)を余儀なく繰返された、不安定な土地であった。況んや、人麻呂の当時は、主要交通路でも何でも無かった。浜原が交通路として、繁栄するようになったのは、江戸時代からであった」

(前掲書)

詩人の空想が生んだ浜原の砂鉄採掘事業

ともかく茂吉は人麿を浜原の地までつれて来ることが出来た。今度は何かそこでさせなければならぬ。茂吉は思う。そうだ、タタラだ、と。人麿は砂鉄の採掘の監督に来たにちがいない。

「それは砂鉄の事業で、原始的には鉄穴《かんな》を流すといつて、山を崩して流すのであるが、これは遠く人麿時代からあつた。精細の記述は不明だが、この作業は消長を持ちつつ明治の初年までも続いたのである。この事に就いては、浜原の小野賀栄氏、浜田の大島幾太郎氏はいろいろと話し呉《く》れられた」

（「鴨山考」）

茂吉があげる砂鉄事業の証拠というのは、浜原町にいろいろ製鉄に関係のあるらしい地名が残っているということだけである。それが人麿時代からあったと茂吉は言うが、その証拠はどこにもない。

「何しろ石見は鉄の産地として古いのであるから、人麿時代にも相当活潑《かつぱつ》にこの作業が行はれてゐたのではなかつただらうか。此等《これら》のことはもつと専門の学者が調査して呉れるなら、必ず私の説を支持するやうな資料が見つかるに相違ないとおもふのである」

（同前）

さすがに茂吉も不安だったのであろう。専門の学者が調査してくれたら私の説を支持する資料が見つかるに相違ないと言うが、どうしてそんなことが言えるのであろうか。矢富氏の調査の結果を聞こう。

「中国山脈に蔵する砂鉄は、遠く八岐《やまた》の大蛇《おろち》伝説があって、その尾から天《あめ》ノ叢雲《むらくも》の名剣が、出たと言う神話伝説でも知られるように、神代の昔製鉄と製練が、行なわれていたことは有名であった。が、これを考古学上から見ると、出雲においては、仁多《にた》郡横田《よこた》・三成《みなり》、八束《やつか》郡鹿島《かしま》古浦《こうら》の地から、フイゴ口や鉄滓《てっし》が認められ、少なくとも古墳時代中期、後期ころから、この地方で製鉄が行なわれて、いたことが知られる。中国文化の発展上、重大な関係をもつ、この砂鉄の事業に関しては、遠く『出雲風土記《ふどき》』に、次のような記録をみるのである。

仁多郡　三処郷　布勢郷　三沢郷　横田郷

飯石郡　三屋川

すなわち出雲といっても、諸方面から産するのではなく、仁多・飯石両郡の一部に、限られておることが分る。〔……〕

〔……〕石見の産鉄は平安時代の延喜年間までは、記録を逆上って考えられるが、人麻呂時代まで逆上って、産鉄があったとは保証しかねる。尤《もっと》も伝説では、人麻呂は石見半紙と鉄とを、石見在任時代に、奨励したとされておる。史に見えて、石見鉱山事業を堂々と飾るものは、陽成天皇の元慶五年《881》三月、美濃郡都茂《つも》銅山の開発であった。石見での産鉄の起源は、全然伝えられていない。これも相当に古く、邑智郡矢上・出羽《いずは》方面に、主として行なわれたものらしい。その中でも矢上鋼が最も早く、山辺神社・大原神社などは、その時代の採鉄開墾に従事した鉱夫が、祖神として祀《まつ》った社である。

(中略)

江戸時代は各藩で、鉱山業を保護奨励したので、全国とも一時に盛大になった。特に『元禄《げんろく》五年《1692》石見国砂鉄増長』(石見年表)と、記されておるように、邑智郡や那賀郡井野村の鉄穴採鉱は、元禄から宝暦・天明の間に勃興《ぼっこう》しておる。〔……〕

(中略)

以上述べたように、邑智郡内の鉄山事業、特に鉄穴流しは、邑南《ゆうなん》の出羽《いずは》川・八戸《やと》川、特に出羽川の河畔に盛行したもので、邑北の浜原・亀あたりの、江川の本川筋には、鉄穴が全く、盛行していなかったことが実証される」

(『柿本人麻呂と鴨山』)

とにかく茂吉にとって人麿はここに来て、製鉄事業に従事したことは確実なことであった。あとは、どうして死んだかということのみである。これについても茂吉は独自の説をたてる。依羅娘子は同じ石見国にいながら、人麿の臨終の床にはべることができなかった。しかも彼は辞世の歌を残している。それ故《ゆえ》、じりじり悪くなるような病気ではない。そうならば依羅娘子は人麿に逢《あ》いに行くことができるはずだ。しかも、それは心臓麻痺《まひ》や脳卒中ではあるまい。そうならば辞世の歌を詠《よ》めないはずだ。あまり急性の死ではなく、しかもじり貧の死ではない死は何か。茂吉は医者として、それは流行病ではないかと判断する。当時疫病《えきびょう》が猖獗《しょうけつ》を極めた記録が、『続日本紀』にあった。石見国で疫病がはやった時はいつか。それは慶雲《けいうん》四年（七〇七）であると茂吉は考える。『続日本紀』に『天下疫飢《えきき》す。詔《みことのり》して賑恤《しんじゅつ》を加ふ。但《ただ》し丹波・出雲・石見の三国尤《もつとも》甚《はなはだ》し』という言葉があるからであった。
「疫病《えやみ》流行の時に人麿が伝染して歿《ぼっ》したと想像して居《を》り、夏四月であるが、慶雲四年四月朔《ついたち》が戊辰《つちのえたつ》だから、丙申《ひのえさる》は二十九日に当り、陽暦の六月七日となる。即ち、もはや暑い気候に入る頃であり、消化器系統を主証とした痢疫の類であつたと想像してゐる。人麿の歌から見て、どうもさうである。腸チフスのやうな熱を主証とするものではないやうである。

　流行病は、人の集まるところに見る場合が多く、特に労働者等の群集するところに多いとせば、鉄の作業と関聯《くわんれん》して浜原あたりに流行せしめるといふことも決して不自然ではなく、またさういふ時に、国府の官吏が賑恤《しんじゆつ》救助或は視察の目的を以《もつ》て出張してゐたと想像することも決して不自然ではないのであり、人麿が流行地に出張して来たとせば、伝染したと云《い》つてもこれも亦《また》決して不思議ではない。そして妻にあはずして歿したといふことになるのである」

（「鴨山考」）

とうとう茂吉は人麿を痢疫で死なせてしまった。タタラ事業も、矢富氏の言うところによれば、江戸時代でさえ浜原には存在しなかった。もしも矢富氏の言うところが正しいなら、茂吉は存在しないタタラ工場に労働者を群集せしめ、その架空の労働者の間に痢疫を伝染せしめ、その見舞いに当代随一の老詩人を赴かせ、彼をもまた痢疫にかからせて殺してしまったのである。

以上で私は茂吉の「鴨山考」なるものの批判を終わる。実際、それは不思議な論証である。誤解の上に誤解、幻想の上に幻想を重ねて、茂吉は見事に、無から人麿の終焉地をつくり出すが、そのつくり出したものを、彼は詩人的な感激をもって、絶対確実な実在の如く語るのである。この茂吉の論証と長い間つきあっていると、彼の論理に疑問をもつわれわれですら、われわれの方がまちがっていて、彼の方が正しいような感じがしてくる。この呪力《じゆりよく》に対しては、われわれ自身が、ある種の呪力をもたずには対抗できないほどであって、おそらく多くの学者たちは、このような呪力に圧倒されて、矢富氏を除いて誰一人そ茂吉の論理を根本的に批判することがなかったのであろう。

私はいささか、この稀代《きたい》の詩人の論理的誤謬にきびしすぎたかもしれない。私は、決してこの偉大なる死せる詩人に恥をかかせるためにこれを書いているのではない。鴨山の場所を、あちこち探すことも必ずしも私の目的ではない。茂吉の「鴨山考」によって、いっそう人麿の死の痕跡《こんせき》が曖昧《あいまい》になり、ひいては詩人の本質と、万葉集の意味についての解明を与える手掛かりが全く失われてしまうからだ。

まだ私の語ろうとする真意は、読者にはお分かりにならないであろう。思い切って言おう。人麿の死に関する真理は、深く隠れている。すでに万葉集において、それは実に巧みに隠蔽《いんぺい》されているのである。万葉集自体が隠蔽への意志と真実開示への意志を共にもっている。それは言葉の裏に、ある種の真実を語ろうとしているが、それはしかし、公《おおやけ》に語れない真実なのである。室町時代までは、ひとびとはその隠蔽の奥にある隠された真実を少しは知っていたにちがいないと思われる痕跡がある。しかし徳川時代になると、それがすっかり分からなくなる。そして分からないままに、契沖の下級役人説が登場し、真淵の朝集使説が登場する。それは長い隠蔽の中で起こった認識であるが、それによってますます隠蔽は深まった。その隠蔽の中で、茂吉の「鴨山考」は生まれた。彼は暗い世界の中を盲目に歩きまわり、真理を発見したと思って鴨山を別なところに移したが、それによって隠蔽はいっそう深くなってしまった。私が茂吉に対していささか厳しすぎたのは、千年以上おおわれた事実を白昼の光の中におくためである。そのためには、まず第一次的な隠蔽の虚偽を暴露しなければならない。

近代主義的万葉理解の限界——真淵の古今序改竄《かいざん》

いよいよわれわれは人麿の死とその場所について問わねばならない。このような問いに対して解明を与えるもっともよき資料は万葉集に採られた例の五首である。その他は、人麿について書かれたいろいろな文献である。古い文献を扱う場合、われわれは契沖、真淵のような狭い扱い方をしてはならない。契沖、真淵は徳川時代の学者であって、彼等の時代は一種のルネッサンス、近代主義の時代であった。彼等は伝承より理性を頼りにして古典を研究した。それは古典研究として一応正しい方法であった。しかし彼等は己れの理性で理解できないことを、不合理なこと、ありえないこととして否定してしまう。

「古今歌集の今本の貫之が序に、人麻呂をおほきみつの位と有は、後人の書加へし偽《イツハリ》ごとなり、同集の忠岑《タダミネ》の長歌に、人まろこそは、うれしけれ、身は下ながら、ことのはは雲の上まで聞えあげといへり、五位ともなれらば身は下ながらといふべからず、まして三位の高き位をや、かく同じ撰者《せんじや》がよめるを挙て、序にこと様《ザマ》の事か丶んや、すべて古今集には後の好事《カウズ》の加へし事有が中に、ことに序には加はれる言多し、古《イニシ》へをよく知《シル》人は見分べし、そのあげつろひはかの集の考にいへり、又かの真字序《マナジヨ》は、皇朝の事を少しもえらぬ人の書しかば、万葉の撰の時代も、人まろ赤人の時代をも甚《ハナハダ》誤れり、そもかの考にいへればここは略《ハブ》けり」

（『万葉考別記』）

真淵は契沖の説をうけて、人麿を六位以下の位と考え、朝集使であろうと想像する。そう考えると当然、人麿を「おほきみつのくらゐ」といった『古今集』仮名序の説を否定しなければならない。その否定の根拠として、同じく『古今集』にある壬生忠岑《みぶのただみね》（八六〇頃―九二〇頃）の、人麿は身分が低いが、その名は宮廷にまで届いたという長歌をあげる。そして彼は「すべて古今集には後の好事の加へし事有が中に、ことに序には加はれる言多し」と言い、「古へをよく知人は見分べし」とうそぶいている。また仮名序の「おほきみつのくらゐ」という言葉に呼応して、真名序では「先師柿本の大夫といふ者あり《ひと》」という言葉があるが、大夫は五位の人をいうので、真淵は、真名序は万葉集の撰の時代も、人麿、赤人の時代もまちがうような「皇朝の事を少しも志らぬ人」によって書かれたから、信用するに足りないという。

ここで真淵が「かの集の考」というのは、『古今集序表考』及び『古今集序別考』をいうのであろうが、この二書で真淵は実に大胆な『古今集』の改竄を行なっている。真淵の改竄を行なった部分は、『古今集』仮名序の人麿、および万葉集の成立に関する部分である。

「いにしへより、かくつたはるうちにも、ならの御時よりぞ、ひろまりにける。かのおほむ世や、哥のこゝろをしろしめしたりけむ。かのおほん時に、おほきみつのくらゐ、かきのもとの人まろなむ、哥のひじりなりける。これは、きみもひとも、身をあはせたりといふなるべし。秋のゆふべ、たつた河にながるゝもみぢをば、みかどのおほんめには、にしきと見たまひ、春のあした、よしのの山のさくらは、人まろが心には、雲かとのみなむおぼえける。又、山の辺のあか人といふ人ありけり。哥にあやしく、たへなりけり。人丸は赤人がかみにたゝむ事かたく、あかひとは人まろがしもにたゝむことかたくなむありける。〔……〕この人々をを《お》きて、又すぐれたる人も、くれ竹の世々にきこえ、かたいとの、よりよりにたえずぞありける。

これよりさきの哥をあつめてなむ、万えう《(ふ)》しふと、なづけられたりける」

真淵は、この傍線の部分を後世の挿入と見るのである。そして紀貫之《きのつらゆき》（八七二頃―九四五）の書いた仮名序からこの傍線の部分を削除して、ちぢめてしまった。真淵は「すべて古今集には後の好事の加へし事有が中に、ことに序には加はれる言多し」と言っているが、『古今集』仮名序のこの条以外には、『古今集』や『古今集』序文の原文を改訂してない。とすれば、真淵のこの文章は説明になっていない。『古今集』には後世の手が加わっている。特に序文はひどい。だから、この序文の万葉集の説明の部分は後人の手になると真淵はいうが、もしも『古今集』の他の部分にも後人の手が入っている個所が多くあり、そしてそれが序文において特に多いことが証明されるならば、われわれは真淵の言うようにその部分を後人の挿入と考えてよいであろう。しかしそうではない。真淵が後人の挿入と考えているのはこの仮名序の部分だけなのである。これでは、到底、われわれをして納得せしめることが出来ない。真淵自身がこの部分の理解に困って、後人の挿入と考えたとしか考えられないのである。

たしかにこの部分は大変理解に苦しむ個所である。この「ならの御時」という言葉が何天皇を指すのかは明らかではないが、真名序に「昔、平城《へいぜい》の天子、侍臣に詔して万葉集を撰《えら》ばしむ。それより来《このかた》、時は十代を歴《へ》、数は百年に過ぎたり」とあるところを見れば、平城天皇（在位八〇六―八〇九）を指すものと考えられる。とすれば次の「かのおほむ世」も当然平城天皇であるし、「かのおほん時」も当然平城天皇ということになる。そうすると、平城天皇の時に柿本人麿がいて、平城天皇と人麿が「身をあはせたり」――互に歌を交換し合ったことになる。そしてまたその時、山部赤人がいた。そしてこの平城天皇のとき、これより前の歌を集めて、万葉集と名づけた。

　これは、合理的に考えれば、おかしな話である。平城天皇は桓武《かんむ》天皇（在位七八一―八〇六）の御子《みこ》で、即位はしたが薬子《くすこ》の事件（八一〇）によって、不幸な晩年を送られた方である。この時代に人麿が生きているはずはなく、平城天皇と「身をあはせ」たことは考えられない。こうした疑問から、真淵はこの文章を後世の挿入と考える。

「考ふるに、今の本に、かく伝はる中にも、と云《ヒ》、次に、ならの御時より広《ヒロ》まりにける彼御世《カノミヨ》や哥の心をしろし召《メシ》たりけんかの御時におほき三つの位、といふまでの詞は後《ノチ》に書添《キソヘ》たるもの也、と荷田《カダ》東万呂《ヒガシマロ》うしはいはれたり。下《シモ》に此《ノ》類多し。皆同じぬしの考にていとよく当《アタ》れることなればしたがへり。抑《ソモ〳〵》歌は万葉を見るに、飛鳥《アスカ》藤原宮《フジハラノミヤ》の程こそ上下《カミシモ》ともに盛《サカリ》なりけれ、奈良《ノ》宮に至りては漸《ヤウヤ》く下《クダ》り、行《ユイ》て称徳天皇の御時などにはいと浅《アサ》らかに成つ。然《シカ》るに人まろを奈良の宮迄《マデ》有しとおもへるにや。

いと疎《ヲロ》そかなる事也。人まろは始《ハヂメ》清見原の宮の皇太子の舎人《トネリ》にて、其《ノ》後高市皇子《タケチノミコ》の皇太子の時も又舎人と見え、末《ヘ》に文武天皇の御時石見の国の掾目《ジヨウサカン》の間の任《ニン》にて下《クダ》りしが、彼《ノ》任のうちにかしこにて死たること万葉に見ゆるを、正三位といふは何事ぞや。是ら必《ズ》貫之の筆にあらず。又ひじりなりけりといふ下に、是は君も人も身をあはせたり、といふ成べし。秋の夕《べ》立田川に流るゝもみぢをばみかどの御目にしきと見給ひ春のあしたよしのゝ山のさくらを人まろが心に雲かとのみなん覚えける、と云辞《フル》有も後《チ》に添《ソヘ》たる也。まづ右にいふごとく、奈良の宮に至りて哥に君臣合体《ガツタイ》といふべき君おはさずまして、人まろの在し時も右のごとくたがへり。さてたつた川もみぢみだれて流るめり云々、と云《フ》哥を今の本に奈良のみかどの御哥といふも後の作りごとにて、たゞよみ人しられぬ也。委は其《ノ》哥の下にいふ又人まろの芳《ヨシ》野ゝ桜を雲と見し哥も無き事也。凡《ソ》人麻呂は万葉集にのみのれるをしらぬ人のみだりに偽《イツハ》る也。此《ノ》言どもを去る時は、文《ブン》も能《ヨク》つゞき事の誤もなく、又かくつたなき言は貫之の筆ならぬことも知り弁《ワキマ》へらるべし」

（『古今集序別考』）

真淵の、この序文に対する疑問は二点に集中している。一つは人麿の年代に関してである。人麿は文武天皇（在位六九七―七〇七）の御代《みよ》に死んだはずである。それが平城天皇の御代まで生きて、天皇と「君臣合体」するはずはないということ。もう一つは人麿の位に関してである。人麿は六位以下、つまり石見国の掾、目の間で死んだはずなのに、どうして正三位だの大夫だのというのであろう。こういう点が真淵には理解出来なかった。そして、このように理性では理解出来ないことを、いやしくも紀貫之たるものが書くはずがない。それが、真淵が大胆にも『古今集』仮名序の原文を大幅に訂正した理由であった。

たしかに、真淵の『万葉考』から新しく万葉学が始まる。彼によって、今まで十分読めなかった歌がはっきり読まれ、万葉集がはるかに深く理解されるようになった。しかし、理解のあるところ、そこにはまた誤解もあるのである。真淵の万葉集に対する、あるいは人麿に対する理解は、『古今集』の序文に対する暴力的な訂正によって始められているのである。たしかにそこから近代主義的万葉理解の道が開かれてくるが、またそこから近代主義的万葉誤解の道が始まるのである。

人麿と平城天皇を結ぶ伝承――水・悲劇・猿の心象

私は、福永光司《ふくながみつじ》氏と常々話すのだが、徳川時代の学問はたしかに精密であり正確であるが、そこにはやはり見逃しがたい一つの傾向がある。それはいわば合理主義的偏見である。徳川時代は儒学の時代である。国学もまたその儒学の影響を受けて成立している。儒学は、一般に合理主義的立場に立つが、それによって非合理なもの、人生と歴史の根底に存在する非合理なものを見失ってしまう。五山文学の支配下にあった室町文化が多分にもっていた非合理なものを、徳川時代はほぼ完全に見失ってしまっている。この徳川時代の合理主義が、明治以来、西洋の科学思想を受け入れるのに役立ったにちがいないが、それによって日本の文化は真に深く隠れたもの、総《すべ》てのものの根底にあって、いつもわれわれがそこから生まれ、そこへ帰る根源的なものへの理解を失ってしまった、と。

福永氏は、その原因を老荘《ろうそう》に対する無理解におくが、あるいはそうかもしれない。万葉集の理解においてもこのことははっきり言える。『古今集』の仮名序の語るものは、けっして人麿が平城天皇の御代にまで生きたということではないのではないか。万葉集で人麿を「死」と記すことと、『古今集』において「おほきみつのくらゐ」と記すこととはけっして矛盾しないのではないか。真淵の立っている合理主義の立場が余りに浅いので、こうした深い歴史と生命の真相を洞察することが出来なかったのではないか。たとえ真淵のように『古今集』序文の原文を訂正してもまだ問題は残る。

仮名序で人麿については「ひじりなりける」といっているが、赤人については「あか人といふ人」といっているのはどういうわけか。人麿と赤人は並べられ、「人丸は赤人がかみにたゝむ事かたく、あかひとは人まろがしもにたゝむことかたくなむありける」といいながら、なぜ一方は「ひじり」であり、一方は「人」なのか。

こういう疑問は合理主義者、真淵の到底考えうるところではなかった。たしかに真淵は万葉集を理解した。訓詁学《くんこがく》的研究は真淵の『万葉考』によって大幅に進んだ。しかし、真淵の万葉理解には何かが欠落しているように思える。たとえば彼が万葉集から秀歌を集めた『万葉新採百首解』には挽歌《ばんか》が一首も採られていない。しかし挽歌を除外して、はたして万葉は十分に理解されるのか。死について、特に非業《ひごう》の死ゆえこの世に恨みを残した魂魄《こんぱく》について語らずして、はたして万葉集は理解されるのか。『古今集』の序文の意味は根本的に考え直されねばならぬ。ところで、『古今集』序文に記される人麿と平城天皇の共感を語るもう一つの古い伝承がある。十世紀に出来たとされる『大和物語《やまとものがたり》』(百五十段・百五十一段)である。

昔、ならの帝《みかど》に仕えた一人の采女《うねめ》があった。大変な美人なので多くの貴族が言いよったけれど、女はけっして許そうとしなかった。天皇はその志をめでて、一夜、お召しになった。しかし、その後二度とはお召しにならなかったので、女はひどく悲しみ、

猿沢の池

日夜煩悶《はんもん》した。天皇はあのことを忘れてしまわれたのであろうか、けろりとしていらっしゃる。とはいえ、女は天皇にお目にかからないわけにはいかない。悩んだ末に、ある夜ひそかに猿沢《さるさわ》の池《いけ》に身を投げた。しばらく天皇はそのことをお知りにならなかったが、事のついでにある人が天皇に申し上げたので、はじめてお知りになった。大変可哀《かわい》そうに思われて、池のほとりにお行きになって、人々に歌を詠ませ給うた。その時、柿本人麿は次の歌を詠んだ。

わぎもこのねくたれ髪を猿沢の池の玉藻《たまも》とみるぞかなしき

（私のいとしい女よ、寝乱れたお前の髪を猿沢の池の玉藻と見るのは、まことに悲しいことだ）

それに対して天皇はお答えになった。

猿沢の池もつらしな吾妹子《わぎもこ》がたまもかづかば水ぞひなまし

（猿沢の池までも恨めしい。私の愛する女が玉藻をまとったとき、水が乾けばよかったのに）

天皇はこの池に墓をたててお帰りになったという。

また、同じ天皇が、立田川《たつたがわ》の紅葉を大変面白くご覧になった。その時、人麿が詠んだ歌、

立田川紅葉ばながる神なびのみむろの山にしぐれふるらし

（立田川に紅葉が流れてくる。神がいますという三室《みむろ》の山（三輪《みわ》の山）には時雨《しぐれ》が降っているらしい）

この歌に天皇は次のように返された。

立田川紅葉みだれてながるめりわたらば錦《にしき》中や絶えなむ
(立田川に紅葉が乱れて流れているようである。川を渡ったら紅葉が真中で断たれてしまうであろう)

後の方の話は『古今集』と同じであり、ここで「ならの帝」というのも平城天皇と考えてよいであろう。ところで、ここで平城天皇と人麿の間に一種の共感が成り立つのであるが、それはいずれも、水を縁にして成り立っていることに注意する必要がある。

特に前の話は水死の悲劇であるが、『七大寺巡礼私記《しちだいじ》』では多少ちがっている。「猿沢池、件《くだん》の池は興福寺南大門の前に在り。世人伝へて云《いは》く、平城天皇、淳和天《じゅんな》皇と合戦の時、平城天皇の后《きさき》、自ら彼池に投じて溺《おぼ》れ死に給ふ云々。皇后は従《じゅ》三位伊勢朝臣継子、正四位下勲四等老人の女《むすめ》なり。高岳親王の母是なり」(原文漢文)『七大寺巡礼私記』はそれに続いて、平城天皇と嵯峨《さが》天皇(在位八〇九—八二三)、淳和天皇(在位八二三—八三三)との間の骨肉の争いについて書いている。

「平城天皇、忽《たちま》ちに九重の宮を出で、永く万乗の位を捨つ。玆《これ》に因《よ》りて、皇后、件

の池に投じて溺死《できし》す。天皇之《これ》を見、悲哀の御詠あり。その詞に云《いは》く、
ワキモコカ子《ネ》クタレカミヲサルサハノイケノモクツトミルソカナシキ」
つまりここでは話がちがっていて、女はただの采女ではなく皇后である。自殺の原因は愛の悲劇ではなく、政治の悲劇であろう。どちらが真実かは分からぬが、猿沢の池には長くそのような伝承が伝わっていた。そしてこの伝説にちなんでいろいろな詩歌がつくられる。

さる沢のいけの柳やわきもこかねくたれかみのかたみなるらん
さるさはの池のうすらひ打解けてたまもをやとすきしの青やき
（『夫《ふ》木《ぼく》和歌抄』）

水浸《ハシ》二影嫁《ヲ》一秋満《ハツ》レ塘《つつみニ》　神呻《のどよヒ》　鬼笑《フ》是《レ》陘陽《けいよう》
今霊誰《レカ》見《ン》藻中《ノ》玉　酔《ヒテ》為《ニ》二先王《ノ》一数《しばしば》断腸《ス》
（藤原淳嗣）

のとかなる波にそこほるさるさはの池より遠く月はすむとも

（飛鳥井雅幸）

どうやら猿沢の池は悲劇の思い出をたたえていたようである。平城天皇の御代、その池に、愛ゆえか政治ゆえかは知らないが、平城天皇の親しい女が身を投げた。黒髪が藻と共に水に浮かんでいる様子を、当時の人は忘れられなかったのであろう。この話は永くひとびとの脳裏に残った話にちがいないが、ここに人麿が出てくるのはどういうわけであろう。

『七大寺巡礼私記』の方にははっきり人麿は出てこない。しかし、ここで人の代わりに猿が出てくるのである。この猿沢の池には、猿塚というものがあったという。

『大和志料《やまとしりょう》』は『八重桜』の次の文章を引いている。

「又此祠《このほこら》のいぬゐの方に、中古まで猿塚といふ有けるか、今はたえはて跡もしれる人なし。此由来は、弘法大師空海たりしとき、興福寺の内松院に住せられけるに、いつくともなく猿一匹毎日菓を持来り、空海に奉《たてまつ》る。あるとき見えさりしま、、弘法ふしきにおほし召《めし》、門に出て見給へは、松院のほとりにおいてむなしくなり侍《は》へりける。弘法あはれにおほし召、此所の土中に築き、猿塚と号し給ふとなり」

正史に残る柿本佐留《さる》の痕跡《こんせき》と真淵の論断

人麿の伝記を追いながら、私は一つの奇妙なことに気づかざるをえない。それは人麿が猿と何か深い関係をもっていることだ。人麿は日本書紀、『続日本紀』に登場しないが、人麿とほぼ同時代に柿本猨《かきのもとのさる》（？―七〇八）という人物が登場してくる。天武十年（六八一）十二月二十九日、小錦下《しょうきんげ》の位を授け給うた中に、柿本臣《おみ》猨なる人物がいる。同じ日に同じ光栄に浴した人として、粟田臣真人《あわたのおみまひと》（？―七一九）、物部連麻呂《もののべのむらじまろ》（六四〇―七一八）、中臣連大嶋《なかとみのむらじおおしま》（？―六九三頃）など十人がいる。いずれも次代に活躍する若手のホープたちで、持統天皇の寵臣《ちょうしん》である。この中に柿本猨がいるのは、どう考えたらよいであろう。この猨と同一人物であろうと思われる人物、従四位下柿本佐留が、『続日本紀』によれば、和銅元年四月二十日に死んでいる。小錦下は従五位下にあたるので、その間に柿本佐留は昇進したのであろうか。万葉集には人麿の死に関する一連の歌の次に「寧楽宮《ならのみや》」とあり、和銅四年の歌が記されているので、真淵は和銅三年遷都《せんと》の直前、和銅二年に人麿は死んだと考えるが、和銅元年に死んでもおかしくはない。この人麿とほぼ同じ時期に死んだ柿本佐留という人物は一体いかなる人物なのか。

人麿を佐留と同一人物と考える人があるが、現代の多くの学者はそういう意見に与《くみ》しない。なぜなら、現代の多くの学者は契沖、真淵の考えの延長上で人麿を考えるからである。契沖によれば人麿が六位以下であったことは確実である。しかし佐留は従四位以下である。そして真淵は持統三年の草壁皇子の死の歌に舎人《とねり》の歌が多いことから、人麿はその時舎人であり、おそらくは二十五、六歳ではなかったかと考える。もしこの時二十五、六歳とすれば、それから二十年後の和銅二年には四十四、五歳となる。真淵は、人麿はそんなに老いて死んだはずがないという。「此人の歌多かれど老《オイ》たりと聞ゆる言の無《ナキ》にても志らる」という理由である。しかし、この年齢の推定は必ずしも正しくはあるまい。真淵説を根拠にすれば、柿本猨と柿本人麿は年齢があわないが、この年齢が真淵の人麿舎人説にもとづく一つの想像である限り、人麿が天武十年、小錦下に叙されてもおかしくないと思われる。この時一緒に小錦下を下された物部麻呂は四十三歳であるが、物部麻呂は壬申の乱《じんしんのらん》（六七二）において大友皇子《おおとものみこ》（六四八—六七二）の忠実な家来であり、いわば飛鳥浄御原《あすかきよみはら》王朝では敵方に属した人物であり、五位に叙せられるのが遅れていても当然であろう。他の粟田真人や中臣大嶋などが何歳であったかは分からないが、大体三十五、六歳ではなかろうか。もしこの時、佐留を三十五歳とすると彼は和銅元年に六十歳で死んだことになる。真淵の言うように人麿がそんなに年をとらずに死んだとしても、佐留が人麿である可能性はなくはない。

もとより、これは一つの可能性である。しかし、後世、人麿と同じく歌聖として崇拝される猿丸大夫《さるまるだゆう》（伝未詳）なるものが、人麿（人丸）と深い関係をもっていることは、すでに折口、高崎の両氏が指摘したところである。

ところで、ここでも、猿沢の池の伝説に人麿がつながる。平城天皇と人麿は『古今集』の序文においても、『大和物語』においても、水死・悲劇のイメージを媒介として結びついている。『大和物語』にとられている立田川の歌は『古今集』の歌と同じであるが、ここにも水があり、水へ入るというイメージがある。そして後世、人麿も猿丸大夫と同じく水霊の呪術《じゆじゆつ》に関係のある神となっていることは、やはり折口学派の指摘するところである。

われわれは、どうやら真淵の合理主義的人麿理解を根本的に疑ってみる最初の手掛かりを得たようである。『古今集』の序文に対して加えた真淵の近代主義的暴力は許せない。『古今集』の序文の語るのは、平城天皇の御代に人麿が生きていたということではない。平城天皇の御代に人麿は「聖《ひじり》」になったという意味であろう。そして平城天皇と人麿は深い運命の共同性をもち、万葉集は平城天皇の御代に最終的に編纂《へんさん》されたということを語るものであろう。真淵の強引な序文の改竄《かいざん》は、真淵の理性、ひいては近代的な理性の限界を示している。世界には深い意味が隠されているのに、近代的理性はそれを理解出来ない。理解出来ないだけなら、まだそれでもかまわない。しかし理解出来ないことを抹殺してしまうのは、一つの暴力でしかない。ちょうど茂吉が丹比真人の歌を暴力的に抹殺してしまったように。ここにおいては真淵も、人麿と万葉集の秘密を語るもっとも重大な言葉が理解出来ず、その重大な言葉を抹殺してしまおうとする。

われわれは、ここでもう一度柿本人麿を、契沖―真淵の偏見を離れて根源的に考え直さねばならないのである。もとより、その第一の手掛かりは万葉集である。万葉集の解釈を通じてのみ、正しい人麿像は解明されるべきであろう。しかし万葉集の解釈の前に、今一つ寄り道をしてみよう。契沖―真淵から国学は始まるが、それ以前に万葉学がなかったわけではない。万葉集の研究は村上天皇の御代に始められたが、仙覚によって画期的注釈が出たのが鎌倉時代の中ごろであった。そしてそのころから万葉集研究は盛んになり、室町時代にも研究は続けられた。

「万葉には仙覚がしたる注釈と云ふものと、阿弥陀仏《あみだぶつ》の〔詞〕林採葉集と、又仙覚がしたる新注釈と云ふ物と此三部をだに持ちたらば、人の前にても万葉をば読むべき也」

（清巌正徹『正徹物語《しょうてつものがたり》』）

正徹は室町時代のすぐれた歌人である。この『正徹物語』は、一四五〇年頃に出来たものらしいが、この正徹の考え方は当時の万葉集についての見解を代表するものであろう。ちょうど明治以後の国文学者が契沖の『万葉代匠記』と真淵の『万葉考』と鹿持雅澄の『万葉集古義』とをもとにして万葉集を考え、現代の学生が、沢瀉久孝《おもだかひさたか》の『万葉集注釈』と武田祐吉の『万葉集全註釈』と土屋文明の『万葉集私注』とを参照して万葉集を勉強するように、当時の万葉学には三冊の必読の万葉集注釈書があった。仙覚の『万葉集註釈』と『万葉集新註釈』、由阿《ゆうあ》の『詞林采葉抄《しりんさいようしょう》』である。このうち仙覚の『万葉集新註釈』なるものは失われたが、さいわい仙覚の『万葉集註釈』、由阿の『詞林采葉抄』は現存している。仙覚は鎌倉時代の人、由阿は室町時代の人であり、共に万葉集研究の草分けをなした人であるが、『万葉集註釈』と『詞林采葉抄』はおのずから本の性格を異にしている。『万葉集註釈』は、文字通り万葉集からいくつかの歌を撰《えら》んで注釈したものであるが、『詞林采葉抄』は歌にまつわる由緒《ゆいしょ》、伝承を集めたものである。つまり中世の万葉学徒は、個々の歌の解釈と共に、歌の歴史的背景を学んだのである。

仙覚と由阿の古注に見る人麿の死の解釈

柿本人麿は、この仙覚の『万葉集註釈』と由阿の『詞林采葉抄』ではどのように見られていたか。仙覚は直接、人麿の人生について論じていないが、われわれが先ほどから問題にしている石川の歌の注に次のように書いている。

「カヒニマシリテトイヘルハ、漢字、貝ニカケル本アリ。コレニツキテ心ヲウルニ、宇治ノモノカタリノ、カケロフノマキニモ、水ノヲトノキコユルカキリハ、心ノミサハキ給テ、カラヲタニタツネス。アサマシクテモ、ヤミヌルカナ。イカナルサマニテ、イツレノソコノウツセニマシリニケンナト、ヤルカタナクオホストカケリ。イマノ歌ニ、イシカハノカヒニマシリテ、アリトイハスヤモトヨメル、宇治ノモノカタリニオナシキヲヤ」

仙覚は「貝に交りて」という言葉の注釈として、源氏物語の「蜻蛉《かげろう》の巻」の一節を引用している。与謝野晶子《よさのあきこ》（一八七八―一九四二）はこの部分を次のように訳している。

「水の音の聞えてくるあいだは心が騒いでしかたがなかった。遺骸《いがい》だけでも探してやることをしなかったと残念でならないのであった。どんなふうになってどこの海の底の貝殻にまじってしまったかと思うとやるせなく悲しいのであった」

（日本の古典第四巻、河出書房）

浮舟《うきふね》は、宇治川に身を投げた。その浮舟を薫《かおる》は恋しく思って、いろいろ生前にしてやれなかったことが悔まれるのである。

仙覚はこの石川の歌の「貝に交りて」を源氏物語の「蜻蛉の巻」の「うつせ（貝）に交り」という意味と同じであるとする。うつせ貝というのは、海辺にあって肉が脱落して、からになった貝、つまり貝殻をいう。この「蜻蛉の巻」のイメージは、明らかに水死である。浮舟の死骸が水底《みなそこ》で貝に交って漂っているイメージである。仙覚は、この源氏物語「蜻蛉の巻」と万葉集の石川の歌は同じ意味であるという。してみると仙覚は、この石川の歌も水死のイメージで考えたのであろうか。とすると、どういうことになるのだろう。源氏物語の「蜻蛉の巻」では、宇治川の底に沈み、うつせ貝に交っていたのは浮舟の死骸であった。万葉集の依羅娘子の歌において、石川の底で貝に交っていたのは誰か。明らかに人麿の死骸である。この歌では、人麿以外にそのような人は考えられない。

人麿が水死。まさかとわれわれは思う。古今にわたって日本第一の詩人柿本人麿が、そんな奇妙な死に方をするはずはないではないかと常識は思う。われわれはこの常識に依拠して、今までこの歌をあれこれ論じてきたが、どうもそのところの意味はよく分からなかった。一度この常識を捨てたらどうか。天下第一の詩人がまさか、という常識的疑問を捨てて、事実を冷静に眺めたらどうか。

詩人の運命は絶えず不幸である。現代でも天下第一の作家、三島由紀夫（一九二五―一九七〇）は割腹自殺し、そしてもう一人の天下第一の作家、川端康成（一八九九―一九七二）も七十二歳にして自殺した。詩人の運命は常に数奇である。真淵以来、幕藩体制の中で禄をもらって暮らしていた学者は、この詩人の数奇な運命を見る眼を全く失っていたのではないか。

仙覚の『万葉集註釈』と並んで、中世において万葉学の必読参考書であった由阿の『詞林采葉抄』を見よう。

「人麿万葉以前に卒するや否《いな》や

当集第二巻柿本朝臣人麿、石見国にありて、死に臨む時自ら傷《いた》みて作る歌

カモ山ノイハネシマケル我レヲカモシラスト妹カマチツ、アラム

問て曰《いは》く此歌の端作詞《はしつくりことば》に曰く、藤原宮の御宇《みよ》天皇の代云々と。爰《ここ》に知りぬ、人麿は持統天皇の御宇に卒去せる者か。然るに、人丸の讃に云《いは》く、持統、文武の両帝に仕へ、新田《にひた》、高市《たけち》の皇子に遇《あ》ふ云々と。両説相違せると雖《いへど》も、共に以て万葉以前

の歌仙と見へたり。其の故は、当集の立様を窺《うかが》ふに、季節雑歌を称《いは》ず、譬喩《ひゆ》相聞《そうもん》を論ぜず、年月の次第を以て、綜緝《そうしふ》せる者なり。然れば、人麿は、元明以後に至らずの条、炳《あき》らかなり。いかん。

答へて曰く、石見国風土記に云く、天武三年八月人丸、石見守に任ず、同九月三日左京大夫《さきやうだいぶ》正四位上行に任ず、次年三月九日、正三位兼播磨守《はりまのかみ》に任ず云々と。これより以来、持統、文武、元明、元正、聖武、孝謙の御宇に至るまで、七代の朝に奉仕する者か。是に於て、持統の御宇に四国の地に配流《はいる》され、文武の御代に東海の畔《ほとり》に左遷さる。子息躬都良《みつら》は隠岐《おき》の嶋《しま》に流され、謫所《たくしよ》に於て死去す云々と。かくの如《ごと》く沈淪《ちんりん》の時分死生の真偽定まらざる者か。就中《なかんづく》、当集にも時代前後の歌、此の一首に限らず、第一巻には元明天皇の御宇、和銅五年の歌之を入る。然して第二巻には仁徳、斉明、天智、天武、持統、文武の御宇の歌、之れ有り。之を以て、之を思ふ。また先段に載する所の人丸集に曰く、天平勝宝九年春二月、左大臣橘卿《たちばなきやう》の東家において、朝毛吉紀《あさもよいき》と云ふ詞《ことば》の問答し訖《をはり》ぬ。然らば孝謙天皇の御代に及ぶまで、在生の条、異論有るべからざるものなり。よって万葉撰集の時は、人麿、専《もは》ら、棟梁《とうりやう》となるべきと雖《いへど》も、天気に依《よ》りて、内々密談せる云々と」

この話は、例の鴨山の歌の解説のようになっていて、われわれに人麿の生と死について知る重要な示唆《しさ》を与える。

問いと答えになっているが、問いの方がはるかに合理的な説であるように見える。つまり「かも山の」という歌の前に藤原宮の御宇天皇という言葉があるから、人麿は持統天皇の時代に死んだのだろう。また藤原敦光《ふじわらのあつみつ》（一〇六三―一一四四）によって書かれた柿本人麿の讃には、人麿は持統、文武の両帝に仕えて、新田《にいた》、高市《たけち》の皇子に遇《あ》ったという。この両説は多少違っているが、共に人麿を万葉集撰集以前の歌人であるといっている。そして万葉集の歌の順序はほぼ年代順なので、それで見ると人麿の歌は元明天皇（在位七〇七―七一五）以後には到っていない。

この問いの説は人麿の伝記として、正しい説であろう。われわれが万葉集を正確に読む限り、人麿を持統、文武両帝の御代に活躍した詩人と考えないわけにはいかない。巻二の順序を見ても、和銅三年の奈良遷都の前に死んだと考えるべきであり、おそらく、早くとも天平勝宝年間（七四九―七五七）にまで下ると思われる第一次万葉撰集の時まで人麿が生きているはずはない。

問いの説は、合理的な説であり、むしろ答えの説の方が少しおかしく思われる。それは、『石見国風土記』を引いて、天武三年（六七四）八月、人麿は石見守《いわみのかみ》で、ついで九月左京大夫正四位上行となり、次の年三月正三位兼播磨守となり、それ以後、孝謙天皇の御代まで七代の天皇に仕えたが、持統天皇の時、四国の地に配流され、文武天皇の時に東海の畔に流され、息子の躬都良は隠岐の島に流されて、流罪の地で死んだ。このような沈淪《ちんりん》の時代で死生の年の真偽ははっきりしないという。

このように『石見国風土記』を引用しつつ、由阿は合理的に見える問いの説を否定し、奇妙な説をたてる。万葉集の順序は必ずしも製作年代通りではない。第一巻に和銅五年の歌が入り、第二巻には仁徳、斉明（在位六五五―六六一）、天智《てんじ》（在位六六一―六七二）、天武（在位六七三―六八六）、持統、文武天皇（在位六九七―七〇七）の時代、つまり和銅以前の歌が入っているではないか。たとえ人麿の歌が和銅以後に載せられていないにしても、順序をちがえて先に載せられているかもしれぬ。また『人丸集』には、天平勝宝九年に橘諸兄《たちばなのもろえ》（六八四―七五七）の館《やかた》で人麿がつくったという歌が入っている。だから人麿が孝謙天皇の御代まで生きていたことは疑いない。万葉集の撰は人麿が中心になったのだが、天皇の意志によってひそかに行なったのだという。

この答えの説、つまり由阿自らの説は信じがたい。『石見国風土記』の天武三年石見守説を信じなくとも、万葉集に初出の持統三年を標準にとっても、その年から天平勝宝九年まで六十八年ある。もし持統三年、真淵の言うように人麿が二十五歳であったにしても、天平勝宝九年には彼は九十三歳になっている。そしてまた、万葉集における歌の時代順の配列は厳密ではないと由阿はいうが、時代順配列の法則は同じ巻における同じ種類の歌においては、ほぼ正確に守られている。巻一と巻二は特にきびしく時代順配列の法則が守られていると思われる。そこで人麿の死の歌の次に、「寧楽《ならの》宮《みや》」とあるからには、やはり人麿はこの奈良遷都の直前に死んだと考えるべきであろう。

たしかに人麿は死んだはずなのに、由阿は、死んだ人麿を無理に復活させて、孝謙天皇のときの万葉集の撰集に参加させている。『古今集』真名序は、万葉集＝平城天皇勅撰説をとるが、そのときにも人麿を生かしてそれに参加させなくてはならなかった。今またここで、万葉集撰集に人麿がタッチしたという。しかしこのことを、天皇の命によって内緒にしたという。人麿がどうしても万葉集の撰をしなくてはならない事情があり、しかもそれを秘密にしなければならない事情があるのだろうか。

伝承のつたえる人麿と子・躬都良《みつら》の運命

ところでここで由阿が引用した『石見国風土記』の記事であるが、これが元明天皇の命令によって撰集が始められ（和銅六年）、おそらく遅くとも天平年間までに撰集されていた「風土記」に属する『石見国風土記』の一節であるかどうかを疑問に思う人が多い。なぜなら、この『風土記』にいう人麿が七代の天皇に仕えたことは信用出来ないと共に、天武三年八月に石見守に、次いで九月に左京大夫正四位上行に任ぜられ、翌年三月、正三位兼播磨守になったことも信じられないからである。もし人麿がそのときそんな高位にあったならば、必ず日本書紀に記載されたであろうという疑問を別にしても、当時、正四位上とか正三位という位はなく、一位、二位という数字による官位が制定されたのは大宝元年である。するとこの『石見国風土記』には信用出来ない記事が多いことになるが、いやしくも官制の「風土記」が信用出来ないはずはないので、この『石見国風土記』の一節自体がはたして官制の「風土記」の一節であるかどうかが疑問になる。

たしかに一応論理はその通りであるが、われわれは仙覚、由阿の両著にはおびただしく「風土記」の文章が引用されていることに注意しなければならぬ。仙覚はどうした縁故によるのか、全国の「風土記」を見る機会をもったらしい。彼の注釈には縦横無尽に「風土記」が引用され、今日、定本として残っている『出雲国風土記《いずものくにふどき》』や『常陸国風土記《ひたちのくにふどき》』など以外の「風土記」の逸文を、われわれは主として仙覚の『万葉集註釈』によって知るのである。由阿もまた「風土記」を多く引用している。

それは天平に撰せられた『石見国風土記』ではないにしても、かなり古くから『石見国風土記』として伝わっていたものではないか。おそらくその伝承は、かの『古今集』序文と同じく人麿復活の伝承によって書かれ、その語る事実は必ずしも正確を期しがたいが、その記事にはある種の真実性が含まれているのであろう。

私が真実性が含まれるというのは「是に於て、持統の御宇に四国の地に配流され、文武の御代に、東海の畔に左遷さる。子息、躬都良は隠岐の嶋に流され、謫所《たくしょ》に於て死去す」という言葉についてである。これは由阿自体の主張とは別にかかわりはない。ここで由阿が主張しているのは、人麿が元明朝以前に死んだのではなく、孝謙天皇のときまで生きていて万葉集の撰集を司《つかさど》ったということなのである。流罪のことは、由阿の論旨とは直接関係はないが、どうしてここに出てきたのであろう。おそらくそれは古い伝承であり、少なくとも『石見国風土記』と当時信じられたものに、そのことがはっきり書かれていたのであろう。

それによれば、人麿は持統天皇のときひとたび四国の地に流され、文武天皇のとき再び東海の畔に左遷されたという。『詞林采葉抄』は「四国之地」という文字の横に小さな字で「土佐国打山里」とあり、「東海畔」という文字の横に「上総《かづさ》山辺」と書かれている。これはおそらく後世書かれたものであろうが、とにかく一度四国へ流され、そして再び東国へ流されたわけである。そして、そればかりか子息躬都良は隠岐の島へ流され、そこで死んだという。

この記事がはたして信頼に値するかどうかは容易に決定出来ないが、人麿の話はしばらくさしおいて、子息躬都良に関しては、隠岐の島の五箇村《ごかむら》に彼についての伝承が強く残っている。

森末義彰《もりすえよしあき》氏編の『流人帖《るにんちょう》』なる本は、最近物故された横山弥四郎《よこやまやしろう》氏の次のような躬都良伝説についての報告をのせている。

「隠岐としては、柿本躬都良《みつら》、この人が流人第一号、獄令以前の流人である。文武の朝、朱鳥丙戌《しゅちょうひのえいぬ》十月、大津皇子が死を賜うの事に連坐《れんざ》して、隠岐に流されたのである」

「この事件が起ったのは天武天皇のときである。この頃、宮仕えしていた歌人に、柿本人麻呂朝臣があった。その息子に美豆良麿《みつらまろ》といって、年歯十余歳、異母刀自《とじ》に懇篤《こんとく》な養育を受け、父に漢学和歌の道を習い、唐の高僧道照僧都に仏典を修め、容姿端麗、世に神童と呼ばれた美少年があった。帝の御覚えが厚く、ことに大津皇子とは親交が殊《こと》のほか厚かった〔……〕。

この頃、皇太子草壁の皇子は、御病にて御即位が叶《かな》わず、かわって大津の皇子が即位されようとした折柄、何者か阿閉皇后に、大津《おおつ》の皇子《みこ》に謀反《むほん》の企てがある由《よし》を内奏したものがあった。

大津の皇子は皇后の実子ではなかった。そこで帝の崩御の悲しみの中に、謀反を企てるようなことは、断じて許し難しということで、ついに皇子に死を賜わり、常に扈従《こじゅう》していた美豆良麿も、その謀議に与《あずか》ったとして隠岐の島に遠流《おんる》された。更にその父人麻呂朝臣をも近流に処し、皇后は自ら皇位に上ったのであった。

（中略）

かくて美豆良麿は父母に別れ、道澄僧都に伴われ、警固の武士に付添われて、雪の幾山河を越え、荒れ狂う冬の海を渡って隠岐の島は横尾山寺という配所に入り、ひたすら都を偲《しの》び、父を案じ、墨染の衣を拝しては、慈愛深き母を恋い、配所の憂《う》き月日を送る身となったのである」

この伝説を、歴史的事実に反するからといって一笑に付するわけにはゆかないであろう。大津皇子（六六三—六八六）の謀反は、朱鳥元年（六八六）であり、人麿の万葉集での歌の初出は持統三年（六八九）であり、先にいったように人麿が活躍したのは、持統執政の御代とぴったり重なり、この御代のはじめに、人麿が、隠岐の島へ流された息子と共に流罪に処せられるはずがないからである。しかし伝説とは、どこか真実を伝えているものである。くわしい日時や人名は誤り伝えられるが、話の核はだいたい誤りなく保存されうるものである。美豆良麿が皇后ににらまれて流罪になった話は何らかの事実にもとづいているのであろうか。ここで皇后の名を「阿閑」と伝えていることに注意しよう。阿閑は阿閇《あへ》（または阿閉《あへ》）の誤記であろう。阿閇とすると草壁の母、持統天皇ではなく、草壁の妻、文武天皇の母、元明天皇であり、藤原不比等《ふじわらのふひと》（六五九—七二〇）とならんで歴史の新しい方向を決定した問題の女帝なのである。

この伝承は、『石見国風土記』の一節と称する先の文章をもとにして後世つくられたものと考えられるかもしれないが、伝説は人工的につくられうるものではない。伝説には、公《おおやけ》の歴史には記録されぬ、または記録されることができない歴史の秘密がかくされていることが多い。

「寛永の里謡『公家《くげ》の子が泣く』なども、土地の伝説で『公家の子が泣く　知夫里《ちぶり》の島に母に鼓《つづみ》がついたやら』というようにも伝わっていて、子孫を知夫里に残した飛鳥井《あすかい》少将雅賢《まさかた》の情事を暗示する伝説もあり、柿本躬都良の歌、小野篁《おののたかむら》と阿古那《あこな》との悲恋を物語る伝説なども代表的なものであろう。その他身分のひくい流人たちが村々に在住して、時には甘い、時には不倫な恋愛もあったようだ。

（中略）

和歌の道は、或る時代、流人から相当の影響を受けたであろうことは容易に想像できる。伝説的ではあるが、天和二年藤田薩摩守《さつまのかみ》清次の著に残る、柿本躬都良の歌、小野篁の隠岐において詠《よ》めるもの（『古今集』）、後鳥羽《ごとば》上皇の『遠島御百首』、後醍《ごだい》醐《ご》天皇の御製、寛政の流人西条左衛門源光暉の残した『おぼろ月集』、時代は新しいが大納言《だいなごん》樋口功康の歌に関する記録など、これらの歌集、伝説等を見ればその影響をうけない筈《はず》はないと思われる」

（森末義彰編、前掲書）

小野篁（八〇二―八五二）、後鳥羽上皇（一一八〇―一二三九）、後醍醐天皇（一二八八―一三三九）、飛鳥井雅賢（一五八五―一六二六）などの流罪は疑いえない。ひとり柿本躬都良の話のみが嘘《うそ》だというのであろうか。

「このように厳重な監守を怠らなかったが、悪行の果て、流罪仰《おお》せつかった者であるから、相当の悪事を働いて、島内の民風を乱したものも少なくなかったわけだが、なかでも賭博《とばく》の悪習をまき散らした者が多い。賭博がもとで喧嘩《けんか》、刃傷《にんじょう》、殺人といった事件も稀《まれ》にはあった。また流人の出入がもとで怨《うら》みを残した場合は、以後の祟《たた》りを恐れて、家に若宮を祀《まつ》って流人の霊を鎮《しず》める風習さえ残ったように思われる」

（同前）

この横山氏の指摘は、現在五箇村にある水若酢《みずわかす》神社の意味をわれわれに暗示する。この神社は水若酢命《みずわかすのみこと》を祭るというが、この神は誰であろうか。もし若の名のつく神が隠岐では流人を意味するとしたら、この水と流人に関係のある神とは、いったい誰か。いや、過剰な想像はつつしもう。私もまた、茂吉の如く空《むな》しい幻想の世界に実在を発見したと思いこむドン・キホーテにならないとはいえないからである。

正徹のつたえる高津在の人麿木像の怪異

私は鎌倉、室町時代を通じて万葉集理解のための必読の解説書であった、仙覚の『万葉集註釈』と由阿の『詞林采葉抄』に現われた人麿の姿をさぐった結果、思いがけない人麿の姿を見た。そこでは、人麿は契沖の考えたように国府の下級役人の姿ではなく、茂吉が考えたように最後は湯抱の山奥で痢疫《りえき》にかかって死ぬ姿でもなく、流罪と水死の姿でわれわれの前に現われてきたのである。この姿に、私もまた読者と共におどろく。夢ではないか、幻ではないか。意外なものを見た人が自分の眼そのものを疑うように、私もまたわが前に現われたもののあまりの意外さに、われとわが眼を疑うのである。夢か幻か、それを見るわれわれの眼そのものが狂っているのではないか。

たしかに、最初に、長い間の合理主義的解釈によっておおわれていた人麿の姿が、私の前におぼろげに現われてきたとき、私もわれとわが眼を疑った。何か大きな誤謬《ごびゅう》が見る側に、われわれの側にあるのではないか。私は用心深く、私の眼の錯誤を調べたが、私の見る眼に、何らの故障も発見できなかった。そして、徳川時代以前、正確にいえば、国学の成立以前に人麿について書かれた、いろいろな文献にあたればあたるほど、私は自分の眼を疑うことが出来なくなってしまったのである。それらの文献に記された人麿は不思議な風貌《ふうぼう》をしている。そして多くの秘密が人麿をとりかこんでいる。しかしこのような人麿伝のことごとくが、やはりある一点を志向しているように私には思われる。

鎌倉、室町時代を通じて、万葉集と人麿は、仙覚の『万葉集註釈』と由阿の『詞林采葉抄』によって見られて来た。正徹ももちろん、そういうふうに万葉学を学んだ一人であった。彼は人麿をどう見たか。『正徹物語』に、彼は二カ所で人麿にふれている。

「人丸の木像は石見国と大和国にあり。石見の高津といふ所《ところ》也。此所《ところ》は西の方には入海有りて、うしろには高津の山がめぐれる所に、はたけなかに宝形造の堂に安置

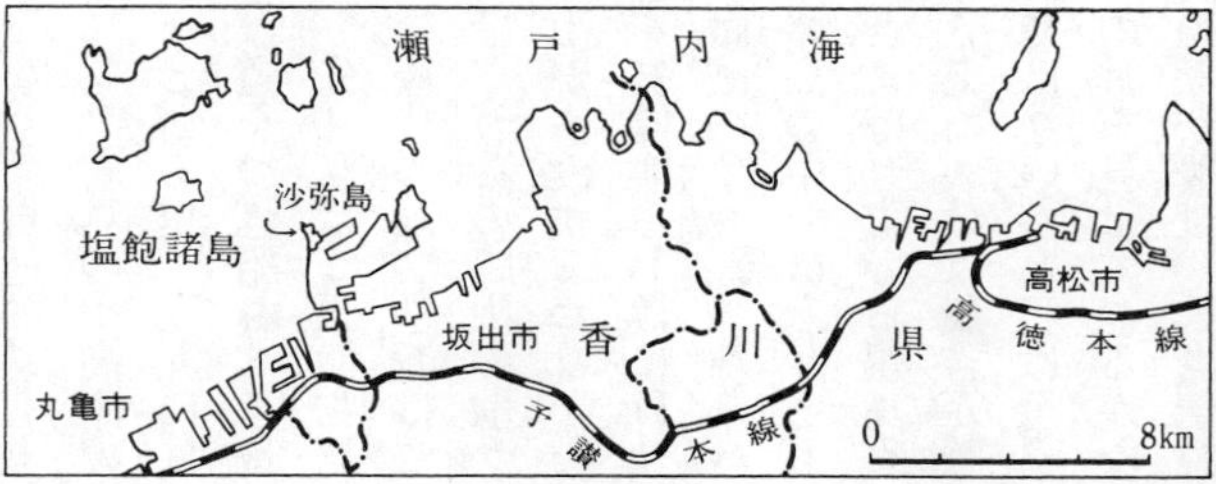

沙弥島の位置

したり。かたてには筆を取りかたてには紙をもち給《たま》へり。木像にて御座也。一年《(ひととせ)》大雨の降りしころは、そのあたりも水出《い》で、海のうしほもみちて海に成りて、この堂もうしほか波にひかれて、いづちとも行きがたしらず〔うせ〕侍《はべ》りき。さて水引きたりし後、地下の者その跡に畠《はたけ》をつくらんとて、すき鍬《くは》などにて堀（掘）りたれば、なにやらんあたるやうに聞えしほどに、掘り出《(いだ)》して見たれば、此人丸也。筆もおとさず持ちて藻屑《もくづ》の中にまし〳〵たり。たゞ事にあらずとてやがて彩色奉りて、もとのやうに堂を立て安置し奉りけり。此事伝はりて二、三ケ国の者ども、みな〳〵これへ参りたりけるよし、人の語りしを承り侍りし。此高津は人丸の住みたまひし所也。万葉に、

石見野やたかつの山の木の間より我がふる袖《そで》をいも
見つらんか

といふ哥《うた》は、爰《(ここ)》にて詠み給ひし也。是にて死去有りける

なり。自逝の哥も上句は同じもの也。

石見のや高津の山の木の間よりこの世の月を見はてつるかな

とある也。人丸には子細ある事也。和哥《わか》の絶えんとする時必ず人間に再来して、此道をつぎ給ふべき也。神とあらはれし事もたび〱の事也」

先に私は『正徹物語』のこの個所が、高津死亡説の根拠となり、茂吉をはじめ多くの後代の国文学者はこの説に疑問をもっていることをのべた。茂吉が疑問をもったのは、万葉の鴨山の歌から、この高津山が高くて巌石《がんせき》の多い山にちがいなく、そういう山が水没するわけがないと考えたゆえであるが、あの歌から鴨山が高い山であることを結論するわけにはゆかない。後にのべるように、人麿が石見の国に来る以前にいた讃岐の狭岑島《さみねのしま》（沙弥島《さみじま》）をもまた人麿は佐美《さみ》の山《やま》と呼んでいる。その沙弥島は、塩飽《しわく》諸島の中ではもっとも低い小島で、一ばん高いところで二五メートルしかない。鴨山とよばれている鴨島もおそらくそのくらい低い山であったと思われるが、水没が起こりえないのは茂吉が勝手にこしらえた鴨山のほうで、この鴨島の水没はありうることではないかと私は思う。また、茂吉は、この「石見のや高津の山の木の間よりこの世の月を見はてつるかな」を後世の歌であり、従ってこの説も信用できないとする。この歌が後世、人麿伝説がつくられた後に人麿の歌とされたものであることは否定できないであろう。しかし、だからといってこの水没の伝承そのものを否定することはできない。

『人丸事跡考』などは、この水没の日を万寿三年五月であったとする。藤原時代の半ば、後一条《ごいちじょう》天皇（在位一〇一六―一〇三六）の御代《みよ》であるが、じっさい山陰を歩いて感じるのは、この万寿三年の大津波の話が到《いた》るところに残っていることである。江津市においては、この時の津波で千軒の部落が水没したという伝承が今でも伝わっている。そして雪舟《せっしゅう》（一四二〇―一五〇六）の寺で有名な万福寺《まんぷくじ》には、この時の洪水で死んだ人のしゃれこうべと、この時の洪水に流され傷ついた仏像がある。

また、この鴨島のあとは、今でも大瀬となっていて、漁船の根拠地になっているという。明治二十九年（一八九六）、この地の漁師が、網で鏡のようなものを引っかけて揚げたところ、それは平安時代の鏡であり、水没した人麿寺《ひとまろでら》のものであろうということになった。とにかく、この鴨島水没については伝承及び記録があまりに多く、茂吉のようにろくに調べもしないで否定することは出来ないのである。

しかし、それについては一応結論を保留しよう。ここで私が注意したいのは、この『正徹物語』に書かれた異様な人麿の姿である。津波のため人麿の像は寺と共に水没した。しかしその水没した像が土の中から現われたのである。ここの正徹の書き方は、人麿の木像が現われたような書き方ではない。人麿が、人麿そのものが現われたのである。しかもその人麿は藻屑《もくず》の中にましました。体にいっぱい藻屑をつけて、筆も落とさず、ましましたのである。まさにそこで人麿は復活した。水没し、藻屑の中にいた人麿が再現したのである。そして、正徹はいう。「人丸には子細ある事也。和哥の絶えんとする時必ず人間に再来して、此道をつぎ給ふべき也。神とあらはれし事もたび〳〵の事也」。

ここでは人麿は一つのシンボルである。人麿は無気味な姿で人の前に現われてくるのである。藻屑のまつわりついたイメージ、それはあの『大和物語』の話とどこかで相通じ、『古今集』仮名序のもみじの錦《にしき》の話ともどこかで相通じる。それは水死のイメージである。しかし、人麿は正徹がいうように、必ず復活する。復活はしばしばであるという。和歌のすたれるとき必ず人麿は人の間に現われるというのである。われわれは『古今集』仮名序をわれわれにとって理解出来ないものと考えた。この不合理を教えたのは真淵である。人麿が平城天皇と身を合わせ、万葉集を撰集《せんしゅう》するはずがないではないか。われわれはそう思って、『古今集』序文や万葉集古注本の記事を疑う。しかし、平城天皇と身を合わせたり万葉集を撰集したりしたのは、復活した人麿の姿ではないか。

われわれはふつう、ひとたび命を終えたら、もう二度と生き返っては来ないと考える。これが現代人の常識であり、合理的な考え方である。賀茂真淵はそのように考えて『古今集』序文を疑った。しかし、それはちがうのである。たしかに昔といえども、多くの人はひとたび死んだら生き返ってはこなかったけれども、特別な人は、死んでも再びこの世に生き返ってきた。そういう特別な人のみが神に祀《まつ》られたのであった。

特別な人とは、どういう人間か。こう問うとき、最近の一連の古代にかんする私の著書、特に『隠された十字架』をお読みの人はすぐ気づかれるにちがいない。日本では、神になる人は、いつも恨みをのんで死んでいった人間ばかりであることを。藤《ふじ》原広嗣《わらのひろつぐ》（七一〇？―七四〇）、崇《す》道《どう》天皇（？―七八五）、菅原道真《すがわらのみちざね》、平将門《たいらのまさかど》（？―九四〇）、崇《す》徳《とく》上皇（一一一九―一一六四）など、すべて日本で神となる個人は、そのような悲劇の人であった。そして私は聖徳太子《しょうとくたいし》も大国主命《おおくにぬしのみこと》と共にそういう人間であることを明らかにした。今また、柿本人麿もそうだという。信じられないと人はいうにちがいない。それは自分の怨霊観《おんりょうかん》を勝手に人麿におしつけることであると。たとえ伝説はそうであっても、人麿は違うと人はいうであろう。私もそう思う。はっきりいうが、私はけっして怨霊観をもって人麿を見たわけではない。まさか人麿は違うと私も思っていた。せめて人麿だけはそうあってほしくないというのが、じつは私の願望であったかもしれない。しかし、いまとなっては、私は人麿をそういう怨霊の一人に加えざるをえないと思う。いくら私が説明しても、別な人麿像になれた読者は早急に私のいうことを信じてはくれないであろう。ゆっくり一つ一つ証拠をあげることにしよう。

忌日《いみび》の伝承――核をなす流罪・水死・怨霊の心象

正徹はまた次のようにいう。

「人丸の御忌日は秘する事也。去(さる)程に、を(お)しなべて知りたる人は稀《まれ》なり。三月十八日にてある也」(前掲書)

これもまた何だかうす気味の悪い話である。人麿の忌日をどうして秘密にしなければならないのか。その理由は、もうこの頃、多くの人に分からなくなっていたのであろう。しかし、ある種のうす気味悪さだけが、人麿の伝承には残されたのである。人麿の忌日はどうして三月十八日なのか。その三月十八日について、柳田国男は次のようにいっている。

「人麿が柿本大明神の神号を贈られたのは、享保《きやうほう》八年即《すなは》ち江戸の八代将軍吉宗の時であつた。その年の三月十八日には人麿千年忌の祭が処々に営まれてゐる。即ち当時二種あつた人麿歿年《ぼつねん》説の、養老七年の方を採用したので、他の一説の大同二年では余りに長命なるべきを気遣つたのである。月日についても異説があり、すこしも確かなることではなかつた。『続日本紀《しょくにほんぎ》』を見れば光仁天皇の御宇三月十八日失《う》せたまふと見えたり』と、『戴恩記』にいつてゐるのは虚妄であるが、『まことや其日失せたまふよしを数箇国より内裏へ、同じ様に奏聞《そうもん》したりといへり』とあるのは、筆者の作り事ではないと思ふ。即ちいづれの世かは知らず、相応に古い頃からこの日を人丸忌として公けに歌の会を催し、またこれに伴なうて北野天神に類似した神秘化が流行したらしいのである。そこで自分が問題にして見たいのは、仮に人丸忌日は本来不明だつたとして、誰がまたどうしてこれを想像しもしくは発明したかといふことである。誰がといふことは結局我々の祖先がといふ以上に、具体的には分らぬかも知らぬが、如何《いか》にしてといふ方は、今少し進んだことがいひ得る見込がある。例へば我邦の伝説界に於《お》いては、三月十八日は決して普通の日の一日ではなかつた。例へば江戸に於いては推古女帝の三十六年に、三人の兄弟が宮戸川の沖から、一寸八分の観世音を網曳《ひ》いた日であつた。だからまた三社様の祭の日であつた。といふよりも全国を通じて、これが観音の御縁日であつた。一方にはまた洛外《らくがい》市原野に於いて、この日が小野小町《をののこまち》の忌日であつた。九州のどこかでは和泉式部《いづみしきぶ》も、三月十八日に歿したと伝ふるものがある。『舞の本』の築島に於いて、最初安部泰氏の占兆に吉日と出たのもこの日であり、さうかと思ふと現在、和泉の樽井信達地方で、春事《はるごと》と称して餅《もち》を搗《つ》き、遊山《ゆさん》舟遊をするのもこの日である。暦で日を算《かぞ》へて十八日と定めたのは仏教としても、何かそれ以前に暮春の満月の後三日を、精霊の季節とする慣行はなかつたのであらうか。

このあひだも偶然に謡《うたひ》の八島を見てゐると、義経《よしつね》の亡霊が昔の合戦の日を叙して、元暦《げんりやく》元年三月十八日の事なりしにといつてゐる。これは明らかに事実でなく、また観音の因縁でもない。そこでたち戻つて人丸の忌日が、どうして三月十八日になつたかを考へると、意外にも我々が最も信じ難しとする景清の娘、或《ある》ひは黍畑《きびばたけ》で目を突いたといふ類の話に、却《かへ》つて或程度までの脈絡を見出すのである。『舞の本』の景清が清水の遊女の家で捕はれたのは、三月十八日の賽日《さいにち》の前夜であつたが、これは一つの趣向とも見られる。しかし謡の人丸が訪ねて来たといふ日向の生目八幡社の祭礼が、三月と九月の十七日であつたゞけは、多分偶合ではなからうと思ふ。それから鎌倉の御霊社の祭礼は、九月十八日であつた。上州白井の御霊宮縁起には、権五郎景政は康治二年の九月十八日に、六十八歳を以《もつ》て歿すといつてゐる」

（「一目小僧その他」定本柳田国男集第五巻）

北野天神すなわち菅原道真、小野小町（生没年未詳）、和泉式部（生没年未詳）、源義経（一一五九―一一八九）、平景清《たいらのかげきよ》、鎌倉景政《かまくらかげまさ》、すべて恨みをのんで死んでいった怨霊である。三月十八日は、暮春の満月の後三日、精霊の季節であると柳田国男はいう。怨霊の命日というべきか。いったいなぜ、人麿はこのような怨霊たちの仲間入りをしなくてはならないのであろうか。おそらく唯一《ゆいいつ》の正しい答えは、人麿そのものがほかならぬ怨霊であったということであろう。また同じ本で柳田国男は次のようにいう。

「それよりもこゝに問題となるのは、神の名が野州に於いて特に柿本人丸であつた一事である。その原因として想像せられることは、自分の知るかぎりに於いては今の宇都宮二荒《ふたら》神社の、古い祭式の訛伝《くわでん》といふ以外に一つもない。

柳田国男

この社の祭神を人丸といつたのは、勿論《もちろん》誤りではあるが新しいことでない。或ひは宇都宮初代の座主《ざす》宗円この国へ下向の時、播州《ばんしゅう》明石より分霊勧請すとも伝へたさうだが、それでは延喜式の名神大はいづれの社かといふことになるから、断じてこの家の主張ではないと思ふ。『下野《しもつけ》国誌』にはこの社の神宝に早く人麿の画像のあつたのが、誤解の原因だらうと説いてゐるが、それのみでは到底説明の出来ぬ信仰がある。この地方の同社は恐らく数十を算へると思ふが、安蘇《あそ》郡出流原《いづるはら》の人丸社は水の神である。境内に神池あり、旧六月十五日の祭礼の前夜に、神官一人出で、水下安全の祈禱《きたう》を行へば、その夜にかぎつて髣髴《はうふつ》として神霊の出現を見るといつた。さういふ奇瑞《きずい》はひろく認められたものか、特に社の名を示現《じげん》神社と称し、またいはゆる示現太郎の神話を伝へたものが多い。〔……〕

しかし一方人丸神の信仰が、歌の徳以外のものに源を発した例は、すでに近畿地方にも幾つとなく認められた。山城大和の人丸寺、人丸塚は、数百歳を隔て、始めて俗衆に示現したものであつた。有名なる明石の盲杖桜の如きも、由来を談《かた》る歌は至極の腰折れで、むしろ野州小中の黍畑の悲劇と、聯想せられるべき点がある。『防長風土記』を通覧すると、山口県下の小祠《せうし》には殊に人丸さまが多かつた。或ひは『火止まる』と解して防火の神徳を慕ひ、或ひは『人生まる』とこじつけて安産の悦《よろこ》びを禱《いの》つた。またさうでなければ農村に祀《まつ》るわけもなかつたのである。人はこれを以て文学の退化とし、乃《すなは》ち石見の隣国なるが故《ゆゑ》に、先《ま》づ流風に浴したものと速断するか知らぬが、歌聖はその生時一介の詞人である。はたして高角山下の民が千年の昔に、これを神と祭るだけの理由があつたらうか」

(同前)

柳田のいうように、人麿は早くから神として祀られていた。そしてそのことは、人麿の歌道における天才をもってしても説明ができない。彼がいうように、人麿はその生涯、一介の詩人にすぎなかった。いかにすぐれた詩人であっても、それだけの理由で、神に祀られるはずはない。「はたして高角山下の民が千年の昔に、これを神と祭るだけの理由があつたらうか」と柳田はいうが、その理由は何か。安蘇郡出流原の人丸神社は水の神であり、祭礼の夜、神官の水下安全の祈禱と共に髣髴として神霊が出現するという。その髣髴たる神霊の出現は、われわれに水の下から、しかも藻屑をいっぱいまとって現われて来た人麿を思い出させる。その現われ方は、けっして人間のものではない。神の現われ方、あるいは怨霊の現われ方である。

またここで柳田が、「人丸」を「火止まる」というので防火の、そして「人生まる」というので安産の神になったことに注意しているが、このような迷信も、私が先にのべた『古今集』以後の人麿像と無縁ではない。「火止まる」は水死に関係のあるイメージであり、「人生まる」は復活に関係あるイメージである。

どうやらわれわれは、全く思いがけない世界にやってきたようである。契沖、真淵の人麿像と全く異質な、明治以来われわれがすっかり忘れていた人麿像にふれなければならないようである。このような人麿像に、今までほとんど誰も気づかなかった。わずかに柳田、折口の鋭い直観をもった民俗学者がぼんやりそれを予感したが、彼らといえどもこの真相を十分つきとめることはできなかった。

国学者が万葉集についての精密な訓詁《くんこ》の学を始めるまでの人麿像は奇怪きわまるものであったらしい。しかしその奇怪なる人麿像にも、おのずから中心的なイメージがある。流罪と水死と復活の三つのイメージのまわりに集約されるイメージである。これはいったい何を意味するのか。

われわれはやっと、『古今集』以来徳川中期に到るまでの人麿像を要約することが出来た。それはそれ以後の人麿像と全く違うものである。いったいどちらが正しいのか。おそらくは古い方が正しいと私は思う。しかしそうとばかりはいえない。なぜなら、人麿は『古今集』撰集当時から根本的に誤解されてきて、その誤解は古代中世を通じるにつれてだんだんひどくなり、その真理がやっと徳川時代の国学にいたって発見されたと国学者たちは思い、そしてまた現代のほとんどの国文学者たちは考えている。はたしてそうだろうか。その当否は万葉集そのものによってきめられるより仕方がない。万葉集にとられた人麿の歌は、はたしていずれの解釈が正しいことを示すものであろうか。人麿の死を語る万葉集の五つの歌の解釈によって、人麿がいかなる人間であったかが最終的に明らかにされねばならぬ。

巻一・巻二は古代統一国家形成を歌う叙事詩である

さて、五首の歌の解釈に入るに先立って、二、三のことが注意されなければならない。

まず問題の歌は万葉集巻二の終わりの方にある。それゆえこの歌を理解するには、まず万葉集というものが何であり、巻二がその中でどういう位置を占めるかを説明しなければならない。しかしそれは一種の循環論法となる。なぜなら、問題になっている歌の解釈によって、柿本人麿がどういう人間であるかが明らかになり、そして、柿本人麿がどういう人間であるかが明らかになることによって、万葉集全体の性格が明らかになり、万葉集全体の性格が明らかになることによって、その中での巻二の位置が明らかになるはずであるからである。それゆえ、われわれは、まず万葉集がどういう歌集であるかを説明した後に、巻二の意味を明らかにし、それによって問題の歌の位置づけを行なうことは出来ない。すでに、われわれが常識的にもっている柿本人麿の像には、大きな疑問符が投げられた。柿本人麿がそのような疑問符につつまれているとしたら、万葉集も同じく、大きな疑問符につつまれているはずである。それゆえ、われわれは既成の万葉集についての概念でもって万葉集を説明し、巻二の性格を説明し、そこから五首の歌の意味を解明することはできない。

われわれはすべてを全く新しく見直すことを要求されているが、そのためにも、万葉集の成立に関する私の説をあらかじめ述べておく必要があろう。この説は次の著書においてくわしく検討する予定であり、この説の成否は、この人麿についての私の論究と、次の著書の万葉集についての論究によって判断さるべきものであるが、とにかく、先に私の考えを出すことにしよう。

万葉集の編集の時期を、『古今集』真名序は平城天皇の時代におくが、『大鏡《おおかがみ》』などは孝謙天皇の天平勝宝年間におく。そしてその編者として、前者の場合は平城天皇、後者の場合は橘諸兄《たちばなのもろえ》と大伴家持《おおとものやかもち》（七一八？―七八五）の名があげられる。このはなはだあいまいな成立年代については顕昭《けんしょう》（一一三〇頃―一二一〇以後）以来いろいろな説があり、仙覚、契沖、真淵をはじめとして、多くの人がいろいろ考証している。私も後にくわしく考証するが、ここでは結論だけをいうと、私は万葉集は二回にわたって撰《えら》ばれたのではないかと思う。最初は橘諸兄と大伴家持によって、二度目は平城天皇と誰か、おそらく大伴家持のゆかりの人によって。この橘諸兄、大伴家持、平城天皇は、共通した性格をもっている。それは、彼らが藤原氏に対して敵対意識をもっていることである。

大宝元年（七〇一）に始まり、和銅元年（七〇八）にほぼ確立したと思われる藤原氏の独裁体制が緩められたとき、つまり反藤原の勢力が強くなった時期、いわゆる雪どけの時期、反藤原勢力がある程度の権力をもちうる時期が、二度あった。橘諸兄の時代と平城天皇の時代である。橘諸兄にたいして大伴氏を初めとする反藤原勢力がどのように期待をもったかは、外ならぬ万葉集を見れば分かる。また平城天皇にたいしても同じような期待がよせられたことは、中臣《なかとみ》氏あるいは藤原氏にたいする批判の書であると思われる忌部広成《いんべのひろなり》（生没年未詳）の『古語拾遺《こごしゅうい》』（八〇七年成立）が、平城天皇に捧《ささ》げられていることでも分かる。この平城天皇の時代に、忌部氏による『古語拾遺』、物部氏による『旧事紀《くじき》』、大伴氏による万葉集など、ひそかに反藤原のイデオロギーをもった書が百花繚乱《ひゃっかりょうらん》と咲き出したように思われる。しかし、この繚乱たる花園は、所詮《しょせん》、一時のもので、やがて彼らは、それぞれ一つの文化的遺産を残しつつ、滅亡の道を辿《たど》るのである。

私は、万葉集は伝承通り、この二つの時期に、二回にわたって編集されたのではないかと思う。この第一次の万葉集が、今の万葉集のどこにあたるかという問題がある。真淵は「原万葉集」を、巻一、巻二、巻十一、巻十二、巻十三、巻十四と考えるが、巻十一以下はとにかく、巻一、巻二が、もっとも古い万葉集、つまり万葉集の原形であることは否定できないであろう。この巻一、巻二には、歌のはじめに、「泊瀬朝倉宮御宇天皇代《はつせのあさくらのみやにみよしらしめししすめらみことのみよ》」とか「高市岡本宮御宇天皇代《たけちのをかもとのみやにみよしらしめししすめらみことのみよ》」とかいう詞書《ことばがき》があり、歌が整然と時代順に配列されている。私は、編集が完璧《かんぺき》に行なわれたのは、この巻一と巻二にすぎないと思うが、その意味で、巻二は巻一と共にもっとも古い万葉集の形態を伝えるものであり、その中でももっとも重要な意味をもっていることは否定できないと思う。

一つの歌が第何巻に配列されているかは、けっしてどうでもよい問題ではないと私は思う。たとえば、柿本人麿の歌は巻一と巻二、特に巻二に多い。それにたいして山部赤人の歌は巻三と巻六に多い。これは万葉集の編者の一つの価値評価である。万葉集の編者、特に第一次の万葉集の編者は、柿本人麿の歌を中心に歌集としての万葉集を編集しているのである。

それゆえ、万葉集巻二は、巻一とならんで、あるいは巻一以上に重要な巻であるが、そのほとんど終わりに近いところに、この鴨山五首がある。つまり巻一と巻二を一つのドラマとすると、そのフィナーレにあたるもっとも盛り上がったところに、この人麿の死を詠んだ歌五首がある。

このことと共に、われわれは、次のことに注意しなくてはならぬ。それは、万葉集という歌集は、近代人の歌のように、一首ずつ独立させてはその意味をとらえることは出来ないということである。現代人によってつくられる万葉集解説書は、万葉集を作者別に分類して、その作者の歌を一首一首とり出し、それを解説する。そういう方法で人は万葉集の歌を鑑賞し、万葉集を理解したつもりでいる。しかし私はいう。そういう方法では、とうてい万葉集は理解しえない、と。たとえばそれは、『平家物語』の清盛《きよもり》の言行や義経の言行を、個人ごとにまとめ、それを読みそれを解説して、『平家物語』を理解したと思っているようなものである。もとより歌は、物語と違って一つの完結的な世界をもっている。いかなる詞書もなしに、それ自身のみで理解される歌にしてはじめて名歌といわれるかもしれない。それゆえに、必ずしも万葉集における個々の作者の歌が、『平家物語』における個々の登場人物たちの言葉や行為と同じように、全体とのかかわりなしには理解されないという性格をもつものではないが、だからといって万葉集、特に巻一、巻二が、全体として一つの叙事詩的性格をもっていることは否定出来ないと私は思う。

たとえば巻一は雄略《ゆうりやく》天皇の御製に始まり、長皇子《ながのみこ》（？—七一五）の歌によって終わる。いわば、五世紀末から八世紀初めまでの主なる政治的支配者、及びその支配者の周辺にいる人の歌である。これは、私が何度も述べたように、日本の歴史においてもっとも活気ある時代である。実際それはSturm und Drangの時代である。混沌《こんとん》の中から新しい日本が生まれる時代である。この混沌の時代が、そのような歴史をつくった当の人間およびその目撃者によって歌われているのである。そして巻二は相聞《そうもん》と挽歌《ばんか》ということになるが、同じ時代がもっと内的に叙述されている。この時代に生きていた人間の愛と死がいかなるものであったかが、その時代を作った皇族たち及びその周辺のひとびとの歌によって示される。この巻一と巻二は、まことにすばらしい二部合唱であると私は思う。一段と高まる政治の歌、その歌の背後から悲痛なる愛と死の歌がひびいてくる。私は何度万葉集を読んでも、巻一、巻二はすばらしいと思う。それは、いわば一つの叙事詩、壮大なる叙事詩である。そして巻一には統一国家形成にいたる天皇を中心としたさまざまな政治の軋轢《あつれき》が歌われる。あるいは都の移動であり、あるいは海外遠征であり、あるいは新しい神宮の建設である。万葉集の編集者は、権力者の雄叫《おたけ》びと共に辛《つら》い労働に苦しむ民衆の泣き声を聞きのがしていない。こういうさまざまなドラマを、巻二においては愛と死にしぼっている。所詮人間のすることは愛と死に還元される、そういう哲学がそこにはある。そしてさまざまな形の愛、不倫の恋のために一命を亡《ほろ》ぼす男女がいる。その女のために皇子が一命を捨てた女が、年老いてもまだ色気たっぷり、若い男にいいよってふられたりする。せっかく思う女を得たのに病で死ななければならぬ男がいる。編者はこういう人間の愛の姿をほほえましく眺めるが、しかしこうした愛もやがては死に帰する。生前はいがみ合っていた人達にも、一様に死の運命が訪れる。万葉集の編者は、同じ巻二に相聞の歌を出した人に関する挽歌を次に出すが、それは編者のある種の人生にたいする諦念《ていねん》を示すのであろうか。愛がどんなに美しく、どんなに花やかであろうと、すべては無に、すべては死に帰する。そういう思想を、この巻二の配列は語っているように見える。

このことについては、後にくわしく語ろう。ここで私のいいたいのは、さしずめ次のことなのである。つまり、万葉集の、特に巻一、巻二の歌は、その全体との関係において理解されなければならない。万葉集の中で一つ一つの歌が、独立しているのではない。鴨山五首に即していえば、鴨山五首は五首の内部で一つの有機的関係をもっているのみならず、それは巻一、巻二の歌全体との間に有機的関係をもっているということである。

それゆえ、一首だけを孤立化してそれをいかに上手に読んでも、それが全体との関係において理解されない限り、それはけっして万葉集のよき理解とはならない。たとえば、茂吉は鴨山五首を理解するのに、五首のうち二首を外してしまう。それはすでに五首の有機的連関の無視であるが、彼の解釈の如《ごと》く、鴨山を、亀《かめ》、あるいは湯抱へもってきても、その解釈は万葉集の他の歌の解釈には何の足しにもならない。つまり、彼の鴨山解釈は、全くそれだけで孤立しているのである。

私の解釈をはっきり示してでなければ、十分に読者に分かっていただけないと思うが、正しい解釈は、歌の一首の解釈によって、他の分からなかった歌、あるいは万葉集全体の意味までが分かる解釈でなければならぬ。あるいは一首の歌の理解が、有機的つながりをもっている前後の歌にも及ぶと共に、逆に前後の歌の理解がその歌の真の意味をはじめて理解せしめうるのでなくてはなるまい。こういっても、読者にはまだはっきりお分かりにならないであろうが、この論文を読み終わったとき、私がここで言おうとしている意味がはっきり分かっていただけるにちがいないと思う。

運命の年・大宝元年と和銅元年——人麿と不比等《ふひと》

万葉集全体における巻二の意味、および、その歌の解釈の仕方については、今のところ以上の注意で十分であろうが、今一つ、ここであらかじめ人麿の人生について語っておく必要がある。われわれは今、人麿の死をめぐる五首の歌によって、人麿の死を知ろうとする。そして人麿の死をわれわれが知るとき、人麿がどういう人間であるかが分かる。それゆえ、先に人麿の人生を語っておいて、人麿の死を理解することは出来ない。たとえば人麿は石見国の属官として湯抱にタタラ作業の監督にきて死んだとか、あるいは朝集使として班田収授《はんでんしゅうじゅ》の監督にきて高津で死んだとか、人麿の人生に関する仮説を前提に、人麿の死を解釈することは出来ない。むしろわれわれは人麿の死を正しく把握することによって、人麿の生を理解しなければならぬ。それゆえ、人麿を語る鴨山五首の解釈を前にしてあらかじめ人麿の生を方向づけることは、むしろ人麿を誤解にさらす原因となろう。

たしかにその通りであるが、ここで、やはり人麿の死をはっきり理解するために、われわれが何の仮定もなくうけ入れることの出来る事実から、大ざっぱに人麿の人生を、当時の政治的状況とのかかわりにおいて、あらかじめ考えておくことにしよう。

はっきりと製作年代の分かる最初の人麿の歌は、持統三年（六八九）四月に死んだ草壁皇子の殯宮《もがりのみや》のときの歌、万葉集巻二の一六七番の長歌一首、及び一六八番、一六九番の反歌二首である。そして、同じくはっきり年代の分かる最後の歌は、文武四年（七〇〇）四月に死んだ明日香皇女《あすかのひめみこ》殯宮の時の歌、万葉集巻二の一九六番の長歌一首と一九七番、一九八番の短歌二首である。この約十年間の歌の中には、たとえば、巻一の三六番の持統天皇が吉野へ行幸し給《たも》う時の歌、同じく巻一の四〇番、四一番、四二番などの持統天皇が伊勢へ行幸し給う時の歌などの行幸に扈従《こじゅう》する歌、また巻二の一九九番の長歌と二〇〇番、二〇一番の短歌の高市皇子《たけちのみこ》の殯宮の時の歌などの挽歌が入るのであろう。つまりこの頃の人麿の歌は、持統天皇の寵愛《ちょうあい》する扈従詩人としての面目をはっきり伝えているものが多い。

しかるに、このような歌は文武四年をもって終わる。その後、もはやわれわれはそのような花やかな扈従の歌を見出《みいだ》すことはできない。ただ、巻二に、大宝元年に文武天皇が紀伊国《きいのくに》に行幸されたとき、結び松を見てつくった歌として、次のような歌がある。

後《のち》見むと君が結べる磐代《いはしろ》の子松がうれをまた見けむかも　（巻二・一四六番）

この磐代の松には悲劇の思い出がある。ちょうどこの時より四十三年前、斉明四年（六五八）に有間皇子《ありまのみこ》（六四〇—六五八）はこの紀伊国で殺された。その時に詠んだのが、

磐代の浜松が枝を引き結び真幸《まさき》くあらばまた還《かへ》り見む　（巻二・一四一番）

という歌であるが、人麿の「後《のち》見むと」の歌はこの有間皇子の「磐代の」という歌を踏んで作っている。有間皇子の悲劇の思い出の残っている松を見て皇子の悲劇を思い出した歌であるが、「子松がうれをまた見けむかも」というのはどういう意味であろうか。小松の行末という意味であろうが、有間皇子の運命が再びここにくり返されるというのであろうか。この歌の前に、詞書に続いて「柿本朝臣人麿歌集の中に出づ」と書かれてある。『柿本朝臣人麿歌集』についてはいろいろな説があるが、人麿の撰んだ歌集で、その中には彼の歌もあり他の人の歌もあるというものであろうが、これははたして人麿の歌か、それとも他の人の歌か。私はこの歌が、たとえ人麿の歌ではないとしても、大宝元年に、人麿らしき人物に有間皇子の運命を想起させているのは、

何事かを暗示しているのではないかと思う。もしもこの歌を人麿自身の歌とすれば、人麿の歌は大宝元年まで降《くだ》るわけであるが、いずれにしても、それ以後、人麿が都にいたことを示す歌はない。

むしろ逆に、それ以後、人麿は都をはなれてあちこち転々としていたのではないかと思わせる、はっきりした証拠がある。文武三年の弓削皇子《ゆげのみこ》の死の歌（巻二・二〇四―二〇六番）の次に、人麿のつくった「妻死《みまか》りし後、泣血哀慟《きふけつあいどう》して作る歌二首」をのせ、その後に吉備《きび》の津《つ》の采女《うねめ》の死んだ時の歌が続き、ついで讃岐《さぬき》の狭岑島《さみねのしま》での石中死人を見ての歌、そして次に問題の鴨山五首がきて、次に「寧楽宮《ならのみや》」とあり、和銅四年に河辺宮人《かわべのみやひと》が、姫島《ひめしま》の松原に嬢子《おとめ》の屍《しかばね》を見て悲しみ歎《なげ》いて作った歌がくる。とすると、人麿は文武四年、おそらくは大宝元年以後、諸国を転々として讃岐へ、そして最後に石見に行ったことになる。巻三には、柿本人麿の覊旅《きりょ》の歌八首があり、また筑紫国《つくしのくに》に下る時、海路で作った歌がある。この人麿の旅の歌を、いつ、どのような道をとった、何のための旅であるかを決定するのはむつかしい。この旅の歌の製作年代については後に考えたいが、とにかくちょうど文武四年までは、人麿は都にいて花々しい生活をしたのに対し、以後は旅をしたりして都にはいず、かなり苦しい生活をしたことは否定できないであろう。なぜなら旅は古代日本の貴族にとってはこの上なく苦痛であり、旅に出るということはそれだけで刑罰であったからである。人麿が晩年旅ばかりしていたとすれば、それはけっして晩年の彼の人生が順調であったことを物語らず、むしろ何らかの運命の急変が彼を襲ったことを示すものである。

大宝元年が彼の人生における運命の急変のときとすれば、もう一度運命の急変が和銅の初め、奈良遷都《せんと》の直前に起こる。巻二の配列によれば、まさしく人麿の死の歌の後に「寧楽宮」とあり、いかにも人麿の死を象徴的な事件として奈良遷都が実現された形であり、真淵の考えたように人麿は和銅二年に、あるいはもう一年さかのぼって和銅元年に死んだと考えるべきであろう。和銅元年とすると、『続日本紀』に「柿本佐留卒《しゅつ》す」とあるが、佐留は人麿の近親どころか人麿その人と考えられなくもないと私は思う。いずれにせよ和銅元年頃に人麿の運命の急変があったことは否定できない。とすれば、大宝元年と和銅元年の二度にわたって、人麿の運命の急変があったわけであるが、この二つの年はいずれも政治的にも大変革の年であった。

大宝元年、それは『大宝律令《りつりょう》』成立の時であった。そして『大宝律令』の成立はおそらく従来の歴史家が考えた以上に大きな事件であった。聖徳太子によって始められた律令国家の建設が完了したのである。その中心に藤原不比等がいて、皇位の行方に不安な、太上天皇・持統の心をしっかり握っていた。いってみれば大宝元年は藤原政権が成立した時といえるのである。

そして和銅元年、それは文武天皇が死に、その母・元明天皇が即位した時であった。持統天皇の死以後、ひよわな息子・文武の背後にその母・元明があり、元明が政治の実権を握っていたらしいが、この元明は藤原不比等と深い関係をもっていたように思われる。文武天皇の死後の元明の即位は、当然、不比等の権力を一層強化することになる。和銅元年、不比等は右大臣となり、その時大幅な人事異動がある。藤原不比等の専制体制の確立であった。

このように考える時、大宝元年と和銅元年は藤原不比等にとっても運命の急変の時であったことが分かる。つまり大宝元年にほぼ権力を己れのものとし、和銅元年に専制体制を確立したのである。

とすれば、人麿にとって運命の下降の転回点が、ちょうど不比等にとって運命上昇の転回点となっている。これは果して偶然であろうか。それとも、この二人の人物、わが国第一の政治家と、同じくわが国第一の詩人との間には、運命の相関関係があるのであろうか。

偶然というにはあまりに偶然すぎると私は思う。詩人といえども超歴史的な永遠の空間の中に存在しているわけではない。彼は現実の歴史の中に生きている。そして現実の歴史の中に生きる彼は、好むと好まざるとにかかわらず、政治的事件の中に巻き込まれざるをえない。この政治的大変革には、いかなる貴族といえども無関係ではありえなかったと思われるが、詩人の運命の急変もまた、この政治的変革の結果ではないのか。

勿論《もちろん》、この天才詩人と天才政治家の間の不幸な関係を伝える積極的史料は一つもない。自己の力で官僚組織や歴史を創造したこの天才的な政治家が、自らの犯罪を証明するような文献的証拠を残しておくはずはなく、またそのような文献の存在が、ほとんど半永久的に続いた藤原政権のもとで許されるはずもなかった。真実はただ口承秘伝の形でのみ語り伝えられる。それゆえ、運命が反比例をなす二人の間にあった緊張関係を明瞭《めいりょう》に示す証拠はありえず、探しえないが、消極的に二人の間を想像させる材料はある。たとえば折口信夫は次のことを指摘している。

「此頃ならば、既に社会制度が更《かは》つて来て、宮廷以外にも亦《また》、勢力家を擁護者として出入りする形式が出来てゐるに係《かかは》らず、人麻呂には、まだ其らしい事が見えぬ。人麻呂関係の巻九にも、藤原南家・北卿・宇合《うまかひ》などの名の見えてゐるに繋《かかは》らず、何の交渉も窺《うかが》へぬ。山部赤人には、『詠故太政大臣藤原家之山池歌』、

いにしへの旧《ふる》き堤は、年深み、池のなぎさに、水草《ミ》生ひにけり

と言ふ、藤原族を讃美した様な作を遺《のこ》して居る。万葉集を以てすれば、人麻呂は、単に宮廷詩人たるに止《とど》まつて、貴族との交渉はないと見られるのである」

（『柿本人麻呂』折口信夫全集第九巻）

折口はこれを、人麿が吟遊詩人つまり田舎まわりの旅芸人の類であった証拠であるとしているが、それは無理であろう。人麿は貴族を、つまり藤原氏を讃《たた》えなかったが、あれほど皇族を讃えたではないか。人麿の歌に赤人のように藤原氏を讃えた歌がないからといって、人麿が単なる宮廷詩人に止まらず吟遊詩人、旅芸人であったということにはならない。そうではなく、それは人麿が、大宝元年になって権力をほぼ自己の手に収め、和銅元年に専制体制を確立した藤原氏と、よくない関係にあったことを示すものであろう。注意すべきことに、この藤原不比等と君臣一体となって政治を執った元明女帝を讃える歌が人麿には一首もなく、またその子文武帝の阿騎野《あきのの》の猟に扈従《こじゅう》した歌（巻一・四五―四九番）があるが、その中でも彼は軽皇子《かるのみこ》（文武）よりむしろその死んだ父、草壁皇子をしきりに思い出して讃えているのはどういうわけであろうか。おそらく、専制体制のもとにあっての一種の抵抗だったのであろう。

多くの皇族を讃えた人麿は、新しい実権者からも自己を讃える歌を期待あるいは強要されたはずである。その期待に、強要に応《こた》えないとしたら、彼はやはり政治的実権者の猜疑《さいぎ》の眼を免れることは出来ないであろう。ここでは歌わないことが一つの抵抗であり、追放の原因となるのである。

ここに来て、われわれは再び藤原不比等の姿を見る。この稀代《きたい》の政治の天才に、われわれは天才詩人の追放者の嫌疑をかけなければならない。この精密きわまりない頭脳をもった大政治家は、不気味な微笑にいかなる犯罪を隠しているのであろうか。

詩人と政治家が出会うとき、運命の支配者はいつも政治家である。詩人はいつの世にも無力である。彼はけっして権力を持たず、持とうともせず、人間の悲しい運命、世界の意味の深さを歌う。しかしその歌い方が、時として政治家の忌避をまねくことがある。その時、詩人は流竄《りゅうざん》される。杜甫《とほ》も李白《りはく》も白楽天《はくらくてん》も、すべて政治的流竄の運命を何度か経験した。わが詩人、人麿もまた、政治的流竄者であってもけっしておかしくはないが、私は杜甫や李白や白楽天の運命にまして、わが詩人の運命は一層苛烈《かれつ》であったのではないかと思う。

第三章　柿本人麿の死の真相

鴨山《かもやま》五首が語る悲劇の三つの局面

どうやら準備はととのったようである。私は、万葉集にのせられた人麿の死を歌う五首の歌をもとにして、人麿の死を正確に把握しなくてはならぬ。われわれは、歌のもっとも自然な解釈にもとづいて、彼の死が何であったかを決定しなくてはならぬ。もとより、私が今まで述べてきた伝承、および仙覚《せんがく》以来の多くの万葉集の研究が参照されねばならないが、われわれが真に頼れるのは、万葉集のみである。詞書《ことばがき》を入れて、原文は万葉仮名で書かれており、全部で百七十九字。この百七十九文字から、今まで、誰によっても明らかにされなかった人麿の死の真相が、明らかにされねばならないのである。それゆえ、一字一句といえどもおろそかにしてはならず、また人麿の一挙手一投足をも、われわれは主観的判断をできるだけ殺して、客観的に精密に観察しなくてはならぬ。われわれはここで、映画的手法をとろう。ゆっくりとカメラを回して、できるだけ正確に主人公を追い、その主人公の足跡を明らかにする。そして、必要な場面はもとへ戻して、スロービデオで同じ場面をもう一度、見てみる――そういう映画的手法をとって、ここで私は人麿の写像を正確に記述しようと思う。

この五首の歌は、時間と場所に従って、三つのグループに分けられる。まず第一に、人麿が鴨山でつくった辞世の歌があげられる。原文には「在二石見国一臨死時（石見国《いはみのくに》に在りて臨死《みまか》らむとする時）」とある。まだ人麿は死んではいないのである。次に、人麿が死んだ時に、妻の依羅娘子《よさみのおとめ》のつくった歌が二首ある。「柿本朝臣人麿死時（柿本《かきのもとの》朝臣人麿《あそみひとまろ》の死《みまか》りし時）」と原文にある。この時、もう人麿は死んでいる。そして、この二首の歌に丹比真人《たじひのまひと》の「擬二柿本朝臣人麿之意一報歌（柿本朝臣人麿の意《こころ》に擬《なずら》へて報《こた》ふる歌）」がつづく。「報《こた》ふる」というのは、もちろん、妻の依羅娘子の歌に応《こた》えたものであろう。柿本人麿は死んでしまったので、妻にたいして応えようがない。それで、丹比真人が、もし人麿が生きていたならばこう詠《よ》むにちがいないと想像して、依羅娘子に応えた歌であろう。それゆえ、この三首の歌はセットである。同時につくられたと考えていいのである。たとえ時間的には同時ではないとしても、同時の話としてつくられたものである。人麿の死に関してもう一首、「或《あ》る本の歌に曰《いは》く」として作者のはっきりしない歌がある。どうやら、万葉集の最終的編者はこの歌の意味がはっきり分からなかったらしく、「右の一首の歌、作者いまだ詳《つばひ》らかならず。但《ただ》し、古本、この歌をもちてこの次《つぎて》に載す」とある。昔からこの歌が、はっきり作者も分からずにこの場所に置かれていたことから察すると、やはりこの歌は、人麿の死に重要な意味を持っているのであろう。この歌は、前の歌とは別なグループに属するものである。

このようにして、五首の歌が三つのグループに分けられるとしたら、われわれは、この三つのグループのあらわす三つの状況を、ゆっくり追ってゆかねばならない。

○第一の状況

柿本朝臣人麿在二石見国一臨死時、自傷作歌一首
鴨山之　磐根之巻有　吾乎鴨　不知等妹之　待乍将有
柿本朝臣人麿、石見国《いはみのくに》に在りて臨死《みまか》らむとする時、自《みづか》ら傷《いた》みて作る歌一首
鴨山の岩根し枕《ま》けるわれをかも知らにと妹《いも》が待ちつつあらむ
（巻二・二二三番）

このような人麿の死をめぐる万葉集の解釈に入る前に、われわれは鴨山がどこにあ

るかを予《あらかじ》め決定しなくてはならないであろう。

　鴨山はどこにあるか。古来から鴨山は高津《たかつ》の沖合にあり、万寿《まんじゅ》三年（一〇二六）の津波で水没したとされてきた。徳川時代の中頃までその伝承を疑う人はなかった。しかし国学者により万葉集の原典研究がすすめられるにつれ、それが疑われ始め、ついに藤井《ふじい》宗雄《むねお》はそれを浜田《はまだ》の地に求めた。それ以来鴨山は高津沖合の定住の地を失い、多くの学者どもの恣意《しい》のままに、西に東に流れさすらい、そのあげく斎藤茂吉によって江《ごう》ノ川《がわ》の流域の亀《かめ》の地に決定された。多くの学者たちはこの偉大なる芸術家・斎藤茂吉の偉大なる業績にひとしく讃嘆の言葉を放ち、鴨山の地はこの地に定められたかのようであったが、後に茂吉自身がこの地を少し変更して湯抱《ゆがかえ》の鴨山に定めた。そして茂吉は二度と鴨山が動かないように、「人麿がつひのいのちをはりたる鴨山をしもここと定めむ」という不思議な歌を詠んだ。

　私の人麿論は、この茂吉の「鴨山考」なるものが、ほとんど何らの理論的根拠がないのではないかという疑いから始まった。そして、茂吉の理論を検討した結果、それがおどろくべき壮大な誤謬《ごびゅう》から成り立っていることを見出《みいだ》した。茂吉の芸術的天分はまさに、この無の地に、ただ名前だけ鴨山と名づけられていた山——その名の山を石見国で探しても何十何百と見つかるであろう——に、この天下第一の詩人を死なしめるというまことに天衣無縫な空想の中に遺憾なく発揮されたのである。茂吉がそれを文学的空想の形でそれを語ったならば、まだよかった。しかし、彼がそれを学問的論証の形で語ったところに、世をまどわせた最大の原因があった。湯抱の鴨山は、けっして人麿の死んだ場所ではない。偉大なる芸術家、斎藤茂吉の呪縛力《じゅばくりょく》を離れてしまえば、この湯抱の地を柿本人麿に結びつけるものは、何一つない。とすれば鴨山は再び移動する。以上の論証によって十分茂吉説に疑いをもった人はいうであろう、それでは鴨山はどこにあるかと。迷子になった鴨山ヤーイが、一つや二つの博士論文をつくるかもしれない。

しかし鴨山はどこへもゆかないと私は思う。鴨山はあのとき、つまり人麿の死のときから高津の沖合にずっとあったと思う。それは万寿三年の津波で水没してしまったけれど、その跡は今でも高津の沖合に存在し続けているはずである。現代人は今現に存在しているものしか、つまり今現に眼に見えるものしか信じないという、はなはだ科学的な理性をもっている。しかもその科学的理性なるものは、深い理由もなく一切の伝承を疑う。斎藤茂吉は藤井宗雄とともに、高津の沖合にかつて存在した鴨島を見る眼をもたなかった。そしてまた彼等は、国学的あるいは科学的合理主義の上に立って、一切の伝承を信じなかった。

私はこの長い論文において、徹底的にこのような国学的、あるいは科学的合理主義の浅薄さを告発したい。彼等の合理主義なるものは、根は実に浅い。それは、古代日本の世界と人間にたいする、あるいは一般に世界と人間にたいする根本的な誤解から発する合理主義ではないかと思う。茂吉が、伝承の鴨山の地を疑う理由を調べてみよう。

「美濃郡高津鴨嶋説。人麿の長歌の高角山《たかつぬやま》もこの高津にある山だといふのに関聯《くわんれん》してゐるらしく、この説では、高津《たかつ》は高角《たかつぬ》の訛転《くわてん》だと云つてゐる。その高津の海に鴨嶋といふ嶋山があつて、それが即ち鴨山で人麿の歿処《ぼつしよ》だが、万寿三年丙寅《ひのえとら》五月海上に海嘯《かいせう》が起つて無くなつたといふのである。柿本明神縁起、人丸事跡考、人麿事蹟考弁、底廼《そこの》伊久里《いくり》、石見《いはみ》八重葎《やへむぐら》等をはじめ、檜嬬手《ひのつまで》、古義、攷証《こうしよう》、美夫君志《みふぐし》等の諸万葉註釈書、真竜の地名記、関谷氏の人麿考、松岡氏の日本古語大辞典等に至るまで、概《おほむ》ねこの説を踏襲し、一番有力な説である。この説に従ふと、依羅娘子の歌の石川は高津川に当るのである。岡熊臣の事蹟《じせき》考弁に、『今の高角の地、古代はよろしき船著《ふなつき》にて、湊口《みなとぐち》に鴨嶋とて一つの島ありて、其処《そこ》に家居数百軒あり、其山を鴨山と云《いふ》。梵刹《ぼんさつ》などもありて中にも前浜後浜と云ふに千福万福とて二大寺あり。其外青楼花街軒を並て最繁華の地にて、北洋往還の船舶日夜につどひて大なる湊《みなと》なりしが』云々《うんうん》と記述して居る。併《しか》しこの説は、長歌の高角山を高津に関聯せしめて、それから発達せしめて行つた説で、大に不自然なところがある。万寿の海嘯は石見一帯で、都濃津あたりにも伝説が伝はつてゐるが、陸地が却《かへ》つて増してゐるぐらゐである。その鴨嶋の絵は八重葎などにかいてあるが、海嘯でそれが無くなつたことは信ぜられない。高津の柿本神社は非常にいい場処で、風光もよく、人麿神社の場処としては理想的と謂《い》つてもいいが、鴨嶋説は奈何《いか》にしても信じ難い。藤井宗雄の石見国名跡考で、この説を否定して、『万寿の海溢《かいいつ》に託して遁辞《とんじ》せるなり』と云つてゐるのは面白い批評である。高津川もなかなかいい川で、上流の方は山峡《やまかひ》をも流れるが、是非このあたりだと感ぜしめるやうなところはない。またこの高津川即石川説は石川の貝で、海浜だといふ考に本づいてゐるのだから、そこの解釈も感心しがたい。昭和五年十一月、平福・中村二氏と共に柿本神社に参拝して大体を見、昭和九年五月、岡・土屋二氏と共に柿本神社に参拝し、鴨嶋のあつたといふ方に行つて実際を見た。縦《よ》しんば鴨嶋といふやうな小嶋があつたにせよ、鴨山の磐根《いはね》し纏《ま》けるといふやうな感じではない。そこが根本の不満である」

（斎藤茂吉「鴨山考」『柿本人麿』）

茂吉の伝承の高津の地にたいする懐疑は、彼自ら意識しているかどうか分らないが、明らかに歴史的伝統の上に立っている。徳川時代の末期からの多くの学者によってこの伝承は疑われはじめた。茂吉はこのような懐疑をただあまりに懐疑なく採用したにすぎない。茂吉の新たに加えた懐疑の理由はほんの少しだけである。

ここで茂吉があげている懐疑の理由をまとめると、次のようになろうか。

(1)　人麿の歌に高角山《たかつのやま》という山があるが、この高角山がいつの間にか高津の山と混同され、人麿の死亡地とされた。高津鴨山説は、このような訛伝によってできた。

(2)　人麿は国府の役人であった。国府の役人は国府の近くにいるので、そこで死ぬのが当然である。しかるに高津の地は国府から遠く離れている。それゆえ、そのような場所で人麿が死ぬはずはない。だから、人麿の死亡地を国府の近くに求めねばならぬ。

(3)　鴨島は万寿三年に水没したという。しかし万寿の津波は、「陸地が却つて増してゐるぐらゐ」であり、津波で「それが無くなつたことは信ぜられない」。しかも茂吉によれば、鴨山は三百メートル位の、磐《いわ》のゴツゴツした山である。そういう島が水没するはずはない。また鴨山は海浜にはなく、大河の上流の山峡にある。高津の沖合の鴨島は山峡になく、従って人麿の死んだ土地ではない。

茂吉が、ここで強調しているのは(1)と(3)の理由である。(2)の理由は、人麿の死亡地を国府から約四十キロ以上、六十キロほど離れたところに求めようとする彼の論点から、茂吉はここであまり強調していない。しかし、茂吉が高津鴨山説を否定して、他の所に人麿の死亡地を求めたのは、藤井宗雄の『石見国名跡考《いわみのくにめいせきこう》』の影響が強い。鴨山を高津鴨山以外の別の地に最初に求めたのは藤井宗雄であろう。藤井宗雄の懐疑の理由は簡単である。それは、人麿は国府の役人であるから、人麿の死亡地は国府の近くであるはずである。しかるに石見の国府は、今の浜田市の近く、国府《こくふ》町伊甘《いかん》にあった。藤井宗雄は、そうした論拠により、伊甘の近くに鴨山といふ名の山を求めたが、求めることができなかった。鴨と名のつく山は求めることができなかったが、亀と名づくる山は求めることができた。

「浜田の城山なること確《たしか》也。また『少去在㆓石神㆒。』（石見風土記《ふどき》）とあるにかなひ、高さまた周《まは》りを云《み》るも粗《ほぼ》符合す。（風土記に、島星山と多波都山との間に挙たれど、彼の辺にかかる山あることなければ、是《これ》は次第の混合なるべし。）然《しか》れども此山を墓所とせんに、伊甘府より今道一里ばかりあれば如何あらむ。十町二十町隔るは常なれど、少《いささ》か離れ過ぎたれば、若《もしく》は別なる由緒《ゆいしょ》ありて、此所に臨終坐しにや。さて此山を亀山と云は、元和《げんわ》頃古田侯の城を築て、かく名《なづ》けられし由《よし》なるが、是はもと鴨山と云しを、訓の似たるままに、昔より鴨とも亀とも唱へしを、此時亀は齢長きものゆゑ、祝す意にて採られけむ」

（『石見国名跡考』）

藤井宗雄は、国府に鴨山を求めることはできなかったが、国府より一里東に入った浜田に亀山を見つけることができた。カメとカモは音が似ているので、それは昔、カモ山とよばれていたであろうと彼は考えた。ここに、展開されているカモ→カメ、音韻変化説、祝意による地名変更説は、ほとんど、茂吉説を聞く思いがする。茂吉は、高津鴨山にたいする懐疑とともに、このカモ→カメ説も、藤井宗雄から学んだのであろう。

しかし、更に興味深いことは、藤井宗雄もまた斎藤茂吉のように、鴨山を求めあぐねて、彼がはじめ鴨山と考えた浜田の城山《しろやま》より、一層、伊甘に近い長沢《ながさわ》村にある亀甲《きっこう》山《やま》に鴨山を求めたらしい。

「聖廟《せいべう》国司の墓は、寺の門前の右方にて中間と云ふ家の後山に在り。丸き小石を多く置て、大化の制に応へり。別に印も無く由来 詳《つばひらか》ならず。聖廟と称《となへ》れは、等閑の人に非《あら》す、按《あんずる》に柿本朝臣を歌聖と云ひ、亀甲山の亀と鴨と訓近し。由は無か猶《なほ》考ふへし。浴に清兵衛国司と云は、執《とる》に足らす」

（『浜田鑑』）

「故按に、柿本朝臣の石見に在るや、万葉の外は所見ざれば、是は必ず石見守にて、那賀郡の国府に在留坐《まし》けむ。（此朝臣高市皇子の殯宮《もがりのみや》の時の歌に、舎人者迷惑とあれば、舎人なるか。舎人より介《すけ》に出れば、介を経て中国守となり坐けむ。中国の守は相当正六位下なるが、六位以下を死と云に叶《かな》ひ、石見を立れし時の歌に、紅葉を詠るは、九月十月の比《ころ》、朝集使にて上られたるにて、守《かみ》なることをしるべし。）されば、鴨山は府の辺の山なるを知るべし。かれ、伊甘の辺にて求るに、鴨山と云なく拠とすべきものなし。但《ただ》し長沢村に亀甲山多陀寺あり、和銅年中の草創と云ふ。是に清廟国司と云ふ墓あり。年月姓名詳ならず。若は彼朝臣を歌聖と云より聖廟と唱しを後に唱の同じきまま誤て清廟と書しにや。亀甲山の亀と鴨と訓似たり。墓の様は大化の制に叶へり」（『石見国名跡考』）

鴨山を求めて、二転、三転、自説を変えたのは、茂吉がはじめてではなかった。喜劇的にすら見える茂吉の、鴨山変更を、すでに、茂吉が、その理論の多くを彼から借りてきた藤井宗雄自身が行なっている。ただ、茂吉の場合は、カメの地にあるツノメ山の代りに、幸福にも（?）カモ山を見つけたにたいし、その先駆者、藤井宗雄の場合は、カメ山の代りにキッコウ山という一層、カモ山から名前において遠い山を見つけたにすぎない。いずれの場合も、ただ、カモとカメという名によって人麿終焉地《しゅうえんち》を求めた浅薄な理性の喜劇の結果であるが、茂吉の場合は、この喜劇が、国家的規模において起っているだけ、一層壮大である。

私は藤井宗雄の説は、その前提において、二重に誤っていると思う。

藤井宗雄の説は、二つの前提の上に立っている。人麿は国府の役人であることと、当時、国府は今の国府町にあったという前提である。この二つの前提の上に彼は高津鴨山説を疑い、鴨山を国府町周辺にさがした。

しかし私は、この論文の途上において、人麿＝石見国属官説に疑問をもちはじめた。人麿を属官と断定したのは契沖であり、彼を掾《じょう》と目《さかん》の間の朝集使《ちょうしゅうし》と断定したのは真淵であるが、この契沖、真淵の人麿像が、間違っているのではないかというのが、この長い論文を貫く私の根本的懐疑である。人麿の官位については、後にくわしく論じる。しかしすでに少くとも人麿を国府の役人と断定する根拠そのものは、以上の私の論証で十分ゆらいでいると私は思う。

石見国の属官である人麿の姿にかわって、私の眼の前にちらつき始めたのは、流人としての人麿の姿である。もとより、その姿は未《いま》だ十分定かでないが、徐々にその姿は私ばかりか多くの読者の眼にもはっきりしてきたと思う。未だ断定するのは早いとしても、次のことは、はっきりいえよう。人麿を六位以下の石見国の下級官僚とする直接の証拠はないばかりか、そう考えると、さまざまな矛盾が生じる。人麿を流人と考えると、今まで分からなかった人麿にかんする謎《なぞ》が容易にとける。今のところはそういうだけに止《とど》めることにしよう。

もしも人麿が流人とすると、まことにこの高津沖合の鴨島の地は、流人の住処《すみか》に適当なところであるように思われる。なぜなら流人の住処は古来多く島である。島というイメージが、徳川時代の末まで、日本人にとってどういうイメージをもっていたか、少し考えれば明らかであろう。島はけっしてロマンの場所ではなかったのである。島は何よりも犯罪者の流刑地《るけいち》であり、島帰りは現代におけるムショ帰りと同じ意味をもっていた。われわれはすでに、最高二十数メートルの低い島、狭岑島《さみねのしま》に人麿がいるのを見た。そしてその狭岑島を人麿は「佐美《さみ》の山《やま》」と呼んだ。今、鴨山と人麿がいう鴨島も、狭岑島のように低い島であっても不思議はない。不思議はないどころか、鴨島はそういう低い島であった可能性が大きい。

藤井宗雄の懐疑の前提そのものが、すでにまちがっている。人麿は国府の役人であったかどうかは大へん疑わしい。それゆえ人麿は国府の近くで死ななければならないという推論は成立しない。

また藤井宗雄の議論のもう一つの前提は、彼が当時の国府を今の国府町に定めていることである。彼はもちろん人麿の時代にここに国府があったことを疑っていない。

しかし現代の歴史学者は、それに疑いをはさむ。たしかに清和天皇《せいわ》（在位八五八―八七六）の貞観年間《じょうがん》（八五九―八七七）以来ここに国府があったことはいろいろな記録から疑いえない。しかしはたして奈良時代に、ここに国府があったかどうか。奈良時代にここに国府があったことを疑い、それを邇摩郡《にま》託農郷《たくの》に求めたのは、野津佐馬之助《のづさまのすけ》氏であった。この野津説は角田文衛《つのだぶんえい》氏によって支持され、角田氏は当初の石見国府を仁摩町《にま》仁万字幸田《にま》の地に想定したが、この野津、角田説はいろいろな点から見て、石見国府を最初から国府町伊甘にあったと考える従来の説より、確実度が高いと思われる。

石見の国府の所在地について、ここでくわしく論ずることはできない。ここではただ、当時の国府を、貞観時代以後たしかに国府があった那賀郡《なか》国府町大字下府《しもこう》に求めて疑わない藤井宗雄の論理の甘さを指摘しておけば十分であろう。

このように考えると、藤井宗雄の論点はその出発点において二重に不確実である。(1)人麿は必ずしも、国府の役人ではなく、(2)国府は必ずしも、国府町下府の地にない。そう考えると、藤井宗雄の論理は、その出発点において、はなはだ不確実、むしろ誤謬《ごびゅう》であったと思われる。そして、このような誤った前提からは、誤った結果しか出てこないのである。藤井宗雄が鴨山の代りに亀山を見つけ、ついで、亀甲山を見つけて、それを鴨山と断定したのは、当然の結果である。

このように考えると、伝承の地をはじめて疑い、鴨山を別の地に求めた藤井宗雄の懐疑なるものは、完全に根拠なき浅薄な懐疑であった。茂吉は、この藤井宗雄の説に、大きな影響を受けながら、余り藤井説をとり上げていない。つまり、彼は、高津にたいする懐疑において、藤井宗雄に従っていたが、藤井宗雄のあげた、鴨山は国府の近くになければならぬという理由を積極的に採用していない。それを採用すると、国府からかなり離れた浜原《はまはら》の亀、あるいは湯抱の鴨山の地に、人麿の死亡地を求める彼の論点までも否定されるからである。

それゆえ、私が先に整理した第二の理由の代りに、茂吉は、第三の理由をあげる。いかに強引な茂吉といえども、万寿三年の大津波の事実を否定するわけにはゆかなかった。その代りに彼が否定したのは、大津波による島の水没である。彼が水没を否定したのは、万寿三年の津波は却《かえ》って陸地の増加をもたらしていることと、鴨山は三百メートルくらいの磐がゴツゴツした山であり、そういう山が水没するはずはないという理由であった。

鴨山三百メートル説は、これは茂吉にとっては、明晰《めいせき》判然たる真理であったが、それは、ひとり茂吉にたいしてのみ明晰判然たる真理であり、実際人麿が死んだ鴨山を三百メートルと断定することは、とてもできないことをわれわれはすでに見た。また、後に矢富氏の著書によってくわしく論じるように、万寿三年の津波が多くの被害をこの山陰地方にもたらしたことは明らかである。そしてその津波は、多くの町を水没せしめた。もちろん、所によっては、特に都野の一部においては、かえって土地を隆起せしめたところもあるが、水没の話の伝えられるところが多い。特にこの高津地方に伝えられる多くの伝承と、その遺品は、われわれに津波の恐ろしさを、まざまざと見せてくれるのである。また日本海沿岸は、徐々に沈んでいることは、今日、疑うことのできない地質学的な事実である。あの、義経—弁慶伝説で有名な安宅《あたか》の関《せき》も今日水底《みなそこ》にあるという。茂吉のように、勝手に鴨山を三百メートル以上の山ときめて、「陸地が却つて増してゐるぐらゐ」な万寿三年の津波で、鴨山が水没するはずはないときめつけることは、二重に非科学的である。

かくして第二と第三の懐疑の理由は消失する。しかし第一の理由は残る。人麿の死んだ高津の鴨山は万葉集の高角山の連想からきた訛伝ではないかということである。これは実は厄介な問題である。厄介というのは解決が困難という意味ではない。私は事柄をほぼ明らかに理解していると思う。しかしそれをここで十分に説明する暇がないということである。その用意なく結論だけいっても容易に人に信じてもらえそうにもないが、それを十分に説明するには長い論証が必要なのである。

私のいいたいことはこういうことである。つまり、高津はすでに古くから万葉集の高角山の所在地と考えられてきた。高角山は高津の山であるというのである。前述の『正徹物語』に次のようにある。

「此高津は人丸の住みたまひし所也。万葉に、

石見野やたかつの山の木の間より我がふる袖《そで》をいも見つらんか

といふ哥《うた》は、爰《(ここ)》にて詠《よ》み給《たま》ひし也。是にて死去有りけるなり。自逝の哥も上句は同じもの也。

石見のや高津の山の木の間よりこの世の月を見はてつるかな

とある也」

ここに引用されている前の方の歌は、万葉集の巻二にある「柿本朝臣人麿、石見国より妻に別れて上り来る時の歌二首」という詞書のついている二つの長歌の中の第一の長歌の反歌、「石見のや高角山の木の際《ま》よりわが振る袖を妹《いも》見つらむか」（巻二・一三二番）にあたるが、万葉集の「高角山」がここで「高津の山」となっている。しかし高角山を高津の山と考えるのは正徹に始まるのではなく、すでに『柿本集』にもこの歌があり、そこでは「高間の山」とある。「高間の山」が「高津の山」になったの

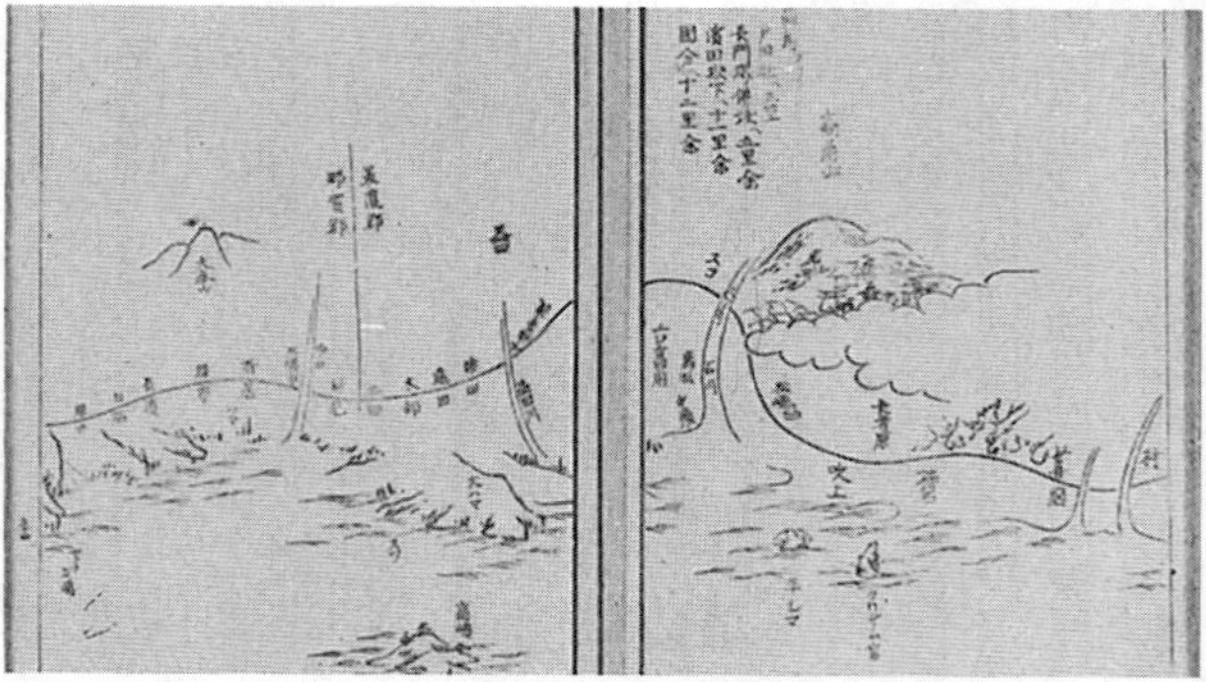

高角山（『柿本人麻呂事蹟考弁』より）

であろうか。

　こういう伝承から、後の方の「石見のや高津の山の木の間よりこの世の月を見はてつるかな」というような辞世の歌がつくられたらしいが、このような辞世の歌がつくられたのは、室町時代になってからであろうか。茂吉は、人麿がこんな馬鹿《ばか》な辞世の歌をつくるはずはなく、したがって、高津は人麿の死亡地ではないときめつけるが、問題はそれほど簡単ではない。

　正徹のあげる後の歌は後人の作にちがいないが、この歌が後人の作であるからといって鴨山水没の伝承はもちろん、高角山＝高津の山説がすべて誤謬であるとするわけにはゆかない。高角山を高津の山と考える伝承はかなり古い。そして徳川時代において、しばしば高津は高角と称せられている。

「伝称す、『人麻呂の墓、石州高角山にあり』と」
（明石、柿本神社の人麿碑文、林春斎、寛文四年）
「享保《きやうほう》第八 癸卯《みづのとう》春、石見州高角鴨山僧、奏す」
（大和添上郡櫟本の人麿碑文、釈元養、享保十六年）

ここで、高津の山を高角山としているのは、必ずしも高津の柿本神社の神官のみではない。つまり、徳川時代の中頃まで、人麿は石見の高津の鴨山で死に、その鴨山は、万葉集によまれている高角山であることを、誰も疑っていなかったのである。

しかし、今はちがう。たとえ人麿の死亡地を伝承通り高津におく人といえども、高角山を高津の山と考える人はいない。その理由は明らかである。万葉集巻二の歌の詞書を信ずる限り、高角山を高津の山とすることはできないからである。

先にのべたように、ここではこの長歌のくわしい解説に入ることはできない。私の解釈は大方の解説者の解釈と全くちがっている。それについて次の著書で私はくわしく論じたい。

大方の解説者は、この歌を、国府の役人であった人麿が任終えて上京した時の歌であるとする。とすると、置いてきた妻も現地妻であろう。現地妻をおいて人麿は都へ帰ってゆく。今の世でも、よくある会社や役所で外国や地方へ出張し、そこで妻をこしらえ、その妻と別れねばならぬちょっとした悲劇である。

　こういうふうに考えて、人はこの歌の地名を考証する。ここに「角《つの》の浦廻《うらみ》」とあり、「韓《から》の崎《さき》」とある。「角の浦廻」あるいは「韓の崎」に人麿は妻とともに住んでいた。そこにいる妻と別れて「渡《わたり》の山」と「屋上《やかみ》の山」を通って、人麿は高角山へやってきた。そして高角山でこの哀切きわまる有名な長歌を作って妻をしのぶのである。

韓　島

　ところでここで困ったことがある。人麿は国府の近くにいたと思われるが、今の国府町下府の地を国府の所在地とすれば――大部分の万葉学者はそう考えている――国府の近くの地名はほとんど人麿の歌によまれていない。第二の長歌の方から、人麿が妻とあったのは「韓の崎」であることが明らかであるが、韓の崎は、古来仁摩町宅野《たくの》の海上にある韓島《からしま》とされてきた。『古義』などはこの説をとるが、もし、このように、この仁摩町宅野の韓島を、韓の崎とすると、二重に不都合なことが生じる。

一つは、人麿は国府の役人であったはずなのに、彼は、国府の近くにいず、しかも島にいたことになることであり、もう一つは、もし、そこを人麿がいた場所とすると、「渡の山」と「屋上の山」は、ともに明らかに、この韓の崎より西となり、上京するはずの人麿は、かえって東から西へ行ったことになる。そしてもし高角山を、古来の伝承に従って高津の山とすると、上京するはずの人麿は、都からかえって遠ざかって、一路西へ行ったということになる。

しかし、それはおかしい。そう考えたら、万葉集に明らかに書かれている「柿本朝臣人麿、石見国より妻に別れて上り来る時の歌」という詞書と矛盾する。たとえ韓島をどこに求めようと、高角山を高津の山と考える限り、道は、西行きにならざるをえない。

「韓の崎」及び「高角山」の求め方がまちがっているか、それとも、万葉集の詞書がまちがっているかである。契沖以来万葉集の文献学的研究は飛躍的に進んだ。それは一切の伝承を疑って、文献そのものについて万葉集を研究するという精神を、その根底にもっている。万葉集の歌そのものばかりではなく、その詞書も重視されねばならない。

そういう精神の下に、高津の山は高角山であることを否定され、仁万の地にある韓島は韓の崎であることを否定されてきた。そして、高角山は、津野にある高い山、つまり「高津野山」とされ、江津市にある島星山《しまほしのやま》がそれとされている。しかし、島星山は、山陰道から大分離れていて、人麿がそこを通ることは、まず考えられない。また、韓の崎もこのような見地から、明らかに江津市渡津《わたづ》の付近の山にちがいない「渡の山」や、また同じく江津市にある八神山《やがみやま》の西に求められねばならないので、茂吉はそれを、浜田市の北、国府町の海岸唐鐘《とうがね》の地に求めた。唐鐘がカラガネであり、カラガネが、カラノミサキであるというのであろうが、例の茂吉一流の強引なる論証である。鴨山については、茂吉説を簡単に支持した沢瀉久孝氏は、この「韓の崎」についても茂吉説を疑い、それを江津市高田の大崎鼻《おおさきばな》の地に求めた。この沢瀉氏の大崎鼻説は、茂吉の唐鐘説以上に、根拠のないものである。つまり、この万葉集の詞書を信ずる限り、高角山は高津の山ではなく、韓の崎も韓島ではなくなることになる。

高津鴨山説を決定的に疑い、それを別の地に求めたのは藤井宗雄であるが、高津鴨山説が疑われはじめたのはそれ以前である。すでに徳川時代の国学者中川顕允《なかがわけんじょう》はそういう疑いをもらすが、それも万葉集の原典研究が盛んになれば当然起る疑問である。そして、原典研究がほとんど頂上にまで発達した現在、われわれは、韓の崎を韓島と考えることができないと同様、高津の山を高角山と考えることができない。かくて、高津の山はいささか無理だが島星山とせざるをえず、韓の崎は、何らの根拠なしに、唐鐘あるいは大崎鼻に求められることになる。

何度もいうように、私は今このすばらしい長歌の詳細な解釈に立ち入ることができない。私は今、人麿の死の秘密をとこうとしている。しかし、人麿の死の秘密をとくには、人麿の愛の秘密をとかねばならない。人麿のつくった多くの愛の歌、それは人麿のいかなる人生を語っているのか。私は人麿のすべての愛の歌に触れたい。そしてその歌の解釈を通じて、この悲劇の詩人の全生命を再現したい。しかし、それには、実に莫大《ばくだい》な紙面を必要とする。今われわれは、専《もっぱ》ら、人麿の死の歌、鴨山五首の解釈に立ち入っている。話題を分散せしめると、焦点がぼけてしまう。やむなく、私は結論のみいいたい。

この歌では、私は歌の内容と詞書が矛盾していると思う。矛盾しているのは、その地名のみではない。その内容においてもである。歌は、女に別れて都へ行く男の悲しみを歌っている。その悲しみは異常である。しばらく同棲《どうせい》した現地妻と別れる、それはたしかに悲しいことである。しかし、そういう場合、悲しむのは、男の方より、むしろ女の方である。男の方は悲しいにはちがいないが、長い地方ずまいを終えて、都へ帰れる期待にどこか心ウキウキするものである。都には、妻が、あるいは新しい恋人が待っているかもしれない。彼は女の前では悲しんで見せるが、心のどこかに、長い地方住いを終えて、都へ帰る嬉《うれ》しい心をかくせないのである。泣く女をふり切って、必ず帰ってくるからと約束して都へ行く男、そうして、永久に帰って来なかった男も多かったにちがいない。能の『海人《あま》』や、『砧《きぬた》』はそういう女の悲しみをえがいている。

もし、賀茂真淵以来の人麿朝集使説に従えば、人麿は朝集使として一時都に上るだけである。半年もすれば帰ってくるはずである。それなのに人麿はどうして、そんなに悲しむのか。あたかも朝集使としての一時の旅が、一生の別れを意味するかのように嘆いているのはなぜであろう。そして石見国で人麿が死んでいるところを見ると、人麿は、間もなく帰ってきたのかもしれぬ。別れは、一時の別れであったにちがいない。それなのに、なぜ、人麿はかくも悲しい別れの歌をつくったのか。

私は従来のこの歌のすべての解釈は、詩人の心にある、深い別離の悲しみの正体に鈍感であったと思う。この歌は、朝集使として都に上る人麿が、妻と一時の別れを惜しんだというような歌ではない。その土地においてばかりではなく、その歌の心情において、その歌の内容は詞書と矛盾するのである。

実際の歌の内容と詞書と矛盾したらどうなるか。そのときは、明らかにわれわれは詞書を疑わねばならぬ。すでに多くの学者たちは万葉集の詞書を疑っている。折口信夫は、常に詞書を離れて万葉集を読めとつねづねいっていたそうである。私は詞書は、最終的に平安時代のはじめ、万葉集最終編集のときにつくられたと思う。そのとき、おそらく、多くの歌とともに、人麿の人生そのものの正確なる意味は分からなくなっていたのであろう。私が後に示すように、詞書は疑わしいものが多い。

この歌を詞書を離れて、しかも古来の伝承通り、韓の崎を韓島、高角山を高津の山と考えて解釈したらどうか。そうすると、歌は、韓島に住んでいた人麿が、そこから渡《わたり》の山《やま》、屋上山《やかみのやま》をへて、高津の山へ行った歌になる。そして韓島は、野津説・角田説によって奈良時代の国府の所在地とされる邇摩《にま》郡宅野の沖合にある。国府の沖合にある韓島に、人麿は妻とともにいたのである。もちろん、島にいるのは流人である。そして、国府の近くにある島には監視の眼が行きとどいている。流人の高官は、国府の近くにおいて、監視とともに、保護を加える必要がある。そして流人は、妻と同居する自由を許されている。妻と二人、人麿は、北国の無人にひとしい島にいたのである。しかも、人麿が妻から引き離される日が来たのである。流人・人麿は、国府の近くにある韓島から、高津の沖合にある鴨島に移動することが命ぜられる。しかも、今度は、妻をつれてゆくことができないというのである。この命令が、何を意味するかは明らかであったであろう。流人人麿の行く先に待っているのは、死の運命である。彼は、死の運命を予想する。たとえ万一、死の運命をまぬがれたとしても、行く先は、ますます都から離れた高津の鴨山の地、どうして彼が悲しまずにはいられよう。人麿が、おそらく、わが国の文学史上において、もっとも悲しい別れの歌を残せたのは、こういう彼の運命ゆえではなかったかと私は思う。詞書を離れて歌のみ見れば、人麿は、はっきり、東から西へ行ったのである。そして、妻と別れて、ひとり、死の運命が待っている鴨山へ行ったのである。

歌の解釈は後にもっと詳細に展開したい。しかし、今は、かりに、このような解釈の可能性を示して、この歌の地名を、詞書に従って考えることがけっして合理的でないことを指摘しておけば十分であろう。もしこの詞書に従って、この歌の地名や内容を考えることが、必ずしも合理的でないとしたら、高津の山＝高角山説は、成立不可能ではないと思う。私は、このような説は、けっして後からできた説ではないと思う。古代人は現代人のように、伝承を偽造することをめったにしないものである。伝承の偽造は、多く徳川中期以後である。名所めぐりが行なわれるようになると、伝承は偽造されるが、それ以前は、そんなことをしても、一向、利益にならない。なぜ、平安時代に、高津を高角山に結びつけ、その伝承を偽造する必要があるのか。

このように考えると、現代の大部分の学者が支持しない高角山＝高津の山説も、けっして成り立たない説ではないと思う。私はやはり、高角山は高津の山であり、すなわち、鴨山であったと思う。

この高津＝鴨山説を語るもっとも古い文献的証拠は、先にあげた『正徹物語』である。煩《はん》をいとわずもう一度引用してみよう。

「人丸の木像は石見国と大和国にあり。石見の高津といふ所《ところ》也。此所《ところ》は西の方には入海有りて、うしろには高津の山がめぐれる所に、はたけなかに宝形造の堂に安置したり。かたてには筆を取りかたてには紙をもち給へり。木像にて御座也。一年《（ひととせ）》大雨の降りしころは、そのあたりも水出で、海のうしほもみちて海に成りて、この堂もうしほか波にひかれて、いづちとも行きがたしらず〔うせ〕侍《はべ》りき。さて水引きたりし後、地下の者その跡に畠《はたけ》をつくらんとて、すき鍬《くは》などにて堀（掘）りたれば、なにやらんあたるやうに聞えしほどに、掘り出《（いだ）》して見たれば、此人丸也。筆もおとさず持ちて藻屑《もくづ》の中にまし〳〵たり。たゞ事にあらずとてやがて彩色奉《たてまつ》りて、もとのやうに堂を立て安置し奉りけり。此事伝はりて二、三ケ国の者ども、みな〳〵これへ参りたりけるよし、人の語りしを承り侍りし」

この文章の後に先に引用した「此高津は云々」の文章が続き、最後に、

「人丸には子細ある事也。和哥《わか》の絶えんとする時必ず人間に再来して、此道をつぎ給ふべき也。神とあらはれし事もたび〳〵の事也」

とある。正徹がこれを書いたのは文安《ぶんあん》五年（一四四八）あるいは宝徳《ほうとく》二年（一四五〇）とされ、十五世紀の中頃であるが、当時は学問は伝承を重んずる時代で、正徹はただ伝承を書き止めたにすぎず、この伝承は古い由来をもっていることはまちがいない。

人丸神社旧跡（益田市松崎）

また次のような文章がある。

「高津の洋に、昔は鴨島といへる大なる島山ありて、人丸も是におはせしなり。後一条帝の御宇万寿三年丙寅《ひのえとら》五月、海上に高浪《たかなみ》起て、彼島をゆりこぼちて海中に没せり。人丸御廟に二穂の松とて、名木ありけるが、此浪に根を絶けり。其の後松枝に神像をかけて、近き浜に打よせたり。因《より》て其処《そこ》に、再び社を建立《こんりふ》す。これを松崎《まつざき》と言と」

（『柿本神社縁起』）

縁起は古来から柿本神社に伝わる話を記したものである。『正徹物語』の話と多少ちがうが、鴨島が人麿の死亡地であり、ここに人丸を祀《まつ》った神社があったが津波によって島は水没し、その像が対岸の松崎というところに流れつき、そこに神社がつくられたという大すじには変りはない。この松崎の神社は後に延宝《えんぽう》九年（一六八一）に津和野藩主亀井《かめい》茲親《これちか》（一六六九—一七三一）によって、高津川のほとりにある現在地に移転された。水害の難をさけるためであったという。

高津と人麿を結びつける伝承も多く、『宗祇《そうぎ》法師集《ほうししゅう》』には、

　たかつの人丸によみて奉し哥の中に春欲暮
うつりきて月は有明花にはあらし宿とふへくもみえぬ春哉《かな》
　高つの人麿に三十六首の哥たてまつり侍《はべり》し中に寄道祝を
末の世になりてもむかしありきてふ人をそあふく敷島の道

とあり、また細川幽斎《ほそかわゆうさい》（一五三四—一六一〇）の『九州道の記《きゅうしゅうみちき》』には次のようにある。

「七日浜田を出て行に、高角といふ所なりと云を、舟より見やりて、『石見がたたかつの松の木の間より、うき世の月をみはてぬるかな』と、人丸の詠ぜしこと思ひ

出て

移り行く世々を経ぬれば朽ちもせぬ名こそ高津の松のことのは

と、かくて長門《ながと》の国にいたる」

少くとも室町時代には、高津を人麿の終焉地とする伝承ははっきり形成されていたと思われるが、例の「高津の山」の歌が『柿本集』にとられているところを見ると、それは平安時代にまでさかのぼることができると考えて差支《さしつか》えなかろう。

また鴨島水没と神社の松崎移転にかんしても多くの証言が一致している。

「神亀元年甲子《かっし》三月十八日、高角山に卒《しゅっ》す。終に臨んで歌有り、山間の月溘焉《かふえん》として、別れをなすを嘆くといふ。国人為《ため》に、廟《べう》をその地に立て、人丸寺を置きて、祀《し》を掌《つかさど》る。其の山、海上に横出し、民、之に邑《あつま》ること頗《すこぶ》る庶《おほ》し。万寿三年丙寅《へいいん》五月、海騰《あが》り、山崩れ、挙《ことごと》く皆、湮没《いんぼつ》す。すでにして一松游波《いうは》に汎《うか》び、神像、其の椏《また》に存《あ》り。因りて更に廟と寺とを作り、相承《う》けて六百有余載、其地を松崎といふ。津和野の藩と為《な》るに及びて皆ここに属す。尚《なほ》、其の海に浜《ちかづ》き、災あるを恐るるなり。命じて之の南一里に遷して遠ざくる。仍《よ》りて高角山と名づけ、古を存するなり」

(釈顕常《しゃくあきつね》撰書「正一位柿本大明神祠碑銘」明和九年、原文漢文)

「人麻呂ノ祠ノ存在スルヲ以《もつ》テモ高角ノ地トスルコト動クベカラズ。今浜田城山ノ傍ニ住吉ノ祠アリ、其境内ニ人麻呂ノ小祠アリ、何ノ世ヨリアリキタレルヤシラズ。熊臣今右等ノ諸説ヲ合テ尚熟考ルニ、上ニ或人モ云《い》ヘル如《ごと》ク、今ノ高角ノ地、古代ハヨロシキ船着ニテ、湊口《みなとぐち》ニ鴨島トテ一ツノ嶋アリテ、其処ニ家居数百軒アリ。其山ヲ鴨山ト云。梵刹《ぼんさつ》ナドモアリテ、中ニモ前浜後浜ト云フニ、千福万福トテ二大寺アリ。彼万福寺ハ万寿大変ノ後、益田郷ニ移建テ今ニ存シ、千福寺ハ遂ニ廃シテ、今空ク古高角ノ海辺ニ千福寺渡トイフ川ノ名ニノミ残レリ。是即ソノ跡ナリトイヘリ。其外青楼花街軒ヲ並テ、最繁華ノ地ニテ、北洋往還ノ泊船、日夜ニツドヒテ大ナル湊《みなと》ナリシガ、後一条帝ノ御宇、万寿三年丙寅五月、津濤《つなみ》ノ為ニユリ崩サレテ、鴨山ナクナリシカバ、舶入ノ便モ悪クナリテ、遂《つひ》ニ今ノ如キ地トハナレリシナルベシ。今現ニ古高角浦ノ川底、海岸ノ沙中《さちゅう》ナドニ、礎石或ハ石塔五輪ナドノ、多ク埋レテアルガ、皆古代ノモノナルニテ知ルヘシ。此処ノ近村久代村大喜庵ト云ニ画師雪舟ノ墓アリ。此墓石ハ海中ヨリ拾ヒ出タル古石ナリト云。此辺ニテハ右ノ外ニモ古キ埋石ヲ得テ墓ナドニ立ル者間多キナリ。又井ヲ掘ニ地底ニ大木ノ横タハレルガ有テ井ノ調ハサリシコトナドモアリシトゾ」

（岡熊臣《おかくまおみ》『柿本人麻呂事蹟考弁』）

矢富熊一郎氏はこの説を支持する文献として、『縁起』及び『考弁』以外に、益田医光寺《いこうじ》住僧釈南嶺《しゃくなんれい》記『柿本人麻呂咳唾集《かきのもとのひとまろがいだしゅう》』、石田春律《いしだはるのり》著『石見八重葎《いわみやえむぐら》』、伴蒿蹊《ばんこうけい》著『閑田次筆《かんでんじひつ》』、芝山卿《しばやまきょう》（藤原持豊《ふじわらのもちとよ》）記「松崎碑文《まつざきひぶん》」、『日本記志略《にほんきしりゃく》』、『日本事蹟考《にほんじせきこう》』、金《かね》子《こ》杜駿《もりとし》著『石見海底廼伊久利《いわみのうみそこのいくり》』、『島根県史要』、『島根県史』、『檜嬬手《ひのつまで》』、『古義』、『攷《こう》証《しょう》』、『美夫君志《みふぐし》』などをあげている。私はこれらの書物を全部は見ることはできなかったが、矢富氏のいうように、この説のみが伝承的根拠のある唯一《ゆいいつ》の説であることはまちがいない。

とすれば、よほどの理由がない限りその伝承を疑うことはできないが、問題の中心は、はたして万寿三年に大津波があり、鴨島が水没するようなことがあったかどうかである。

これについても、矢富氏の執拗《しつよう》なまでの追究があるので、くわしくは氏の著書『柿本人麻呂と鴨山』を見てほしい。高津の柿本神社へ申し込めば、すぐに送ってくれる。

矢富氏は、津波の伝承をのせた文献として次のものがあるという。永享《えいきょう》二年（一四三〇）僧正徹著『徹書記物語《てっしょきものがたり》』、貞享《じょうきょう》三年（一六八六）大淀三千風《おおよどみちかぜ》著『日本行脚全集《にほんあんぎゃぜんしゅう》』、明和《めいわ》九年（一七七二）釈顕常著『柿本人丸事跡考』、年号不明同人書「人麻呂石碑」、安永《あんえい》三年（一七七四）十月香《か》川景隆《がわかげたか》著『石見国名所集《いわみのくにめいしょしゅう》』、寛保《かんぽう》二年（一七四二）三月金《かな》丸常昭《まるつねあき》『筆柿記《ふでがきき》』、文化《ぶんか》八年（一八一一）三月藤原持豊撰文「芝山卿碑文」、文化十一年八月岡熊臣著『柿本人麻呂事蹟考弁』、文政《ぶんせい》九年七月（一八二六）石田春律著『石見八重葎』。

その他『沢江《さわえ》家《け》文書《もんじょ》』なるものは、高津から少し東に入った益田市遠田《とおだ》をおそった万寿三年五月二十三日の災害の有様と、その復興に力を尽した坂上利兵衛《さかがみりひょうえ》、喜兵衛《きひょうえ》及び芝右兵衛《しばうひょうえ》の話をくわしく伝えているし、『遠田《とおだ》八幡宮由緒《はちまんぐうゆいしょ》』にもその津波の話が伝えられている。

また江田（現江津町）及び渡津《わたづ》付近でも、この時の津波の被害は甚大《じんだい》であったらしく、その伝承は文書及び口伝によって現在まで伝えられている。

また当時この益田付近には専福《せんぷく》、安福《あんぷく》、福王《ふくおう》、妙福《みょうふく》、蔵福《ぞうふく》の五福寺があったが、ことごとく潰滅《かいめつ》した。安福寺は後に移転し、万福寺《まんぷくじ》と改められ、これが雪舟《せっしゅう》の庭園で有名な寺となるが、この万福寺には、大津波に漂着した流仏三体を蔵しているばかりか、その時死んだ人のものとされている頭蓋骨《ずがいこつ》を保存している。

また福王寺には、この鴨山あととされている大瀬《おおせ》から、明治三十四年（一九〇一）八月二十一日、漁夫山本弥吉《やまもとやきち》が引き上げたという鏡が保存されている。平安時代のものと思われる。

また津波がしばしば島の水没を伴うことは、論ずるまでもないであろう。日本海は徐々にではあるが、沈降していることは地質学の常識である。茂吉は「陸地が却って増してゐるぐらゐである」とうそぶいているが、大きな地震及び津波は、ある所では土地を隆起させ、ある所では大地を陥没させることは、明治五年の浜田地震にてらしても明らかである。

万寿三年の地震は、明治五年の浜田地震に数倍する激震であったことはまちがいないが、そのような地震によって、おそらくそう高くはない島であったと思われる高津沖合の鴨島が水没したとしても不思議はない。

このへんの矢富氏の論証は精緻《せいち》をきわめているが、その鴨島のあととして矢富氏は大瀬の存在を指摘している。

すでに香川景隆《かげたか》・江《え》村景憲《むらかげのり》共著の『石見国名所集』に次のようにあるという。

「鴨山伝説鍋島《なべしま》の跡は、今なるは三瀬といふ。鴨島の東にあり。かもしま地をはなるる事十五歩許《ばかり》、たて廿歩許り。あさき所は或は四尋《ひろ》、ふかき所は十二三許りたつとぞ。海上壱歩、七十尋にて、間にして五十四間程也。むかしの鴨島の形は波にしづみ、底の岩瀬のみ也といへども、其名は千歳の今にくちずして、諸人能《もろびとよく》しる所なり」

また金子杜駿の『石見海底廼伊久利』にも次のようにあるという。

「鍋島のあとは、今鳴神瀬と云ふ。鴨島の東にあたりて、鴨島の地を離るること十五歩ばかり、横三歩、竪《たて》二十歩ばかり（海上の一歩は七十尋也。間にして五十四間に中《あた》る也。）昔の鍋島は波瀾《はらん》にしずみて、底の岩瀬となりぬれど、其名は千歳の今に朽ちずして、諸人の知る所なり」

矢富氏はこういう文献的証拠をあげて、次のように結論する。

「今日伝説中の鴨島・鍋島の遺跡について、中須海岸の住民は、中島・中須沖合の、暗礁《あんしょう》をもってこれに擬しておる。この岩礁大瀬（現在海岸との距離十本）十三本（同上十五本）及び四十七本（同上四十九本）がこれで、三つの暗礁を総称して三つ瀬と言う。何本と言う本は、地引網に使用する、綱の長さをもって現した距離で、一本は五十尋の長さの、糸又は縄をない合せた大綱で、長さ四十間に相等する。大瀬は海岸から最も近く、五二〇間（一キロ）の距離にあり、水面から十尺（三メートル）の深度を有し、海の荒れる大波の日には、白波の立つのが海岸からうかがわれる。地方の人は大瀬が鍋島で、十三本が鴨島の跡だと言うておる。が実はこの大瀬が、いわゆる鴨島の跡なのである。

万寿以前の鴨島は、陸続きをなす一の低い島だったと思われる。当地方の海岸が、年々減少しつつあることは、上述の通りである。益田・高津の両河から、流出する土砂はおびただしい。しかるに河口に新しい、沖積土を作らないのは、勿論《もちろん》海岸部が、沈降しつつある、現象を示しておるのである。

前述のように古老の話によると、最近四十年間に、中須の浜は、幅三十間（六〇メートル）も減少したと言っており、大塚の浜は五十年間に、五十間（一〇〇メートル）も減少したと言う。海中にある岩礁大瀬との距離が、次第に大きくなって、引網綱何本と名づけられた、江戸時代の中期から、現在まで二百年間に、引網綱二本の増加となった。二本は、百尋に当るので、約一六〇メートルの海岸が、後退したことを示しておる。

大瀬と海岸との距離は、今日引綱十三本を要する距離だから、その長さは六五〇尋、すなわち一、二〇〇米《メートル》に当る。だから一年に一・三メートル強の割合で後退するものとすれば、九百年間には八一、二〇〇メートルの、後退を見ることとなり、万寿年間に大瀬は海岸に、接近していたことが考えられる。

大瀬は今浅いところで、水面下三メートルの海底にある。五十年間に一〇センチあて、沈降するものとすると、九百年間には、約二メートルの沈降となる。浜田地震に伴う津波の高度が、四尺（一・三メートル）から一〇尺（三メートル）程度であったことに比して、伝説の万寿の津波は、それの数倍にあたる、高さ一五メートル位のものと想像される。従ってその陥没も、四尺から六尺に数倍する、六メートル位なものと知られる。だから鴨島はこの地震のため、一朝にして六メートルばかりも落ちこんで、水中にかくれたものと考えられる。爾来《じらい》毎年の陸地沈降のため、次第に水底深く陥入すると共に、海岸からの距離も遠ざかって、今では見る影もない、一の岩礁として取残され、昔良港としての繁栄も、全く忘れ去られたものとしか考えられない。

若《も》し万寿の断層地震に、六メートル落ちこんだものとすると、その後大陸の陥没が伴って、八メートルの沈降となり、万寿の当時には、約五メートルも水上に浮び上り、この岩上に土を冠《かむ》っていたものとすると、五メートル以上の高さを有する、島になりはしないかと思われる。しかも九百年前には、この島は海岸に接していたのである。この島の最高地点が、伝説の墓地をなす鴨山だった訳である」（前掲書）

この矢富氏の精細なる論究に疑をはさむ余地はない。私は矢富氏の案内で高津の各地を回ったが、矢富氏のいうように鴨山＝高津説はまちがいがないと思う。ただ矢富氏は、やはり契沖、真淵の伝統に従って、人麿は国府の役人として班田収授《はんでんしゅうじゅ》のためにこの地に来たものであると考えている。私は彼が流人であったと考え、その点に私と矢富氏の人麿解釈に大きな差異があるが、茂吉の鴨山説の反論としてと同時に、高津＝鴨山説の論証として、氏ほど精細にして鋭利な論究を展開された学者を寡聞《かぶん》にして私は知らない。

しかし私は疑い深いのである。氏には内緒で、氏とともに私の調査に大きな便宜を与えてくれた私の立命館大学時代の教え子である、毎日新聞社浜田通信部に勤務する山藤廉君《さんとうきよし》に頼んで、「高津沖合海図」を送ってもらったが、やはり海図は疑いなく大瀬の存在を示し、矢富説を裏づけていた。

ここにきてもう私は、死の前にある柿本人麿がいたのは、あの高津の鴨山と断定して差支えないと思う。

どうやら私はいささかのめんどうな回り道をしたようである。人麿は今、高津の沖合にあった鴨島にいるのである。

墓のある小島で詩人は自らの挽歌《ばんか》をうたう

この鴨島に、今人麿はいる。そして彼は、死を覚悟して辞世の歌をよむ。この歌には詞書《ことばがき》があって、「柿本朝臣人麿、石見国《いはみのくに》に在りて臨死《みまか》らむとする時、自ら傷《みづかいた》みて作る歌」とある。ここで「自傷」という言葉がつかわれているが、この同じ言葉が詞書につかわれているのは、同じこの巻の挽歌の最初の歌のみである。

有間皇子《ありまのみこ》、自ら傷《みづかいた》みて松が枝《え》を結ぶ歌二首

磐代《いはしろ》の浜松が枝を引き結び真幸《まさき》くあらばまた還《かへ》り見む　（巻二・一四一番）
家にあれば笥《け》に盛る飯《いひ》を草枕《くさまくら》旅にしあれば椎《しひ》の葉に盛《も》る　（同・一四二番）

万葉集には、その他にも辞世の歌がある。たとえば、巻六には山上憶良《やまのうえのおくら》の歌がある。しかし、憶良が病死であったことは、「山上臣憶良の沈《おも》き痾《やまひ》の時の歌」という詞書によってもはっきり分かる。人麿の辞世の歌には病気をあらわすような詞書はない、というよりはむしろ、非業《ひごう》の死をとげた有間皇子の歌の詞書と同じ表現である点に、その死が尋常な死でないことを感じさせる。

「自傷」とは、どういうことか。自らの死を傷むとは、どういう場合にありうることか。死とは予期しがたく、実際にその死がきたときには、人間は意識を失っているはずである、それゆえ、自らの死を傷むためには、自らの死が確実であるという意識が必要であろう。人が病気で死ぬ場合、いつも死を予期するとは限らない。急病の場合には全く死の意識なしに死んでしまう。病気が徐々に重くなる場合でさえ、まさか俺は死ぬまいというううぬぼれ、あるいは期待をもっているので、多くの人は死をほとんど意識せず、また意識しようともしない。あるいは病気が徐々に悪くなる場合には、もう辞世の歌なんかつくっている余裕もないであろう。

山上憶良の臨終の歌であるという「士《をのこ》やも空《むな》しかるべき万代《よろづよ》に語り続《つ》ぐべき名は立てずして」（巻六・九七八番）は、辞世の歌というよりも、病気で死んでたまるか、何とか元気になってもう一働きしてやるんだという、最後まで現世への執着を捨てられなかった憶良の無念の叫びの歌のような気がする。

病気では、自らの死を傷む歌はつくれなかったかもしれない。自らの死を傷む歌をつくるのは、自らの死が確実であることが意識されながら、しかもその死が自らにとってのぞましくない場合である。自殺者が自らの死を傷むということは、本来ありえない。彼は自ら求めて死ぬのだから。真に自らの死を傷む歌をつくりうるのは、不本意に、死が他人によって与えられた人のみである。われわれは、近代日本で辞世の歌を残した政治家は、おもに巣鴨《すがも》で死んだ戦犯政治家であったことに思いを馳《は》せるべきであろう。人麿が、有間皇子と共に、万葉集中にただ二人だけ自ら傷める歌を残しているのは、どういうわけであろう。

ところで、この人麿の歌の意は明らかで、ほとんど問題はない。契沖は、この歌の「不知」という言葉を「シラストハ、シラヌ事トテト云ハムカ如シ」（『万葉代匠記 精撰《せいせん》本』）とのみいい、真淵は、鴨山を「こは常に葬する山ならん」（『万葉考』）と説明しているだけであり、雅澄《まさずみ》は「歌意かくれたるところなし」（『万葉集古義』）といっている。それゆえ、誰が訳をつけても、ほぼ同じ訳となろう。

「鴨山の磐《いは》を枕に横たわっている私をか、知らずにわが妻は待っているだろう」（武田祐吉『万葉集全註釈』）

「鴨山の岩根を枕にふせつてゐる自分を知らないで妻が待つてゐることであらうかナア」（沢瀉久孝『万葉集注釈』）

「鴨山の岩を枕として居る吾を知らずに、妹が待ち待つて居ることであらう」（土屋文明『万葉集私注』）

「鴨山の岩を枕として寝てゐる自分だのに、其《その》自分をば、いとしい人は知らないでゐて、帰りを待つてゐることだらうよ」（折口信夫『口訳万葉集』）

どれもこれも大同小異であるが、私はこの「枕《ま》ける」という言葉の意味をとったほうがいいと思う。この「枕ける」は原文では「巻有」とある。「磐根《いはね》し巻ける」でなく「妹をし巻ける」といえば、男と女がからみつき、もつれ合っている感じである。人麿には、こうした男と女がもつれ合っている生々しいイメージの歌が多いが、この死を前にした歌には、そういう男女のもつれ合っているイメージが背後にあると私は思う。

この「磐根しまける」の他の用例は、万葉集巻二のはじめの歌、仁徳《にんとく》天皇皇后、磐《いわの》姫《ひめ》の歌がある。

かくばかり恋ひつつあらずは高山の磐根《いはね》し枕《ま》きて死なましものを
（巻二・八六番）

ここにもやはり、男と女がもつれ合っているイメージが背後にあると思う。女は男を待ち、待ちくたびれて気も狂わんばかりである。後世、世阿弥《ぜあみ》が好んでえがく、愛の狂気、色情の狂気の形である。――こんなに恋しいあなたが来ないので、いっそ岩でも抱いて死んでしまおうかしら。ここには、来ない恋人にいらだつ女の媚態《びたい》がある。人麿の歌にも、そういう響きがあると私は思う。それは、引き裂かれた愛を歌っているのだ。

「家にいたら、私はお前を抱いて寝ているはずなのに、今ここで、鴨山の岩を抱いて、私は永遠の眠りにつかねばならない。ああ、妻よ。お前はそんなこととは夢にも知らずに、私の帰るのを今か今かと待っていることであろう」

かくてわれわれは、鴨山で歌を詠む人麿を見出《みいだ》す。人麿は全く病気らしくはないが、すでに死を覚悟している。いったい、人麿に何が起ころうとしているのか。

○第二の状況

人麿はいかに葬《ほうむ》られたか——山峡説と火葬説

　　柿本朝臣人麿死時、妻依羅娘子作謌二首

且今日〻〻〻　吾待君者　石水之　貝尓 一云、谷尓　交而　有登不言八方

直相者　相不勝　石川尓　雲立渡礼　見乍将偲

　　柿本朝臣人麿の死《みまか》りし時、妻依羅娘子《よさみのをとめ》の作る歌二首

今日今日《けふけふ》とわが待つ君は石川の貝に 一に云ふ、谷に 交《まじ》りてありといはずやも　（巻二・二二四番）

直《ただ》の逢《あ》ひは逢ひかつましじ石川に雲立ち渡れ見つつ偲《しの》はむ　（同・二二五番）

　　丹比真人 名闕 擬二柿本朝臣人麿之意一報歌一首

荒浪尓　縁来玉乎　枕尓置　吾此間有跡　誰将告

　　丹比真人《たぢひのまひと》 名をもらせり 柿本朝臣人麿の意《こころ》に擬《なずら》へて報《こた》ふる歌一首

荒波に寄りくる玉を枕《まくら》に置きわれここにありと誰か告げなむ（同・二二六番）

すでに人麿は死んでしまった。万葉集は人麿がいかにして死んだかは語らない。ただ、人麿が死んだ後、妻の依羅娘子がつくった歌と、その歌にたいして、死んだ人麿に代わって答えた丹比真人の歌をのせ、それによって人麿がどのように死んだかを暗示しようとする。これらの歌は、前の人麿の歌と関係していると共に、この三首の間には緊密な連関がある。それゆえ、正しい歌の解釈は、この三首の間の緊密な連関を明らかにすることのできるものでなければならぬ。このうち、一ばん解釈のむずかしいのは、第一の歌である。それが正しく解釈できれば、第二、第三の歌は、簡単に解釈できる。第一の歌の解釈をまちがえると、次の歌、特に第三の歌との関係が全く見失われ、完全に迷路に迷いこみ、この歌全体の意味、ひいては万葉集全体の意味をも見失ってしまう。

まず第一の歌の解釈をしよう。この歌については、従来、いろいろに解釈されてきたが、そのほとんどは誤った解釈である。歌の意味は、「今日帰ってくるか、今日帰ってくるかとまっているあなたは、石川の貝に交っているというではありませんか」という意味であろう。これは、そのようにとるしか仕方がないが、従来の解釈は、このようにごく自然に意味をとらずに、たいへん無理な解釈をしているように思われる。私は無理な解釈、まちがった解釈の方から順々にとり上げ、正しい素直な解釈にこの歌の意味をもどすことにしよう。

㈠　山峡説。橘守部《たちばなもりべ》、近藤芳樹《こんどうよしき》、斎藤茂吉の説であり、茂吉の影響をうけて、沢瀉久孝、土屋文明もこれに従う。橘守部は、「石水之貝」を「石見山の峡《かひ》」と読み、近藤芳樹は「石川の峡」と読むが、「交りて」を「マジコリテ」の意味ととる。茂吉も二人の先輩にならって、「石川の峡」と考え、鴨山を江ノ川の上流に求め、亀の地にそれを見出したことは前に述べた。そして、このような考えは、(1)言葉の上からいっても、(2)歌の情趣からいっても、(3)丹比真人の歌との関係からいっても、誤っていることは前に述べた。このような解釈は、(1)言葉を無理に改め、(2)人麿の死にたいする依羅娘子の切実なる悲しみをあいまいにし、(3)何よりも、人麿の死の真相を暗示させるために万葉集の撰者が丹比真人の名によって加えた大切な歌を全く除外してしまう点において、到底許されない解釈である。

茂吉がどんなに口をきわめて丹比真人の歌を罵倒《ばとう》したか、その罵倒にならって多くの国文学者は茂吉の如く、丹比真人が都にいてこの歌をつくったために人麿の死の場所を誤認したのだと、もっともらしく説明しているのをもう一度思い出してほしい。

私にはそれは丹比真人に加えられた罵倒であり誤解であるというより、人麿そのものに、万葉集そのものに加えられた罵倒であり誤解であるように思われる。

㈡　火葬説。武田祐吉『万葉集全註釈』および日本古典文学大系（岩波書店）などがとる説である。

『全註釈』の文は、この歌を、「今日は今日はと、わたくしの待っている方は、石川の貝の中に交っているというではありませんか」と訳し、「石水」を「石水之　イシカハノ。水をカハと読むのは、集中、『此水之《コノカハノ》湍爾《セニ》』（巻七、一一一〇）などある。石川は、石見の国にあり鴨山を廻っている川で多分火葬地であろう」と注し、「評語」で「待っていた夫は遂に来らず、しかも世界を異にして石川の貝に交っているという、悲痛の情を披瀝《ひれき》している。石川のほとりで火葬にしたのを、貝ニ交ルで表現しているのかも知れない」と補足している。

また日本古典文学大系の方は「今日は来られるか今日は来られるかと、私の待つ君は、石川の貝にまじっているというではないか」と訳し「火葬して散骨したのではないかという説がある」と注し、補注で「石川の貝　貝を峡《かい》と解するか、そのまま貝と考えるかの二説がある。峡にまじるということにはやや無理があり、貝に交るということも、死んでそのままでいることとしてはいささか無理がある。そこで、火葬に附して散骨したのではないかという考えが提出されている（精考）」と説明している。

この説は、菊池寿人《きくちひさと》の『万葉集精考』からきている説であり、『万葉集精考』の原文を見ていないが、やはり無理な説であると私は思う。この解釈によれば、柿本人麿の屍《しかばね》は火葬にされたらしいが、火葬された人麿の死体がどうして貝に交っているのか、全く明らかではない。日本古典文学大系の方の解釈では、散骨したのではないかというが、火葬にした人間の骨を散骨して川に流すなどという風習があるのであろうか。また、石川のほとりで火葬にしたのを「貝に交りて」と表現するには、人麿の死骸《しがい》を粗末に扱ったために貝でもついたとしか考えられないが、そんな馬鹿なことがはたして起こりえようか。

日本で火葬が行われたのは文武四年に死んだ道昭《どうしょう》（六二九—七〇〇）にはじまるといわれるが、天皇にしてはじめての火葬者は大宝二年（七〇二）に死んだ持統天皇である。人麿が死んだと思われる和銅初年は、それより七、八年後であり、また万葉集には、人麿が火葬にされた娘子を詠んだ歌があり、人麿自身、火葬にされた可能性もなくはない。だが、はたして石見の田舎に、わずか十年足らずで都の火葬の風習が伝わっていたかどうかは、はなはだ疑問である。

それはともかくとして、火葬にされた死体、あるいは骨が貝に交わるというのは、どう考えても変である。火葬にした骨を川に流すなどという珍妙無類なことは到底ありえないと思うが、日本古典文学大系はそのような珍妙無類のことを人麿の死体にたいして行なっている。おそらくは、自らのいう説に自信がもてなかったものであろう。「……説がある」とか、「……という考えが提出されている」という言葉で、自説にたいする責任をのがれているが、少しは火葬―散骨という説がどんなに珍妙な説であるか、考えてみてほしいものである。

このような解釈は、決してありえない火葬―散骨の風習を捏造《ねつぞう》すると共に、人麿を失った妻の依羅娘子の痛切な悲しみを理解しない解釈である。人麿の死の様もぼやけ、依羅娘子の悲しみもぼやけてしまうのである。

それればかりか、このような解釈をする限り、丹比真人の歌との関係までもぼやけてしまう。丹比真人の方の歌も、文字通りうけとれば、むつかしいところの全くない歌といえる。「荒浪に寄せてくる玉を枕もとにおいて、私がここにいると、誰がお前に告げてくれることであろうか」という歌である。しかし、石川の歌を無理に解釈し、その正確な意味を見失ってしまうために、丹比真人の歌の方も解釈できず、この歌もまたこじつけなければならないことになる。

『万葉集全註釈』は、人麿の墓が海の方にあったと解釈する。

「枕尒置　マクラニオキ。マクラは、枕頭《ちんとう》、頭の方という意。『父母波《チチハハ》　枕乃可多《マクラノカタ》爾《ニ》　妻子等母波《メコドモハ》　足乃方爾《アトノカタニ》　囲居而《カクミヰテ》　憂吟《ウレヘサマヨヒ》』（巻五、八九二）のマクラで、アト（足辺）と対立する。『まくらよりあとより恋の迫め来ればせむ方なみぞ床中に居る』（古今和歌集）。人麻呂の墓が、海岸にあったことが証明される。

吾此間有跡　ワレココニアリト。ワレは人麻呂に代つて言つている。ココは墓所。

（中略）

〔評語〕依羅の娘子の、石川ノ貝ニ交リテアリトイハズヤモという歌の意に和したので、人麻呂がこの石川の浪のよする地に埋められたと誰が告げたであろうかといぶかつている。これによればやはりかくし妻であつたので、臨終にも立ち合うべくも無かつた娘子であろう」

これは完全なる歌の意味の誤解である。原文は「私がここにいるのに、誰が恋しいお前に告げるであろうか。誰も告げる人はいない」という意味であろう。つまり、人麿のいる場所は誰にも分からないのである。もしそれが墓のありかであるならば、墓の所在を誰かが知らないはずはあるまい。できたばかりの墓を探して、依羅娘子は人麿のもとへたどりついたはずである。そして「荒浪に寄りくる玉を枕に置き」などという感じは、海辺に墓をつくるということではあるまい。ここで、人麿の妻が夫の墓も知らずにいるというのは変なので「かくし妻であつたので、臨終にも立ち合うべくも無かつた娘子であろう」という。一つの誤解が、さらにもう一つの誤解を生んでゆくという、よい例であろう。

日本古典文学大系の方は、次のように説明する。「〔大意〕荒い波にうちよせられて来る玉を枕辺において自分がここにいると、たれが家の者に告げてくれることであろうか。○この歌は海浜のようすを詠《よ》んでいるから、狭《さ》岑《みね》の島《しま》の歌（二二〇）の死人のさまを連想して作ったものかといわれる」

訳はたしかに正しい。しかし、注の方はどうだろうか。この歌は、丹比真人が、人麿の妻・依羅娘子の詠んだ歌に答えて、人麿に代わって作ったはずなのに、人麿の辞世の歌の一つ前の歌、狭岑島《さみねのしま》の歌の死人のさまを連想してつくったものという。冗談もいい加減にしてほしいものである。われわれは人麿の死の歌の解釈を要求しているのに、一つ前の死人の話を出している。それでは、丹比真人は全くふざけた人間であることになる。こんなふざけた人間に、夫に代わって歌をつくってもらったのでは、依羅娘子もたまったものではない。おそらく日本古典文学大系の著者は、自信がないので「……といわれる」などといったのであろうが、こんな説明は丹比真人を馬鹿《ばか》にし、依羅娘子をも馬鹿にし、ひいては柿本人麿をも馬鹿にしたものであることを、少しは考えてほしい。われわれは、契沖、真淵などとともに、人麿を尊敬するかに見えて、よってたかって人麿を馬鹿にしてきたように思われる。

合理的解釈ゆえのさまざまな誤読——土葬説ほか

(三) 土葬説。契沖によってとなえられた、古くからある説である。

「此哥《コノウタ》ニ依《ヨ》レハ、鴨山ハ海辺ノ山ニテ、其谷川ヲ石川トハ云ナルヘシ。水ノ字、第七ニモカハトヨメリ。神武紀云。縁《ソヒテ》レ水《カハニ》 西《ニ》行。雄略紀云。久目水《クメカハ》。貝ニマシリテハ、鴨山ノ麓《フモト》カケテ川辺ニ葬レルニコソ。仙覚抄ニ、源氏、蜻蛉《カゲロフ》ヲ引テ云。水ノ音ノ聞ユル限ハ心ノミサハキ給テカラヲタニ尋ス。浅マシクテモヤミヌルカナ。イカナルサマニテイツレノ底ノウツセニ交リニケムナト、ヤルカタナクオホス」

(『万葉代匠記 精撰本』)

また岸本由豆流《きしもとゆずる》は、次のようにいう。

「石水《イシカハノ》。こは鴨山のうちの川なるべし。人まろをば、この川の辺などに葬りしにや。

〔……〕

貝爾《カヒニ》。一云谷爾《タニ》 交而《マジリテ》。人まろを、この水の辺にや葬りつらん。されば、貝にまじりてとはいへり。今も、山中などを、堀に、地下より貝の出る事もあり、山川の底なるを、石と、もに貝のながる、事もあれば、海岸ならずとて、貝なしともいひがたし」

（『万葉集攷証』）

契沖は、鴨山を海辺の山と考え、海辺の山なので、葬った場合、貝に交ったのであろうと考える。岸本由豆流は、さらにそれを一歩進めて、葬った場所は水のほとりでさえあれば、別に海の近くでなくてもよいという。山中などで、貝の出ることもあるから、さぞかし川の辺にでも人麿を葬ったのであろうという。

これも無理な解釈である。どうして、土に埋めた死体が貝と交わるということがあろうか。貝は水底および水底近くにいるものである。たとえ水の近くに死体を埋めても、死体は相当深く埋めねばならぬ。深く掘らない限り、荒浪の寄せてくるようなところでは、たちまち死体はさらされて、水に流されてしまう。ところが、貝と交わるためには、死体を水にさらさねばならぬことになる。どうみても不合理である。

契沖も、由豆流も、おそらくそう考えるより仕方がないと思って、その説明をつけたのであろうが、人麿の死体を土に埋めて、荒浪の寄せくるところで貝と交わらせるのは、たいへん無理である。土葬説をとっても、「荒波に」の歌の解釈はむつかしく

なる。これについては、契沖も、由豆流も、あいまいである。娘子カ二首ヲ摠ノ意ヲ以《モッ》テ

「哥ノ意ハ誰有テカ我死ヲ告テ妹ヲ歎《ナゲ》カシムルトナリ。

カヘスナリ」

(『万葉代匠記　精撰本』)

「一首の意は、石川の荒浪に、よりくる玉を、まくらのかたにおきて、吾こゝにありといふことを、妻にたれかつげゝん。妻が、いしかはの貝にまじりて有と、いはず八方といへるはとなり。まへにいへるがごとく、この石川の辺りに、葬り埋めたるなるべし」

(『万葉集攷証』)

このような解釈では、この歌の激しさは絶対に理解できないであろう。荒浪にゆれて行方知らずの死体、それがこの歌からはっきりと浮かび出てくるイメージである。墓場ならば、どうして「誰か告げなむ」などということができるであろう。

(四)　その他の説。私は、真淵もこの歌をはっきりと解釈することができなかったと思う。なぜなら、石川の歌にたいしては、次のような説明をしているだけである。

「且今日《ケフ》且今日《ケフト》、吾待君者《ワガマツキミハ》、石水《イシカハノ》、紀にも水をかはと訓、次にも石川と書たり、貝爾《カヒニ》交而《マシリテ》、次に玉をもいひしが、此川の海へ落る所にて貝も有べし、

有登《アリト》不言《イハズヤ》八方《モ》、　いはずやもと当りていふに、いたく歎くこゝろあり」

（『万葉考』）

これだけでは、石川がどこにあり、人麿の死体と石川とがどう関係するかよく分からないが、丹比真人の歌を次のように解釈しているところをみると、真淵もこの歌の意味をはっきり理解していないことが、はっきりする。

「丹比真人《タヂヒノマヒト》、今本注に名闕といへり、本よりも志れざりしか、〔……〕

擬《ナゾラヘテ》二柿本朝臣人麻呂之意《ガコヽロニ》一作歌、　今本こゝに報歌とあれど、報と云べき所にあらず、後人さかしらに加へし言と見ゆ、

荒浪爾《アラナミニ》、縁来玉乎《ヨセクルタマヲ》、　枕爾巻《マクラニマキ》、　今本置と有は理りなし、巻の草より誤しものなり、

吾此《ワレコ》、間有跡《ナリト》、　爾阿の約奈《ナ》なれば、こゝにありてふ言を、こゝなりといふ、

誰将告《タレカツゲマシ》、　故郷人になり」

（同前）

丹比真人の名をばもともと知れなかったと真淵はいうが、私はそうではないと思う。故意に、その名をはっきり出さなかったのではないか。名を明らかにすることが危険な場合は世の中にはよくあることである。真淵はそれを知らないのであろうか。真淵はまた、「報歌」というのを「後人さかしらに加へし」ものであるという。ど

うしてそんなことがいえるのか。おそらく真淵はこの歌を、ひいては人麿の死をめぐる五首の歌を、全く理解していない。そして、理解していなくて「後人さかしらに加へし」というのは、『古今集』の序に加えた真淵の言論の暴力と同じである。「さかしら」なのは、真淵の方なのである。さかしらなために、人麿が、万葉集が、古代日本が、彼には分かっていないのであるが、そのさかしらゆえに、現在まで真淵の学は万葉集を毒している。われわれは真淵に始まる学問を徹底的に破壊することなしには、真の万葉学を樹立しえないであろう。

「報歌」という言葉を「後人さかしら」と否定した真淵は、この告げたい相手を故郷の人とする。おそらく、明敏な頭脳をもった彼は、これが妻ならばおかしなことだと思ったのであろう。妻に、石見の国にいる妻に、その死の場所が分からぬはずはない。そう考えて報という字を否定し、この歌の相手を故郷大和《やまと》の人にしたわけであろうが、そのように「さかしら」ぶった解釈をしたとしても、この歌の解釈は一歩も進まないのである。

鹿持雅澄《かもちまさずみ》の『万葉集古義』は、一応正しい解釈を加えているが、雅澄という人は論理的矛盾の感覚の乏しい人らしく、丹比真人の歌を「歌意かくれたるところなし」といって片づけている。

山峡説、火葬説、土葬説、すべての解釈がまちがっているとすれば、いったいいかなる解釈が正しいのか。その場合に、われわれはやはり、一応古注にもどるより仕方がないと思う。仙覚はいったいどのような解釈をしているか。

古注に見る浮舟の死のはるかなこだま

われわれは先に仙覚のこの歌にかんする解釈を調べた。彼は人麿の死が何であったかを語らない。しかし、彼は、「貝に交りて」の説明に源氏物語の一節を引いている。

「水ノヲトノキコユルカキリハ、心ノミサハキ給テ、カラヲタニタツネス。アサマシクテモ、ヤミヌルカナ。イカナルサマニテ、イツレノソコノウツセニマシリニケンナト、ヤルカタナクオホストカケリ」
（『万葉集註釈』）

この部分は与謝野晶子の訳では次のようになっている。

「道すがら薫は、浮舟《うきふね》を早く京へ迎えなかったことの後悔ばかりを覚えて、水の音の聞えてくるあいだは心が騒いでしかたがなかった。遺骸だけでも探してやることをしなかったと残念でならないのであった。どんなふうになってどこの海の底の貝殻にまじってしまったかと思うとやるせなく悲しいのであった」
（日本の古典第四巻、河出書房）

この、水底深く沈んで行方が分からないという表現が「ウツセニマシリ」、つまり「実のはいっていない貝、貝殻にまじって」という表現である。仙覚は「宇治ノモノカタリニオナシキヲヤ」という。人麿の悲劇と浮舟の悲劇とは同じであるというのであろうか。

この場合、人麿が浮舟にあたるとすれば、依羅娘子の立場は薫ということになる。依羅娘子は、水死したと思われる人麿の死を嘆き、その死骸を探し求めているのであろうか、仙覚の解釈は、そのようにしかうけとれない。はたして、この解釈は正しいのであろうか。

そのように考えるとき、私は、「今日今日《けふけふ》と」の歌が、「荒波に」という丹比真人の歌と共にはっきりと理解され、そして「直《ただ》の逢ひは」の歌も、いっそうはっきりと理解されると思う。

このような仙覚の真意を、契沖以下はすっかり見失ってしまったのである。契沖は『代匠記』にも、仙覚にならって源氏物語のこの一文を引用している。しかし、そうしてはいても、契沖は仙覚注の真意も、また、この石川の歌の真意をも理解しなかった。正しく理解していたら、「鴨山ノ麓カケテ川辺ニ葬レルニコソ」などとはいわないであろう。契沖の引用した仙覚の言葉と、契沖の説は矛盾している。しかし、その矛盾に気づかず、契沖は自ら仙覚説に従っていると思って、実は大きな考えちがいを犯したのである。ここには、さきほど真淵の『古今集』の扱い方を論じたとき指摘したのと同じ合理主義的誤謬《ごびゅう》がある。徳川時代の中期に国学は興《おこ》った。しかしそこにはかなり儒学の影響があり、彼等は自ら知らずして色眼鏡をかけて古典を見ていたのである。合理主義的色眼鏡、体制主義的色眼鏡、その二つの眼鏡をはずさない限り、日本古代のものの真相はけっして見えてこない。

こうして、すべての学者は色眼鏡をかけてものを見たが、唯一、真相をほぼあやまらず直視していた学者がいる。『万葉集童蒙抄《まんようしゅうどうもうしょう》』の荷田春満《かだのあずままろ》と弟の荷田信名《かだののぶな》である。彼等は仙覚の、この歌と源氏物語の類似の指摘を一歩進めて、次のようにいう。

「源氏物語宇治の巻に、此歌の意をとりて書けるか。いづれの底のうつせにまじりにけんと書けり」

(『万葉集童蒙抄』)

仙覚は、万葉集の歌において、その状況は源氏物語の状況と似ているという。ところが『童蒙抄』は、似ているどころか、源氏物語のこの言葉は万葉集の歌をひいて書いたのではないかという。とすれば、紫式部《むらさきしきぶ》（九七八？―一〇一四）は人麿の悲劇を知っていたことになる。人麿のように、彼女は浮舟を水に沈めたわけであるが、水に沈んで死ぬ話には必ず人麿が出てくることは、『大和物語』などを見れば明らかである。紫式部が人麿の悲劇を知っていて浮舟の話をつくったとすれば、それは日本文学の伝統を考える上で、たいへん重要なことになる。この点、後進の研究をまちたい。

荷田春満と信名は、多くの近世の万葉解釈者の中で唯一、人麿の死因を怪しんでいた。

「人麿死期の事病死とも不レ見。此集の歌の列前後、かつ此人丸の歌次の妻の歌の意ともを、よく〳〵考へあはするに、横死と見えたり。もしくは他所に出て卒病にて死したる歟《か》。病死ならば病中の歌一首なりともあるべき事なるに、その歌も見えず。また死にのぞめる時の歌とても、たゞ此歌一首計《ばかり》なれば、とかく逆死頓病《とんびやう》などにて死せると見えたり

（中略）

待乍将有　此句によりても、人丸病床にて死たるとは不レ見也。次に妻の依羅娘のよめる歌にても、とかく病死とは不レ聞也

（中略）

〔……〕此二首の歌の趣を考ふるに、人丸の死は不慮の死と見ゆる也。もし鴨山川に入水《じゆすい》などしたる歟。此歌石見国にて妻のよめるとは此歌にて知るべし」（同前）

歌を素直に解する限り、これは唯一の正しい解釈である。『童蒙抄』も、もとより事の真相を十分に把握していない。しかし横死ではないかと疑っている。「鴨山川に入水などしたる歟」、このように考えないと、全くこの「今日今日《けふけふ》と」と「荒波に」という歌は理解できないのである。

ここにきて、もはや人麿入水の事実は覆《おお》いがたい。われわれは、古い伝承にあたって、人麿が死後まもなく神に、しかも水に関係のある神になっていることを知った。『古今集』仮名序において、人麿は「ひじり」と呼ばれ、赤人は「人」と呼ばれている。そのころ、すでに人麿は人ではなくて神であったのである。そして、日本において死後まもなく神になるのは、ほとんど非業《ひごう》の死をとげた人であった。非業の死をとげた人の復讐《ふくしゅう》が、怨恨《えんこん》が恐ろしいので、その亡霊をなぐさめ、怨恨を押さえるために、そのような人を神と祀《まつ》る。そして、そのような人を聖化する名を死後その人に贈るのである。

聖徳太子という名がかくしてできあがったことを、われわれはすでに知った。そして、後世、菅原道真が詩聖と呼ばれたこともわれわれは知っている。詩がうまいだけならば、道真があんなふうに祀られるはずはない。詩だけでは、人間は神になれないのである。人間が神となるには、それ相応の条件がなければならない。聖《ひじり》、菅原道真がそういう人間であることは明らかであるが、聖徳太子もそういう人であったことを私は明らかにした。私の法隆寺論は大方の賛成をえはじめたようであるが、私はその点はまずまちがいないと思っている。

そして今、柿本人麿もまたそういう人間であることが明らかになった。彼にかんする奇怪な伝承がそういう推測を与えるばかりか、何よりも万葉集の歌がそれを示しているのである。仙覚はすでにそれを知り、春満・信名もそれをおぼろげに感じていたが、契沖・真淵以下の国学者が国学の主流となったため、それが分からなかっただけなのである。

夫の水死体を探しあぐねた妻は悲嘆にくれる

この三首の歌を、正しく解釈してみよう。

まず、最初の歌は、人麿の辞世の歌の「待ちつつあらむ」をうける。人麿は死んだ。

妻は人麿の死を聞いて現場へかけつける。私は、「石川の貝に交りて」「石川に雲立ち渡れ」という表現は、やはり夫の死の現場で歌われたものだと思う。女性は具体的な感覚をもっている。女性は想像の詩人であるよりも、具体性の詩人である。そして、夫の死を聞いてその現場へ行かない女が、はたして夫を愛する妻といえるであろうか。

茂吉などは、石川の地から遠くへだたって想像で歌ったとするが、そこではこの歌の生々しさは半減してしまう。依羅娘子はおそらく人麿の死の場所からそれほど遠く離れた場所にいたのではないであろう。この依羅娘子が、もし人麿が妻に別れた時に詠んだ歌のあの石見娘子《いわみのおとめ》と同一人物であるとすれば、彼女は仁万《にま》の近くに住んでいたことになるが、仁万から高津までは十五、六里ある。多分、そのくらい離れていたのであろう。とにかく妻は、夫の死の知らせを聞いてその現場にやってくる。それが、石川のほとりである。

高津の地理を思い出してみよう。今は高津川と益田川が海に注いでいるが、昔は一本の河であったという。その河口のあたりに鴨島があったのである。昔はそれは島ではなく陸つづきであったともいわれる。女は、その河の河口まできた。夫に逢いたい、せめて、夫の屍《しかばね》なりと見たいと女はいう。しかし、その屍は河口近くの海に沈んで、どこにあるのか分からない。そして女が詠んだのが、最初の歌である。この歌は、先

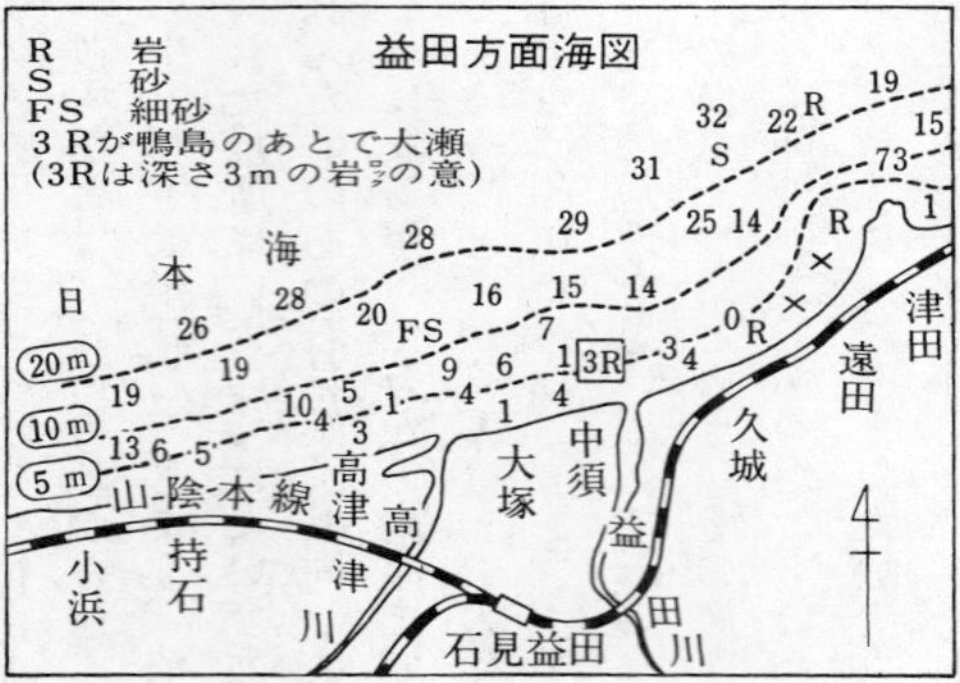

の人麿の辞世の歌に呼応しているのである。

「今日帰っていらっしゃるかと、明日は帰っていらっしゃるかと、あなたのお帰りを一日千秋の思いでお待ちしておりましたのに、そのあなたは海底に沈んでしまって、石川の貝に交っているというではありませんか」

人麿の死んだのはどこの場所であろうか。もとより、たいして沖合ではあるまい。高津川の河口、鴨島の近くの海であろうか。とにかく人麿の死体は海底へ沈んでしまって、杳《よう》として行方が分からなかったのである。

女は、先にもいったように具体性を愛する。いつの世でも、死んだ人間の遺骸にすがりついて、よよと泣きくずれるのは女の方である。今、その女らしい嘆き方すらできない依羅娘子の妻としての悲しみは、どんなに深いものだったろう。依羅娘子は、海底に沈んで貝に交っているという夫の死体を現実に見ることが出来ないのである。何という残酷かと彼女は思う。しかしその残酷さも、後世の解釈者には少しも分からなかったのである。

もう一首の依羅娘子の歌も、こういう状況を考えることによって、よく分かる。女はここに来たけれど、夫の死骸すら見ることができない。「直《ただ》の逢ひ」というのは、生きて二人が逢うということではないと私は思う。夫が死んだことを依羅娘子はとうに知っているはずである。どうしてそういう彼女が、再び夫と逢うことを願うであろうか。せめて、死体なりとも逢いたい、それが「直の逢ひ」、すなわち直接の邂逅《かいこう》なのである。しかし夫の死体は、どこへ行ったのか分からない。それで女は叫ぶのだ――せめて石川にいっぱい雲が立ちこめておくれ、その雲を見て夫を偲《しの》ぼう、と。

この雲を火葬の煙の雲という説があるが、そんな馬鹿なものではない。雲は、古代人にとって、死霊の行末であった。死霊が雲になり、雨になるのである。

　土形娘子《ひぢかたのをとめ》を泊瀬《はつせ》山《やま》に火葬《やきはぶ》る時、柿本朝臣人麿の作る歌一首

隠口《こもりく》の泊瀬の山の山の際《ま》にいさよふ雲は妹《いも》にかもあらむ　（巻三・四二八番）

　溺《おほほ》れ死にし出雲娘子《いづものをとめ》を吉野に火葬る時、柿本朝臣人麿の作る歌二首

山の際《ま》ゆ出雲の児《こ》らは霧なれや吉野の山の嶺《みね》にたなびく　（同・四二九番）

八雲《やくも》さす出雲の子らが黒髪は吉野の川の沖になづさふ　（同・四三〇番）

これらの雲を現代の解釈者は火葬の煙と見るけれど、そうではあるまい。やはり、死人の霊が雲となり、霧となることをいったものであろう。雲が、古代日本人にとって、死人の魂の行方を示すものであることは、依羅娘子の二首目の歌によっても分かる。夫が沈んだという石川の河口までたずねて行って、妻は歌う。「せめて雲よ、死んだ人の霊の行方だという雲よ、どうかいっぱい石川に立ちこめて、せめて亡《な》き夫の霊魂の存在を私に知らせておくれ」と。

それは悲痛この上もない歌であるが、それを墓の前での歌にしたり、想像上の歌にしたのでは、その切ない妻の心の嘆きをうたう歌の響きが消えてしまう。妻が、夫の死んだ場所に来ても、彼女は夫の遺骸にも逢えず、夫をしのぶよすがは何一つ残されていなかったのである。

私は、雲というものが死のイメージと深く結びついていると思う。死のことを「雲隠ります」という。文字通り雲の中に隠れた、雲の中にはいってしまったというのであろう。雲が死のイメージにつながっているとすれば、あの出雲《いずも》を黄泉《よみ》の国《くに》と結びつけて、そこに大国主命《おおくにぬしのみこと》の墓所をこしらえた古事記の秘密が分かってくるのである。

八雲立つ　出雲八重垣《やへがき》　妻籠《つまご》みに　八重垣作る　その八重垣を

須佐之男命《すさのおのみこと》の、わが国はじめての歌といわれる歌も、そう考えると多少あやしくなる。八雲立つ出雲の国とは、死の国なのであろうか。われわれは出雲大社と同じく、法隆寺においても、実に多くの雲がたなびいているのを見た（『隠された十字架』、『黄《よ》泉《み》の王《おおきみ》』）。そして人麿の歌、あるいは人麿をめぐる歌にも、実に多くの雲がたなびいているのである。

以上のように、依羅娘子の歌は単に、夫、柿本人麿を失った妻の嘆きを表わしているばかりではなく、夫の死体が水没して、所在が見つからないのを嘆いた歌であると私は思う。

名を秘めた友人の権力者に対する痛切な告発

そして私の解釈を決定的ならしめるのが、「荒波に」の歌である。この「荒波に」の歌は詞書にあるように、丹比真人が、死んだ人麿の代わりになって、依羅娘子の歌に答えたものである。それゆえ、依羅娘子の歌は丹比真人の歌との関係において理解されねばならぬ。とすれば、丹比真人の歌を、依羅娘子との関係を離して理解しようとする真淵などの説も、また依羅娘子の歌を丹比真人との関係と離して理解しようとする茂吉などの説も、共に誤りである。私は先に、依羅娘子の歌を誤解したために、丹比真人の解釈に苦心惨憺《さんたん》した諸先学の説を紹介した。しかし、そんなに苦労する必要はないのである。意味はまことに明々白々である。

この歌には、「丹比真人 名をもらせり 柿本朝臣人麿の意《こころ》に擬《なずら》へて報《こた》ふる歌一首」という詞書がある。この丹比真人とは、いったい何者であろうか。そして、「名をもらせり」とあるが、どうして彼は名を知られないのであろうか。

真人、すなわち皇親系である。天武十三年（六八四）につくられた八色《やくさ》の姓《かばね》の筆頭に「真人」があり、このとき丹比嶋《たじひのしま》なる者は、他の十二氏と共に真人の姓を賜わった。彼は後、持統天皇の御代《みよ》に右大臣に昇り、文武四年（七〇〇）正月には左大臣にまでなった。『続日本紀《しょくにほんぎ》』では、多治比真人嶋とある。嶋が死んだのは、大宝元年七月のことである。嶋なきあとも、丹比真人は藤原、大伴、石川などとならんだ貴族であったが、一門は橘奈良麻呂《たちばなのならまろ》の変《へん》（七五七）に多く連座して衰えた。

丹比真人なにがしは、この一門の中の誰かであろう。鹿持雅澄は丹比真人県守《あがたもり》か丹比真人笠麻呂《かさまろ》ではないかというが、よく分らない。この名を欠いた丹比真人なる人物は巻八・巻九にもあるが、ここは、わざと名を欠いたのではないかと思う。なぜなら、人麿の死がもし非業の死であったなら、どうしてその死をとむらうことが、公人として許されようか。有間皇子《ありまのみこ》や大津皇子《おおつのみこ》の弔歌をつくったのも、当時の人ではなく後世の人である。もし人麿が律令《りつりょう》国家の罪人であるならば、どうして人麿に代わって、その妻に答えることが許されよう。氏姓を書くことがせいいっぱいで、名はとても名のれたものではあるまい。

丹比真人なにがしは、おそらく人麿の友人であったろう。そして、よほどこの事件に耐えかねたのであろうか。彼は危険を冒してまで、人麿に、死刑囚・人麿に代わって歌をよむ。歌の意味は改めて説明するまでもない。

「私は、荒浪によせてくる玉を枕にして、この海底に沈んでいるけれど、私がここにいると誰がお前に知らせようか。誰も知らせる人はなく、私は永久にここに沈んでいるのだよ」

この歌には二つのイメージがある。荒浪によせてくる玉を枕もとにおいているイメージと、行方の知れぬイメージである。後者のイメージだけならば、まだ陸に人麿の死体があることも考えられるが、前者のイメージが伴う限り、私のように解釈するより仕方がないと思う。

この丹比真人の歌によって、依羅娘子の歌の意味が一層はっきりするのである。万葉集の編者は、もとより人麿の死の様をはっきりいわない。それは、そういう残虐《ざんぎゃく》なる刑罰を行なった権力が、まだ健在であるかぎり、はっきり語れることではない。それゆえ、それを歌で暗示するのである。万葉集の編者は親切である。依羅娘子の歌で敏感な人は分かると思うが、それでは分からない人もあると思って丹比真人の歌を加えたのであろう。こういうことは当時の人にははっきりその意味が分かっていたのであろう。そしておそらく仙覚の時代までは語らなくてもそれは分かっていたはずである。分からなくては、仙覚が源氏物語の「蜻蛉《かげろう》の巻」を引用するはずはない。しかし、それ以後、そのことは分からなくなってきて、契沖・真淵の頃になっては全く分からなくなって、いろいろ無理な解釈をしたことは前にのべたとおりである。

○第三の状況

『竹取物語』に忍びこませた不比等《ふひと》への諷刺《ふうし》

或本歌曰

天離　夷之荒野尓　君乎置而　念乍有者　生刀毛無

右一首歌、作者未レ詳。但、古本以二此歌一載二於此次一也。

或《あ》る本の歌に曰《いは》く

天離《あまざか》る夷《ひな》の荒野に君を置きて思ひつつあれば生けるともなし

（巻二・二二七番）

右の一首の歌、作者いまだ詳《つばひ》らかならず。但《ただ》し、古本、この歌をもちてこの次《つぎて》に載す。

ところで、もう一つ読み人知らずの歌が、それに加わっている。万葉集の最終編集者には、すでにこの歌の意味が分からなくなっていたのであろう。なぜこの歌をここにのせるのかよく分からないが、古い本ではこの歌をここにのせているので、それに従おうというのである。

この歌は、一見、前の三首と矛盾しているように見える。人麿は海で死んだはずである。しかし、ここに「夷《ひな》の荒野」とあるところを見ると、荒野で死んだことになるではないか。

これについて沢瀉久孝氏は、この歌は人麿の歌の中に出てくる多くの言葉をつなぎ合わせてつくったものではないかという。氏のいうように、「天離《あまざか》る夷《ひな》」（巻一・二九番)、「荒野」(巻一・四七番)、「妹を置きて」(巻二・二一五番)、「生けるともなし」(巻二・二一五番)という言葉はすべて人麿の歌にあり、たしかにそれは、人麿の歌をあつめて誰かがつくったものらしい。しかし、どうして、このような歌をここに、おかねばならないのか。

これについて私は前の四首のように確定的なことは分からない。一つの想像をめぐらしてみよう。

この詩人の死の知らせを都の人はどう聞いたであろう。おそらく、この天下第一の詩人の異常な死と、その妻の悲しみとは、ただちに都へ伝えられ、都のひとびとを驚かしたにちがいない。その時、いかなる感慨がひとびとを襲ったであろうか。

大宝元年、詩人の姿が都から見えなくなったとき、すでに人は、異常な空気が彼等の周囲に漂いはじめたのを感じていたにちがいない。時代は大きく変わりつつあった。天智、天武天皇という雄々しく智謀《ちぼう》ゆたかな天皇の支配、そして二人の天皇の栄光を背後に受け、多くのもののふを詩人と共に扈従《こじゅう》させた派手ずきな女帝・持統の時代は、今や終わりつつあった。天武―持統の時代には一つの混沌《こんとん》があったが、壬申《じんしん》の乱《らん》(六七二)に勝ち、新しい国家建設の情熱にもえていたその時代には、混沌とともに自由があった。そして、自由こそは詩人の永遠の故郷であった。たとえ天皇や皇族の行幸を讃《たた》え、またその死を悼《いた》むことを職業とする場合すら、詩人には、それなりの自発性が必要であった。人麿の歌にはいかなる場合においても詩人自身の自発性がある。彼はおそらく彼の一族が参加したにちがいない壬申の乱の弓弦《ゆづる》の音を、いつも深い感慨と共に思い出していたにちがいない。この戦《いくさ》の中のすばらしい英雄たちを。彼が高市《たけちの》皇子《みこ》によせた挽歌《ばんか》がとりわけひびきの高いのはそのためであろう。

そこには時代の要求と、詩人の自発性との幸福な一致があった。飛鳥《あすか》高松塚《たかまつづか》古墳は、その頃、人々がいかに美しい古墳を必要としたかを語っている。外的にめだたなくとも、内的にすばらしい世界をもった死後の世界。古墳時代の最後を迎えていたが、人はなお死後の世界の実在性を信じていた。人麿の挽歌のすばらしさは、そのことと深い関係をもっているのであろう。すばらしい挽歌によって、死後の世界をこの上なく華麗にし、荘厳《そうごん》にする必要があった。詩人は自由に歌ったけれど、それが時代の要求にぴったり合致していたのである。

しかし、今や、はっきり別の時代がおとずれようとしていた。それは、混沌に代わる秩序の時代である。もののふと詩人に代わって法律家が支配する時代である。ひとびとは混沌にあき、無秩序を恐れ、一つの秩序を求めていた。そして秩序への要求は体制そのものの、なかんずく政権を孫、文武天皇にゆずりつつもその行方に不安な、老女帝そのものの要求であった。彼女は孫の政権を彼女の死後まで安定しなくてはならぬという一筋の強い意志をもっていた。それには、法律が何よりも必要である。

こういう老女帝の不安な心にしのびこんできたのが藤原不比等であった。彼は秩序を要望する時代の風潮と、文武政権を安定化しようとする老女帝の悲願を背景に、自己の権力をかためつつあった。そして大宝元年、『大宝律令』の制定と共に、ほぼ、彼は政治の実権をその手に収めた。

このことと、詩人の流竄《りゅうざん》とが、何らかのかかわりをもたないはずはないのである。もはや詩の時代は終わって、はっきり法律の時代が始まっていた。そして、人は死後の世界の実在性を信じなくなりはじめていた。文武四年、道昭の死において、日本最初の火葬が行なわれる。『続日本紀』は道昭伝を異常に大きく記載するが、それは道昭の偉大さを示すより、道昭の火葬の衝撃を示すものであろうと私は思う。人間は死して黄泉《よみ》の国へ行き、そこでこの世とは別な生をうける。そういう信仰が大きく崩壊しようとする。人間は死に、一筋の煙になるのではないか。人麿が火葬の歌をつくっているのも、すでに彼の時代が終わろうとしているのを感じとっていたのであろうか。もしも人が死して灰になり煙になるとすれば、もはや巨大な墳墓や新しい石室は必要がなくなる。そしてそれと共に、見事な挽歌によってその死を荘厳することすら必要でなくなる。詩人の役割はすでに終わろうとしていたのである。

そればかりか、詩人は永久に秩序の敵である。法律の時代を支配するものは冷たい計算である。巨大な構想力をもった偉大な政治家、不比等は、着々と支配体制をかためていた。

ここに『竹取物語』の「くらもちの皇子《みこ》」なる人物は藤原不比等をモデルにしたという説がある。くらもちは車持《くるまもち》をもじったもの、不比等の母は車持氏であった。これははなはだ興味深い意見で、私も『竹取物語』の作者は、このくらもちの皇子の話のなかに、藤原氏の残忍にして狡智《こうち》なる性格をあばいているのではないかと思う。

蓬萊《ほうらい》の玉の枝をとってこいというかぐや姫のおおせに「心たばかりある」くらもちの皇子は、姫に「玉の枝とりになむまかる」といって、すべての従者に難波《なにわ》まで見送らせ、近従の者のみをつれて舟にのり、三日ばかりで帰った。そしてかねてからうち合わせていたように、当時随一の鋳物師《いものし》六人を集めて、共に秘密の部屋にこもり、玉の枝をつくった。そしてまた難波に出て、ひどく苦しそうなかっこうをして、今帰ったと告げた。その話は、すぐにかぐや姫のところへ伝わり、かぐや姫は「我は皇子《みこ》に負けぬべし」と驚き悲しんだ。

竹取の翁《おきな》が、この皇子のもってきた枝を見ると、すばらしく立派なものである上、皇子は旅のお姿である。翁は、その純情な心に感激して、「閨《ねや》のうち、しつらひ」をはじめる。そして翁の、どこで、こんな木をえたのかという質問に、皇子はどんなに苦労して蓬萊の山に入り、その山がどんなに美しかったかを得々と語る。得意そうに語り終わって、いよいよかぐや姫をその手に入れようとしたとき、六人の職人たちがやってきて、われわれは先ほど苦労して玉の木をつくったが、まだお給金をもらっていないという。皇子はおどすが、六人の漢部《あやべ》を名のる男は、皇子はわれわれと同じところにかくれて玉の枝をつくり、できあがったら官位もくれるといったのに何も下さらない。それでお嫁さんになるであろう姫のところへとりにきたという。かぐや姫は喜ぶが、皇子は、怒って六人の男たちを「血の流るゝまで」打ちこらしめた。

私は、この話は藤原氏にたいするきびしい諷刺《ふうし》ではないかと思う。くらもちの皇子は、その冷静な計算、巧妙な虚偽、極端な吝嗇《りんしょく》さ、そして刑罰の残忍さにおいて、藤原不比等なのである。もっとも藤原不比等は、その巨大な構想力と緻密《ちみつ》な計画性によって、くらもちの皇子のように容易にボロを出す男ではないが、くらもちの皇子は、不比等、及び不比等を範とする藤原氏的性格の戯画として、まことによくかけていると思う。

都の人々は人身御供《ひとみごくう》の噂《うわさ》に恐れおののく

律令の時代、秩序の時代は、まさにかかる性格の人間が支配する時代であった。このような時代にあって、詩人は、何の意味をもつであろうか。冷静な計算、巧妙な虚偽、極端な吝嗇、残忍な刑罰、すべてその反対の精神が、詩人・柿本人麿の精神であったであろう。とどまることをしらない熱情、無警戒に近い自己暴露の意志、情緒及び物質の華麗なる浪費、そしてあらゆる人あらゆるものに同感する心、そういう心のみが詩人をして詩人たらしめる。わが柿本人麿もまた多分にそういう心情をもった詩人であった。そしてこのかつての宮廷第一の詩人の歌で、後世もっとも人口に膾炙《かいしゃ》したのが、彼の歌とはいいかねる「ほのぼのとあかしのうらのあさぎりにしまがくれゆく舟をしぞ思ふ」（『古今集』）であったことは、私は偶然ではないと思う。後世の人は、人麿を、流竄の詩人としてとらえていたのである。

流竄が、詩人の運命であるとしても、詩人がどうして死ななければならなかったのか。不比等体制の強化と共に、詩人の運命が流竄から死へと、いちだんと悪化したのはどういうわけか。私もそこはよく分からない。その流竄および死の運命の原因となった政治的事件については、後日分析することにするが、その原因は定かではない。

しかし、その彼の死を聞いた都の人の反応は、ほぼ、まちがいなく理解できるのである。

天下第一の詩人が死んだ。海に沈み、その死体さえ見つからなかったそうな。人は水の中で水藻《みずも》とたわむれる人麿の屍骸《しがい》を想像した。彼等が想像すらできぬ遠い国、石見の海に沈む、詩人の冷たい屍を想像するとき、戦慄《せんりつ》と恐怖が彼等を襲ったにちがいない。詩人すら、天下第一の詩人すら、かくも残酷に殺された。われらがどうして命を全うすることができようか。

私はあの、おそらく人麿の歌をつなぎ合わせてつくったと思われる「天離る《あまざか》」の歌は、このような都の人々の、人麿の友人たちの感慨であったと思う。人麿よ、お前は想像もできない辺地で死んだ。そして、われわれはお前の死すら黙認した。われわれはお前の死にすら一言の抗議もできないほど無力である。お前の屍は辺地の海に捨てられたままである。何ということだ。詩人を、天下第一の詩人を見殺しにして、われらの生は何であろう。「生けるともなし」の実感がひとびとをおそったけれど、ひとびとはこのように、人麿の言葉をつづり合わせた読み人知らずの歌によって、人麿の死を嘆くより外に何もできなかったのである。荒野が、残された人麿の友人たちの実感であったと思う。荒野は、辺地にのみあるのではなく、彼等の住んでいる都にも存在していたのである。

私は、だんだん人麿の死が、柿本佐留《かきのもとのさる》の死んだ和銅元年（七〇八）の四月二十日であったような気がしてくる。和銅元年は、人麿の死刑にもっとも都合のいい時なのではないか。なぜなら、遷都《せんと》という大仕事をひかえて、政府は多くの体制への批判者をかかえていた。その批判者たちをどのようにして政府の命令に従わせるか。それには、もちろん説得も必要であろうが、すぐれた政治家は、人間を支配するものは説得よりも恐怖であることを知っている。マキアベリ（一四六九―一五二七）はいみじくもいっている。人間を支配するには、まず恐怖を起こさせることが必要だ。恩恵より恐怖が支配の条件だ。なぜなら、人の心は忘恩的なものであるので、恩恵は忘れられやすく、その恩恵を与えた人間が無力になると、その人を馬鹿にするが、恐怖の記憶はいつまでも人の頭を去らず、たとえその人が力を失っても、その人にたいする恐怖の思い出は長い間残っているのでその人に服従する。それゆえ、すぐれた政治家は残忍酷薄でなければならぬと。

わが国のすぐれた政治家を考えてみ給《たま》え。源頼朝（一一四七―一一九九）、織田信長（一五三四―一五八二）、徳川家康（一五四二―一六一六）、大久保利通（一八三〇―一八七八）、彼等はすべてマキアベリのいう通り、残忍で酷薄であった。残忍で酷薄であるゆえに、彼等は政治権力を掌握することができた。源義経（一一五九―一一八九）、豊臣秀吉（一五三六―一五九八）、西郷隆盛（一八二七―一八七七）、日本人に愛されるこういう英雄たちは、そういう性情をもち合わせていないがゆえに、間もなく没落した。われわれは、今ここで、日本最大の詩人と、日本最大の政治家との対立を目撃している。その日本最大の、今まで深く隠されていたこの偉大なる政治家が、残忍酷薄の資質を頼朝や家康と共有せずというより、頼朝や家康より以上に持っていないと考えたら、それは政治家・不比等にたいする侮蔑《ぶべつ》を意味するであろう。すべての点で、彼等以上であった不比等は、その残忍さにおいても、おそらく、彼等をはるかに上まわっていたのであろう。

もしもこの偉大な政治家の頭に一つのすばらしい着想がひらめいたとしたら、どうであろうか。詩人をスケープ・ゴートにして自らの権力をかため、奈良遷都を実現させる。この着想は、マキアベリすらうならせるすばらしいものだと私は思う。詩人をスケープ・ゴートに。詩人は権力にたいして無力である。彼を殺すのはわけもない。そして、それによっていかなる氏族も自分にうらみをよせることはない。しかもこの効果は大きい。天下第一の詩人すら殺された。人々の心に深い恐怖が突き刺さるであろう。そしてその恐怖の心は、いかなる命令をも聞くはずである。すべての人の眼の前に、殺された詩人、水藻と共に漂う詩人のイメージがあるとすれば、どうして人が権力の命令に従わないことがあろうか。私は藤原造都を半ばにして奈良遷都を強行し、そしてそれを完成することによって、自己の権力体制をつくった藤原不比等の政治的手腕に驚嘆する。しかしそれと共に思う。どうして当時の人々は、こんなにやすやすと藤原不比等の策謀に引っかかってしまったのか。当時の人は、あまりに人がよすぎたのではないか。たしかに、不比等が政治体制を固めえたのは、彼のもっている抜群の策略によっている。しかし、当時の人といえども、ここに含まれている大いなる陰謀に気づかないはずはなかったであろう。しかし気づいてもどうにもならなかったのである。彼等の前には、いつも、刑罰の、死と流竄の恐怖があった。そしてこのような恐怖のもっとも端的なイメージが、辺境の海の水藻とたわむれる詩人の屍であったとすればどうか。

いささか私は想像に走りすぎたきらいがある。歴史を正しく理解するには、与えられた史料の背後にある世界と人間を再現する豊かな想像力が必要であるが、しかし、やはり、それが文学ではなく歴史であるためには、その想像力は史料の制約を受けねばならない。史料の制約をはなれた想像力の行使は、厳重に警戒されねばならぬ。それゆえ、私はやはり事実と想像を分かって、人麿の水死は、われわれが万葉集を信じる限り事実として考えなければならぬが、人麿が奈良遷都のためのスケープ・ゴートとして殺されたということは私の想像であるとしておこう。

流罪《るざい》の地としての鴨島と木梨軽太子《きなしのかるのみこ》の場合

もう一度、話を水死にもどそう。私は先の歌の解釈のさいに、わざと一つの点にふれずにおいた。敏感な読者は、おそらくそれについて、疑問をもたれたにちがいない。それは、いわば、私が〈第一の状況〉と仮に呼んだ歌と〈第二の状況〉と呼んだ歌の間にある内容の相違である。〈状況一〉の歌において、私は辞世の歌を詠《よ》む詩人の姿を見る。そして詩人は、自分は鴨山へ葬《ほうむ》られることを予感する。自分の死体が鴨山の石室の中に入れられることを詩人は予想しているのである。にもかかわらず〈状況二〉の三つの歌で、詩人の死体が海に沈み、行方知れずになっていることをわれわれは知る。このくいちがいをどう考えるか。

状況をくわしく分析してみよう。まずわれわれは〈状況一〉において、人麿が鴨山で辞世の歌を詠んでいるのを見る。この鴨山は、伝承通り、高津川の沖合にあった小さな島、鴨島であろう。その島は、その前に人麿がいたことが確実である讃岐《さぬき》の国の沙弥島《さみじま》――人麿はそれを狭岑島という――のように、小さな平べったい島であることはまちがいないと思う。そして、狭岑島には、やはり小高い、高さ二十メートル位の丘があり、丘には多くの、実際こんな小さな島にはふさわしくない、おどろくほど多くの古墳があった。古墳はいずれも、古墳時代末期、ちょうど人麿の頃である。おそらく鴨島にも同じく多くの古墳があったであろう。そういう石の墳墓のたくさんある丘に立って、人麿は妻のいる東に向かってこの歌を詠んだのであろう。

何のために、人麿は、はるか石見国の、しかも国府から遠く離れた小さい墳墓の島にいたのであろうか。そういう疑問から、人々はこの古い伝承を疑い、終焉地《しゅうえんち》を勝手に、浜田に、神村に、亀に、湯抱に求めた。そしてそういう発想の根拠は、国府の役人である人麿が、このような辺鄙《へんぴ》な場所の、しかも島で死ぬはずがないという疑いであった。

しかし、この人麿・国府役人説、あるいは朝集使説は、契沖、真淵の想像にすぎないことは、前にのべた。想像がここで定説化し、それが真実の発見をおくらせていただけである。われわれは伝承を素直にとる必要がある。人麿が鴨島で辞世の歌を詠んだとすれば、彼はなぜ鴨島にいたのか。

われわれはここで、島というものが、古代人、特に古代の日本の支配階級のひとびとにとってどういう意味をもっていたのかをよく考えねばならぬ。島は、現代人にとってのように、よき観光地でもなく、また船の碇泊地《ていはくち》でもなかった。

大君《おほきみ》を　嶋《しま》に放《はぶ》り　船余《ふなあま》り　い還《がへ》り来《こ》むぞ　我《わ》が畳斎《たたみゆ》め　言《こと》をこそ　畳《たたみ》と言《い》はめ　我が妻《つま》を斎《ゆ》め　（允恭紀《いんぎょうき》）

木梨軽太子が、同母妹・軽大郎女《かるのおおいらつめ》と通じ、王位継承の争いにやぶれて、伊予国《いよのくに》に流されたときの歌である。「大君である私を島に放っても、必ず帰ってきてやるぞ。妻よ、私の敷物を斎《い》み清めて待っておれ」という意味であろう。おそらく、本当の流竄の島は、四国の本島のような大きな島ではなかろう。もっと小さい、舟も通わない、ものもとれない島に放って、流人の死を待つ――これが、身分ある犯罪者を罰するもっとも厳格で、同時にもっとも礼儀正しい処刑の方法であった。

日本書紀では、最初の流刑者はスサノオノミコトを除いてはこの木梨軽太子であるが、はたして允恭天皇の時代に、流刑という刑罰が正式に刑としてあったかどうかは疑わしい。なぜなら流刑は、死刑になるべきものの罪一等を減じるはなはだ文化的な刑罰であるが、このような刑罰が可能であるのは、かなりよく統治された統一国家の成立を前提とするものであろう。中国においてこの流刑が五刑の一つとして採用されたのは、北斉《ほくせい》の時であるが、北斉は五五〇年、欽明帝《きんめい》（在位五三九—五七一）の十一年に建国された国であり、それより約一世紀以前の允恭天皇の時にわが国にそういう文化的な刑罰があったかどうかは疑問である。おそらく軽太子の場合は特殊な例なのであろう。

律令が完全にととのうのは、中国において漢《かん》以後、はじめて統一国家の建設に成功した隋《ずい》の時代である。隋律に至って始めて笞《ち》、杖《じょう》、徒《ず》、流《る》、死《し》の五刑が確定された。隋及び唐《とう》の国家の建設者たちは、国家を治めるものは、道徳や宗教であるより、より以上に法律であることをよく知っていたリアリスト達であった。

わが国においても、このような隋及び唐の建国の情熱に触発されて、新しい国造りの情熱が澎湃《ほうはい》として起ってきていた。蘇我馬子《そがのうまこ》（？—六二六）、聖徳太子、中大兄皇子《なかのおおえのみこ》（天智天皇）、藤原鎌足《ふじわらのかまたり》、天武天皇など、このような建国の情熱にわが身を焼き尽した時代の子であった。しかし、建国の要《かなめ》は、武力による制覇である以上に国を治める律令の整備であった。新しく律令を制定し、それを十分に活用する人間のみが結局、歴史の最終的勝利者であった。聖徳太子の『十七条憲法』、天智帝の『近江令《おうみりょう》』、天武、持統帝の『飛鳥浄御原令《あすかのきよみはらりょう》』、いずれもそういう時代精神の模索の試みであった。そしてこの時代精神は藤原不比等のつくった『大宝律令』、及びそれを彼自身が改良した『養老律令』に至ってはじめて満足を見出した。以前のものはすべて令のみで、まだ律はできていなかった。しかし、律令の魂は令よりむしろ律なのである。明確な刑罰規定なしに国家は統治できない。人民に刑罰の恐怖を与えることなくして国家の秩序は維持できない。

「隋の代に天下を一統して隋律を作る。多くは後周の律に従へり。唐の太宗皇帝、長孫無忌・房玄齢に命じて、唐律十二篇を作る。大抵隋律を用ひて、少々加減したるものなり。

日本にも、淡海公《あはぢこう》藤原不比等、わが国の律を作り玉ふ。坂上《さかのうへ》・中原《なかはら》の両家の儒者、これを家業として刑法のことを主《つかさど》る。四道の儒者の内に、明法道の儒者と云は是なり。武家の世となりて、この学問絶たるなり。淡海公の律も、十二巻の内、今の代に二巻伝れり」

(荻生徂徠《おぎゅうそらい》『明律国字解』)

律はいわば律令体制の魂なのである。後世、坂上、中原の両氏が律の学問をしたが、律を用いるのはもちろん藤原氏である。藤原氏は彼等の偉大なる祖先、鎌足、不比等のつくった律令を十二分に活用することにより、武力なくして何百年も日本を支配するという世界史上の奇蹟《きせき》を実現した不思議な氏族なのである。

日本最初の律令がつくられたのは大宝元年であった。その頃から人麿の姿が都から消えるのであるが、この律令は律として五種の刑罰を定める。笞、杖、徒、流、死である。これは一種の加算法の刑罰で、死罪にあたるものはそれ以前の笞以下の罪をすべて受けて、それから死罪にされるのである。ところが、この死罪にも二つあったらしい。一つは斬罪《ざんざい》であり、一つは絞罪であるが、いずれの場合も、身分の高い人間には、名誉を重んじて、自殺を賜わることになっていた。

たとえば壬申《じんしん》の乱《らん》のとき、もっとも罪の重い右大臣・中臣連金《なかとみのむらじかね》（?—六七二）を斬首に、左大臣・蘇我臣赤兄《そがのおみあかえ》（?—六七二以後）、大納言《だいなごん》・巨勢臣比等《こせのおみひと》（?—六七二以後）およびその子孫と、中臣金と蘇我果安《そがのはたやす》の子を流罪にしたが、大友皇子《おおとものみこ》には死を賜わった。島へ流して死を待つのがよいが、もっと罪の重い、しかも身分の高い人間には死を賜わるのである。

今われわれは天下第一の詩人、人麿の姿を、石見国の高津川の沖合、鴨島に見出《みいだ》すのであるが、当時の人ならば、人麿がなぜそんな場所にいるのか、説明を聞くまでもなくはっきり了解したにちがいない。契沖や真淵は、旅行が一つの娯楽になることができた徳川中期の人間であり、斎藤茂吉や沢瀉久孝は、温泉へはいることがもっとも大きな旅行の快楽の一つとなっていた現代の人間であった。こういうひとびとが、この場所の意味を見失ったのも無理はないかもしれぬ。

出雲神話の伝える不幸な父子の処刑

とにかく、詩人はこの島の上で、辞世の歌を詠んでいたことはたしかである。しかし、次には〈状況二〉の歌において、われわれは詩人が海底深く沈み、その遺骸を見つけることができずに悲嘆に沈んでいる妻の姿を見る。この間に何が起こったのか。明らかに、詩人の死である。詩人はいかにして死んだのか。鴨島の岡にいて辞世の歌を詠む詩人と、貝に交って海底に沈む詩人とを結びつけるのは、二つの場合しかない。一つは、詩人が死んで、その後、詩人の屍が故意か偶然かによって海に運ばれたか、それとも詩人が水死したかである。前者の可能性は少ない。何のために詩人の死体を海に投げる必要があろう。可能性の多いのは後者であり、後者の仮説をとるとき、われわれは人麿をめぐる奇怪なる伝承をはじめて理解することができる。『古今集』の序文にちらりと姿を見せ、『大和物語』にはっきりあらわれた伝承、あるいは『正徹物語』のあの奇怪なる人麿像の再現、そして宇都宮二荒山《うつのみやふたらさん》に伝わる伝承、また人麿と水難および安産の信仰との結びつき、すべてが、この人麿水死説で説明できるのである。

人麿の水死はまちがいないことと思われるが、その死が事故であるか、それとも自発的な死、自殺であるか、それとも与えられた死であるかが次の問題である。事故死である可能性はない。事故死をする人はけっして辞世の歌など詠まないからである。残るところは自殺か刑死のいずれかであるが、自殺の可能性は少ない。最近、詩人が自殺することが流行するが、私はやはり、真の詩人はけっして自殺してはいけないと思う。人の世界の愛と誠実を歌うべき詩人が、自ら命を断ってはいけないのである。彼はどんな悲境にあろうが、やはり生命の大切さを忘れてはならない。わが詩人・人麿は、正にそういう詩人であった。彼は最後の瞬間まで、妻を思い、生命のいとおしさを歌っているではないか。この歌に「自傷」とある。自殺者が自己の死を傷《いた》むはずはないし、万葉集に「自傷」という詞書《ことばがき》のあるのは、ほかには有間皇子の歌のみである。

人麿の死が刑死であることが疑いえないとすれば、いかなる方法で人麿は殺されたのか。そういう刑法が、「大宝律」にあるのか。遺憾ながら、現在残されている「養老律」の断片には、そういう規定はない。もっとも、現在残されている『養老律令』

は、令の方は完全に残っているが、律は断片のみ残されているので、その全貌《ぜんぼう》を知ることはできないし、またこの『養老律令』が、人麿を罰したであろう『大宝律令』とどのようにちがっているかは明らかでない。われわれは現在残されている「養老律」の断片から水死の刑をよみ取ることはできないが、水死の刑が当時存在していたことを、他《ほか》ならぬ日本最古にして最大の古典である古事記によって知りうるのである。

　古事記において、国家体制に反逆する神々はいかに処罰されたか。アマテラスの支配体制に反逆したスサノオは罰金を科せられ、鬚《ひげ》を切られ、手足の爪《つめ》を抜かれて、出雲国へ流罪になった。明らかに流刑である。しかし、その五世の孫オオクニヌシの罪はもっと重い。彼はたしかに優秀なる前代の支配者であるが、ニニギノミコトの政治体制を安定させるためには、彼の存在は邪魔になる。それゆえ、彼は丁重に葬られることになり、立派な御殿をしつらえられて身を隠さねばならなかった。オオクニヌシは言う。

「僕《あ》が子等《こども》、二はしらの神の白《まう》す随《まにま》に、僕《あ》は違《たが》はじ。此《こ》の葦原中国《あしはらのなかつくに》は、命の随に既に献《たてまつ》らむ。唯《ただ》僕《あ》が住所《すみか》をば、天つ神の御子の天津日継《あまつひつぎ》知らしめす登陀流《とだる》天《あめ》の御巣如《みすな》して、底津石根《そこついはね》に宮柱布斗斯理《みやばしらふとしり》、高天《たかま》の原《はら》に氷木多迦斯理《ひぎたかしり》て治《をさ》め賜はば、僕《あ》は百足《ももた》らず八十坰手《やそくまで》に隠《かく》りて待《さもら》ひなむ。亦《また》僕《あ》が子等《こども》、百八十神《ももやそがみ》は、即《すなは》ち八重事代主《の》神、神の御《み》尾《を》前《さき》と為《な》りて仕《つか》へ奉《まつ》らば、違《たが》ふ神は非《あら》じ」

（古事記）

宣長《のりなが》（一七三〇―一八〇一）はしかし、『古事記伝』において、この後に「乃《すなは》ち隠りましき」という言葉があるという。そして「隠りましき」とは、水に入って死んだことだというのである。その後に櫛八玉神《くしやたまのかみ》が、次のように呪詞《じゅし》をとなえるのは、オオクニヌシの入った海を神殿に見立てようとするのであろう。

「鵜《う》に化《な》りて、海《うみ》の底に入り、底の波邇《はに》を咋《く》ひ出《い》でて、天の八十毘良迦《やそびらか》を作りて、海布《め》の柄《から》を鎌《か》りて、燧臼《ひきりうす》に作り、海蓴《こも》の柄《から》を以《も》ちて燧杵《ひきりぎね》に作りて、火を鑚《き》り出でて」

（同前）

出雲大社

この古事記の叙述にふさわしく、今日もなお大国主命は、西の海の方へ向いていられるのである。神社は南向きに建てられていて、われわれは南から、北の方の大国主命を拝するわけであるが、不思議なことに、大国主命はそっぽをむいて、われわれの願いに関心をむけて下さらないかに見える。おそらく、大国主命は自らのお沈みになった海の方をじっと見ていられるのであろう。この古い、もっとも古い大神は、自分の運命が悲しくて、自分の沈んだ西方の海の一角をじっと見つめつつ、未《いま》だに深い物思いに沈んでいられるのであろう。

その大国主命の視線の方向を追っていくと、石畳の坂道があり、その下にかつては一年に一度、神在祭《かみありまつり》を行ない給うた仮宮がある。この宮に十月になると全国から神々がやって来て、祭をするのである。この祭は一名、忌《い》みの祭といわれ、この祭の期間、杵築《きづき》の町の人々には厳重なる精進潔斎が要求され、物音一つたてることも許されなかったことを考えると、この祭は大神の葬式の祭ではないかと思われるが、この仮宮を更に西に行くと多芸志《たぎし》の小浜に出る。そこに小さな岩があるが、おそらく、宮とその岩を結ぶ線の延長上の海上で大国主命は海にお入りになったのであろう。私は最近その海岸をおとずれ、あわれなる大神のために涙を流した。

この大神の死に方は、息子の事代主命《ことしろぬしのみこと》と同じ死に方である。コトシロヌシは、天つ神の使いが出雲の国へやって来たとき、ちょうど美保《みほ》にいて、魚をとっていた。そして、天つ神の要求を聞いて、コトシロヌシは自発的に海へ入る。そのとき彼は、「其《そ》の船を蹈《ふ》み傾《かたぶ》けて、天《あま》の逆手《さかて》を青柴垣《あをふしがき》に打ち成して、隠《かく》りき」（同前）とある。つまり舟を傾けて呪《のろ》いの言葉を発し、自ら入ろうとする海を御殿に見たてて、海に沈んだというのであろう。オオクニヌシの入水《じゅすい》のときと同じ発想がここにある。ニニギノミコトの降臨のはじまる前に、かくの如《ごと》き、親子の神の強制された入水自殺が必要であった。前代の功労者は、かくの如く荘厳《そうごん》にして華麗なる死を賜わったのである。

春の海の無惨《むざん》な水死刑——人麿の最期《さいご》

今、われわれが和銅元年あるいは和銅二年のある日、石見国の高津の沖合で、日本最大の詩人の身の上に起こった出来事を考えるにあたって、それから数年もたっていない和銅五年につくられた古事記に書かれた神々の死を思い出すのは、この死に方があまりに類似しているためである。もとより神々は人間とちがう。神々の話をもって、いたずらに人間の歴史を類推するのはまちがっていると、信心深いひとびとは私をたしなめるかもしれない。しかし、この記紀にあらわれた日本の神々は、あまりにも人間的であると共に、あまりにも当時の政治的状況を反映していることは、すでに多くの人によって語られた。和銅五年に書かれた古事記にあらわれる出雲の多芸志の浜での神々の話が、和銅元年に現実に石見国の高津の浜で起こった詩人の死と似通っているのは、無理もないことのような気がする。

詩人は、神々の如く死を賜わったのであろう。大神の如き荘厳にして華麗なる死ではないにしても、やはり天下第一の詩人には、それにふさわしい死と葬礼が与えられたのであろう。おそらく権力は、いたずらに詩人の首をはね、傷ましいなきがらを人目にさらすことなく、詩人に入水を命じて、その屍《しかばね》のけっして人目につかないことを願ったのであろう。

私は、どうもそれは和銅元年の初夏の一日だったような気がして仕方がないが、おそらくはうららかな初夏の一日、詩人は舟にのせられて海に投げられたのであろう。ひょっとしたら、詩人の首には重い石がつけられていたかもしれないが、この六十を越えていたのではないかと思われる都の詩人に、荒海を泳ぎ切ることができるとは思えない。詩人は、悲鳴をあげて海に落ち、その姿はたちまち波間に沈んで見えなくなったのであろう。そして初夏の海は何事もなかったかのようにうららかであり、舟は詩人を一人海の中におきざりにしたままで、やがて帰ってきたのであろう。

おそらくこの詩人の最後のしわざは、事代主の場合のように、詩人を死にかりたてた権力にたいする呪詛《じゅそ》の逆手《さかて》であり、最後の思いが、舟を、ひいては海を、青柴垣《あおふしがき》に見たてることであったにちがいない。かくて詩人は神々の如くに死んだのである。

詩人と神々は、死に方において似ているばかりでなく、死んだ場所においても似ているのである。石見国は出雲国の隣国であり、しかも、高津は、杵築と同じく、国府から西の方に十数里離れている。その上、正徹のいう如く柿本神社が西へ向かって建てられていたとすれば、建て方までもよく似ている。おそらく、人麿の屍は海に沈んだとしても、人麿を祭る神社は早速、鴨島に建てられ、その神の社は人麿の沈んだ西方を向いて建てられたにちがいない。

もう一つ、神々の死と詩人の死が相似している点がある。神々の悲劇は親子二代にわたって起こるが、詩人の悲劇もまた親子二代にわたっているのである。私は隠岐《おき》の島《しま》に残る、柿本躬都良《かきのもとのみつら》伝承の根深さを紹介した。このような根深い伝承はけっして人工的につくられるものではない。父の人麿は石見で殺され、子の躬都良は隠岐に流される。それは、大国主命と事代主命の親子二代の悲劇と似かよっている。事代主の死んだ美保は、隠岐への舟の出るところであり、まさしく躬都良がそこから隠岐の島へ流された港なのである。

このような類似をわれわれは一体どう考えたらよいのか。私の一連の古代研究は、記紀にあらわれた日本神話なるものは律令体制のイデオロギーの神話化であり、神々の出雲流竄《りゅうざん》がその最大のねらいであると考えることから出発した。この考え方の根は思いの外根深く、そこから、われわれは法隆寺の謎《なぞ》を解く鍵《かぎ》を見出し、その謎解きに私はしばらく熱中した。しかし今や、またしても思いがけなく、この考え方の根を掘り進めるとき、万葉集の柿本人麿の死にぶつかったのである。私はわれながら自己の発見に驚いている。いったいこの神々の死と詩人の死との関係を、どう考えたらいいのか。なぜ彼等、律令政府は、神々を出雲に流し、詩人を石見に流したのか。それとも、あの壮麗にして華美なる神々の死の話は、その話のできる数年前に死んだ、というよりは自らの手で殺した詩人の死の話をもとにつくられた話なのであろうか。こういう点は定かには分からないが、いずれにせよ空恐ろしい話ではないか。

どうやら、多くの文献およびその文献の正確な解釈による正しい推理は、この詩人の流竄と死の事実を確実に示している。しかし、われわれはまだその事実を、十分信じることができないのである。契沖、真淵以来の国府の役人としての、つまり下級官吏・人麿の像にわれわれはなれきってしまって、真実がはっきり現われてもなお、われわれは長い間の偏見の方をえらび、真実の方を一笑に付そうとするのである。じっさい、私自身おどろいているのである。記紀の作者の発見や、法隆寺の秘密の解明のときも、私はおどろいたが、今度ほどではなかった。正直にいえば、私の推論がまちがっていてくれたらいいと思う。そうすれば、われわれは、あいまいではあるが、一つのロマンチックな詩人像、柿本人麿の像を維持することができる。じっさい、詩の領域にまで、政治に介入されることは、私としても困るのである。できることなら、詩人は政治的には安全地帯に立っていてほしかったのである。

しかし、事実はそうではなかった。柿本人麿の死の様があらわになるにつれて、私はあまりにも思いがけない事件を見たために自分の目まで疑う人間になった。実際私の見たものはあまりにも意外であったが、どうしてもそうとしか、もはや考えられないのである。そう考えなくてもいい説明があったら教えてほしい。あの五首の歌を、私のように解釈する以外に、別の解釈の仕方があったら、私は、私の見たものが一つの幻想であったと思い、心を安んじることができるのだが。

万葉集編者はひそかに圧殺された真実を語る

私の見たものが幻想ではないと思うのには、まだ多くの理由がある。私は先に、万葉集の歌は一首一首、単独に理解されるべきではなく、前後の歌との関連において、そしてまた全体との関《かか》わり合いにおいて理解されるべきであるといった。ところが、問題の五首の前後には奇妙に暗合する歌がある。前には、人麿が狭岑島で石中死人を見る歌があり、後には、和銅四年、河辺宮人《かわべのみやひと》が姫島《ひめしま》の松原《まつばら》に嬢子《おとめ》の屍《かばね》を見て悲しみ嘆いて作る歌がある。いずれも水死人の歌である。人麿の死の歌が、二つの水死人を歌った歌の間にはさまれているのはなぜであろう。だいたい巻一、巻二は皇族の歌が多い。皇族が作った歌か、あるいは皇族の行幸及び死を歌った歌である。こういう皇族の歌の中に人麿の歌があるのは、万葉集の編者の人麿にたいする異常なる尊敬のせいであろうが、この人麿が歌ったとはいえ、全く行き倒れの人の如き石中死人を対象にした歌が、ここに載せられているのはどういうわけであろうか。

石中死人の歌の方は人麿の作だからまだよいとして、この和銅四年という、はっきり年号の入っている、河辺宮人の姫島の松原で嬢子の屍を見て歌った歌は、何と解釈したらよいであろう。

和銅四年歳次辛亥、河辺宮人、姫島の松原に嬢子の屍を見て悲しび歎《なげ》きて作る歌二首

妹《いも》が名は千代に流れむ姫島の子松《こまつ》が末《うれ》に蘿《こけ》むすまでに　（巻二・二二八番）

難波潟《なにはがた》潮干《しほひ》なありそね沈みにし妹が光儀《すがた》を見まく苦しも　（同・二二九番）

この歌は、明らかに水死人を歌っている。特に後の歌には、はっきり海に沈んだ女が歌われている。あなたは海に沈んだけれど、あなたの名は永久に残るという。どうして前の歌は、あなたは海に沈んだけれど、あなたの名は永久に残るのであろうか。水死をとげたあらゆる娘の名が永遠に残るはずはないのである。この姫島で死んだ乙女の歌は巻三にも出てくる。そこにも同じ詞書があり、次のような歌がある。

風速《かざはや》の美保《みほ》の浦廻《うらみ》の白《しら》つつじ見れどもさぶし亡《な》き人思へば　或は云ふ、見れば悲しも無き人思ふに　（巻三・四三四番）

みつみつし久米《くめ》の若子《わくご》がい触《ふ》れけむ磯《いそ》の草根《くさね》の枯れまく惜しも　（同・四三五番）

人言《ひとごと》の繁《しげ》きこのころ玉ならば手に巻き持ちて恋ひずあらましを　（同・四三六番）

妹《いも》もわれも清《きよみ》の河の河岸《かはきし》の妹が悔ゆべき心は持たじ　（同・四三七番）

このうち後の二首は別の歌がまぎれこんだらしく、「右は、案《かむが》ふるに、年紀幷《ならび》に所処また娘子の屍と歌を作る人の名と、已《すで》に上に見えたり。但《ただ》し、歌の辞相違《ことばあひたが》ひ、是非別《わ》き難し。因《よ》りて累《かさ》ねてこの次《つぎて》に載す」という左注が付けられている。

前の二首はやはり水死人を歌った歌であろう。ところが、先の歌によく似た歌が藤《ふじ》原麻呂《わらのまろ》（六九四—七三七）の息子、浜成《はまなり》（七二四—七九〇）によってつくられたという『歌経標式《かきょうひょうしき》』に、「角沙弥美人名誉歌《つのさみかほよきひとのなをほむるうた》」としてある。「妹が名は千代に流れむひめ島に小松が枝のこけむすまでに」という歌がそれである。ここではこの美人の死をいたんだ歌の作者が角沙弥《つのさみ》となっている。角沙弥とは何であろう。角とは人麿のいたらしい津野を思い出させる。して見ると、この水に死んだ美人も人麿に関係があるのであろうか。あるいはそれは、人麿の妻なのであろうか。人麿についで、人麿の妻が和銅四年に難波で入水したのであろうか。そうではないとしたら、なぜこのような歌をここに出したのか。

ところで同じ『歌経標式』は、人麿のことを柿本若子《かきのもとのわくご》といっている。この若子とはどういう意味であろう。先の万葉集の歌にも久米の若子が歌われている。その若子は、どうやら岩室、古墳にいたらしい。そして若宮といわれるものが、多く新しい怨霊《おんりょう》、つまり新しく人から神になった怨霊を意味することは、よく知られているところである。先に私は、隠岐の島では、流人がたたりをなす場合、若宮をつくってそれを祀《まつ》る風習のあることを指摘した横山氏の話を引用しておいた。人麿が若子と呼ばれたのは、やはり、それなりの理由があるのであろうか。

姫島で沈んだ乙女が人麿とどういう関係があるのかは分からない。関係はないかもしれない。しかし、人麿の歌をはさむ二つの水死人の歌は何を意味するのであろう。それは、暗に、人麿の死も水死であることをあらわそうとしているのではないか。巻二ばかりではなく、巻三にも人麿が水死人を歌った歌がある。

八雲《やくも》さす出雲の子らが黒髪は吉野の川の沖になづさふ　（巻三・四三〇番）

人麿がかくも多く水死人に関心をもっているのはどういうわけであろう。私はこれも、暗に彼の死に様を示すためのものではなかろうかと思う。

前後の歌との関係ばかりでなく、巻二全体との関係においても人麿の刑死説は納得されると思う。巻二の挽歌《ばんか》のはじめにある歌は、有間皇子の自ら傷みてつくれる歌である。有間皇子の死は非業《ひごう》の死であった。その非業な死をとげた皇子をとぶらう歌を、『人麿歌集』にありという左注つきで出している。私は、すでにその時人麿は都にいなかったのではないかと思うが、なぜ有間皇子をとぶらう歌を、『人麿歌集』の中からとり出さねばならなかったのか。それは人麿の運命の伏線ではないかと思う。そして巻二でその死を傷まれる皇子たちも、ことごとくは、自然な死をとげた人ではないと思う。公《おおやけ》の歴史には語られないが、彼等の間には有間皇子と同じ死に方をした人もあることは、その挽歌のはなはだ悲しげなひびきでもわかる。巻二の歌は相聞歌《そうもんか》と挽歌であるが、相聞歌も多くは引き裂かれた愛、許されない愛を嘆く歌である。そこで歌われる愛がそうであるように、そこで歌われる死もまた不本意な死が多かったと私は思う。

こういう挽歌の作者人麿が、最後には自らの挽歌をつくって死ぬ。万葉集の第一次編者が、挽歌のはじめに有間皇子の死の歌を置き、その最後に人麿の死の歌を置いたのは、同じ死にざまをした二人の人間をつなぎ、彼等二人および、彼等と同じように政治によって虐殺《ぎゃくさつ》された無数の罪なき怨霊たちの魂を鎮《しず》めようとしたのではなかろうか。人麿の死をそのような刑死と考えるとき、はじめて万葉集全体の意味が分かると思う。

人麿は『古今集』仮名序において「おほきみつのくらゐ」といわれ、すでにそのとき「ひじり」とされ、明らかに赤人の「人」と区別されている。そして『宇治拾遺物《うじしゅういもの》語《がたり》』にせよ『千載集《せんざいしゅう》』にせよ、人麿はいつも神の姿であらわれる。なぜ、人麿は死後、すぐ神と祭られなければならなかったのか。かつて柳田国男の発した疑問も、このようにして解くことができると思う。

人麿水死説について、もうこれ以上語る必要はあるまい。それでも信じない人は、今更信じなくてもいい。常識の方が真理よりはるかに住みやすい住居であることは、今更いうまでもないことである。依然として常識の家に住みたい人は住むがよい。しかし、彼等がそれを真理と呼び、私を一人の妄想者とすることだけはやめてほしい。

流人の島・狭岑島《さみねのしま》の痛ましい遺跡群

茂吉の「鴨山考」の批判から出発したこの論考は思いがけず長大となり、そして人麿の死にかんする意外な事実を発見して、今や一応終わろうとしている。しかし、まだ読者は私のいうことを信じないだろうし、信じてはいけないのである。私の以上の論究には一つの問題がほとんど明らかになっていない。なぜ、人麿は流罪にされ、死刑にされなければならなかったのか、その問題が今までの私の叙述においてはあまりに漠然としていた。この点について、私はわざと明らかにしなかった。この問題は次

沙弥島

の著書『さまよえる歌集』でくわしくふれたいと思う。この死因の解明によって、人麿の死ははじめて全体として明らかになる。しかしここでは人麿の流罪と死の原因についてくわしくふれることが出来ない。ここで私が明らかにすることの出来るのは死の事実のみである。それゆえ、あまりに考証的になりすぎた感のあるこの論考を、日本最大の詩人のつくったすばらしい詩の鑑賞をもって終えることにしたい。

それは万葉集巻二、人麿の死の歌の前にある、人麿が狭岑島でつくった長歌一首と反歌二首である。従来この歌にもまた疑問がよせられていた。疑問は歌の意味に関わるものではなく、なぜ人麿が狭岑島へ行ったかという点である。

狭岑島すなわち沙弥島《さみじま》は、最近まで、坂出《さかいで》市の東北約〇・一キロに位する小さな島であった。島であったというのは、実は埋立てが進んで、現在では陸続きになってしまったからである。『坂出市誌』によれば、沙弥島は、東西一町半、南北八町半、島囲二十町、面積十三町七反八畝、山の高さ十四間の島である。全島、小高い丘がつづき、それにかこまれて多少の平地がある。ナカンダといわれる平地を最近発掘調査をしたところ、縄文《じょうもん》時代からの遺跡が出てきたという。縄文末期からこの島には人が住み、弥生《やよい》時代の水田農業の跡もあるという。そしてその人間が住んでいた跡は鎌倉初期までと見られるが、鎌倉時代から後は人が住んではいず、やっと江戸になって再び人が住みつき、特に明治以後、塩田と共に多くの人が暮らすようになったという。多くの人が住んだといっても、せいぜい三十戸であり、この島の規模からいえば、そのくらいの戸数が限度である。

沙弥島の古墳

この島の特徴はおびただしい古墳である。西の方に吉野山《よしのやま》と名づけられる山があり、その一帯に多くの古墳がある。現在発見されているものでも数基、わりあい大きな古墳があり、また千人塚《せんにんづか》と呼ぶものがある。この島にそれだけ多くの人が住んでいたとは考えられないが、どうしたわけであろうか。また、人麿が石中死人を見たところとされる有磯《ありそ》のあたりにも小高い丘があり、そこにも数基の古墳がある。しかもこの古墳は全部、古墳時代末期、ほぼ人麿の頃のものなのである。

これはあとから写真で見て気づいたのであるが、この島は横から見ると、前方後円墳にそっくりである。人麿がいたらしい韓島《からしま》も同じような形である。古墳形の島に流人を流したのであろうか。あるいは鴨島も同じような形であったのであろうか。なぜ、このような島に人麿は行ったのであろう。ある人はそれを、大宰府《だざいふ》への旅行の途中に寄ったというが、この島は九州への航路から大きく外れている。あるいは人麿は讃岐国の役人として視察に行ったのであろうとするが、なぜそんな小さな島へ、六位以下としてもやはり相当な官職にあったと思われる人麿が、視察にゆき、しかもそこに庵《いおり》する必要があるのか。残された可能な推論は、人麿は四国から本州へ行く途中、そこで潮待ちしていたのではないかということであるが、潮待ちするには四国から近すぎるし、そこには港らしい港もない。そのような潮待ちの話は歌にも詞書にもなく、またこの石中死人に、人麿はあまりにも同情しすぎている。この狭岑島で死んだ死人を、人麿はほとんどわが事のように感じている。

私はやはり、この島は人麿が死んだ鴨島と同じように、流人の島ではなかったかと思う。「大君《おほきみ》を嶋《しま》に放《はぶ》り」と歌う「嶋」は、おそらくこのような島をいうのであろう。小さい、生産物の乏しい島に、労働のできない貴族を置いたら、やがて餓死してしまうであろう。そして島に放たれた貴族は、多くこうして餓死したのであろう。「大君を嶋に放り　船余り　い還り来むぞ」というのは、そういう運命にたいする挑戦の歌であろう。俺だけはきっと帰るぞ、妻よ待っておれ、という祈りにも似た気持で軽太子は島に放たれたにちがいない。おそらく島に残る多くの古墳は、島で死んだ貴族たちの墳墓であろう。いくら流人であっても、いや流人であったがゆえに、かえって手厚く葬られねばならない。これが日本神話の教える日本人の礼節なのである。沙弥島の古墳は、こういう日本人の礼節をはっきり示していると私には思われる。

狭岑島の歌には「讃岐の狭岑島に、石の中に死《みまか》れる人を視《み》て、柿本朝臣人麿の作る歌一首」という詞書がある。この詞書は現代人が読んでもピンとこないが、当時の貴族が読んだらすぐわかったであろう。なぜなら、島といえばすでに当時の貴族には一つのイメージがあったであろうから。そして狭岑島、おそらくは沙弥島という名の島は、中央の貴族にもよく知られていたであろう。その名も沙弥島、死のイメージを多

沙弥島の人麿歌碑

分にもった島である。中国では沙門島《さもんとう》という島が流人島で有名であった。

　人麿のこの歌を私が流罪の歌と考えるのは、必ずしも島の状況によってのみではない。それ以上にこの歌のもつ深い悲しみの響きゆえである。人麿はこの狭岑島で死人を見たが、その感動は異常である。その死人の中にほとんど己れを見ているほどだ。なぜ人麿は石中死人の中に己れを見なくてはならなかったのか。それは人麿流人説によってはじめて説明されると思う。

　私がこの論文のはじめに、茂吉の鴨山についての空想をとがめた理由として、茂吉のこの幻想によって万葉集の歌の解釈は何一つ深まらないことをあげた。鴨山を亀あるいは湯抱にもってゆくことによって、万葉の歌はどれ一つ、より深くは理解されない。たとえ詩人の幻想が許されるべきものであったとしても、その幻想は事象をいっそう深く、いっそう豊かに理解させることに役立たねばならぬ。そういうことのない幻想はただの妄想にすぎないと私はいった。

今、私の人麿流人説——これを私はけっして幻想ではないと思うが——によって、一つの歌が完全に生き返ってくる。この狭岑島の歌は、私の説によって、はじめて本当に深く理解されると思う。今この復活したすばらしい歌を、読者と共に鑑賞してみよう。

凄惨《せいさん》きわまりない美——流人・人麿の絶唱

玉藻《たまも》よし　讃岐の国は　国柄《くにから》か　見れども飽《あ》かぬ　神柄《かみから》か　ここだ貴《たふと》き　天地《あめつち》
日月とともに　満《た》りゆかむ　神《かみ》の御《み》面《おも》と　継《つ》ぎて来《く》る　中《なか》の水門《みなと》ゆ　船浮けて
わが漕《こ》ぎ来《く》れば　時つ風　雲居に吹くに　沖見れば　とゐ波立ち　辺《へ》見れば　白
波さわく　鯨魚《いさな》取り　海を恐《かしこ》み　行く船の　梶《かぢ》引き折りて　をちこちの　島は多
けど　名くはし　狭岑《さみね》の島の　荒磯面《ありそも》に　いほりて見れば　波の音《と》の　繁き浜べ
を　敷栲《しきたへ》の　枕《まくら》になして　荒床《あらどこ》に　自伏《ころふ》す君が　家知らば　行きても告げむ　妻《つま》
知らば　来《き》も問はましを　玉桙《たまほこ》の　道だに知らず　おぼぼしく　待ちか恋ふらむ
愛《は》しき妻らは　（巻二・二二〇番）

反歌二首

妻もあらば採《つ》みてたげまし佐美《さみ》の山野の上《へ》のうはぎ過ぎにけらずや　（同・二二一番）

沖つ波来《き》よる荒磯《ありそ》を敷栲《しきたへ》の枕と枕《ま》きて寝《な》せる君かも　（同・二二二番）

この歌は、人麿の多くの長歌がそうであるように、はなはだイメージが論理的である。あいまいで不必要な言葉は一つもなく、すべての言葉が生き生きとして、見事に壮絶なる美の世界をつくっている。

この歌は四節に分けられると思う。「玉藻《たまも》よし」から「神《かみ》の御《み》面《おも》と」までが第一節、「継《つ》ぎて来《く》る」から「海を恐《かしこ》み」までが第二節、「行く船の」から「いほりて見れば」までが第三節として、それ以下が第四節である。これらの各節はまた、見事に起承転結の中国の詩の法則にもあっているように思われる。

第一節から解釈をはじめよう。讃岐の国へ流罪にきまった詩人、人麿の口から自然に出てきたのは、流罪地、讃岐の国にたいする自然な讃美の言葉である。「讃岐の国よ、すばらしき讃岐の国よ」、彼は、讃岐の土地を守る神霊に呼びかけているのである。「美しい藻の生えている讃岐の国、その国の景色はすばらしく、いくら見てもあきない」、そして古き神さまがいらっしゃる讃岐の国をまだ賞《ほ》め足りないで、詩人は天地日月と共に永久にみちたりている神の国と讃美している。詩人の讃岐の国への讃美は、いささかくどいほどなのである。はたして詩人は、讃岐の国がそんなに気に入ったのであろうか。そうではあるまい。彼は不安なのである。これから彼が行く流刑地に不安なのである。讃岐の島で、自分は餓えに苦しみ、やがて死ぬのではないかという強い不安が、詩人の心をとらえて離さないのである。そうして、その不安が強ければ強いほど、彼は言葉をきわめて讃岐の国を讃美しなければならない。「ああ讃岐の国よ、すばらしい国よ。どうか国の神々よ、わが願いを入れてわが命を永らえ給《たま》え」、ここで「満《た》りゆかむ」という言葉に注意し給え。先にあげた「大君を　嶋に放り」の歌に「船余り　い還り来むぞ」という言葉があった。この「船余り」というのは、いわば呪詞である。島に放たれて舟もなく帰れない、これが多くの流刑者の運命であった。その運命を克服すべく「船余り」というのである。これをふつう枕詞ととるけれど、枕詞の中には呪詞が含まれているのである。万葉集の中でも人麿の歌には枕詞が多いが、これは呪詞的性格をもつと山本健吉氏はいう。ここでは、すべてが呪詞の役割をしているのである。詩人は四重に讃岐の国を讃美する。「おお讃岐の国の神よ、わが美《うる》わしき言葉を聞き、わが運命を守らせ給え」と。

いよいよ詩人は、四国本島から狭岑島への舟旅に出るのである。「継ぎて来る」は、「神の御面」と古代から伝えてきたという意味であるが、一方では、流罪の旅を示しているのではないかと私は思う。次から次へと苦しい旅をして、ついに中の港から舟を漕いで狭岑島へ行くことになった。そして海で人麿が見たのは恐ろしい景色であった。黒い雲がたちこめた海、その海に風がはげしく吹いて、沖には大きな波がうねり高まり、岸辺には白い波が無気味にあざ笑っている。海は恐ろしげに荒れていて、流人・人麿に底知れぬ恐怖を与える。前節がいわば四重の讃美の言葉からなるとすれば、これは四重の恐怖の言葉からなる。もちろん、海と風は、何より人麿自身の心象風景であろう。この不安の四重奏は、前の讃美の四重奏とひびきあい、不思議な悽愴《せいそう》きわまる美をかなでるのである。どんなに詩人が讃岐の国をほめたたえ、どんなに己れの未来によき運命があるように願ったとしても、心の不安はどうすることも出来ない。

いよいよ島へ上陸するときがきた。ここで人麿は「梶《かぢ》引き折りて」という。それは、正常な航路からそれてという意味を持たせたものであろう。いよいよあの沙弥島へきたのである。その名さえ忌《いま》わしい沙弥島に上陸しなければならぬ。しかしその不安を、詩人は沙弥島にたいする讃美の言葉であらわすのである。「あちこちの島は多いが、ああ、このよき名を持った狭岑の島よ」。「名くはし」という言葉は「名ぐはしき吉野の山」などというふうに用いられる。吉野山ならば名が美しいといえるが、沙弥島はとうてい美しい名ではない。その沙弥島を、人麿は必死になって「名くはし　狭岑《さみね》の島」というのである。「狭岑の島はよき名の島、われらの命を守る島」、不安の中に人麿は沙弥島に上陸し、荒磯に庵を作る。おそらく庵を作るのは流罪者の仕事であろう。彼は何の保証もなく島に放たれたのである。

その島で人麿は恐ろしいものを見た。浪《なみ》の音の騒がしい浜べを枕として、石の間で人が寝ている、と見たのは死人であった。人麿は驚く。「お前の家はどこなのだ。行ってお前の死を知らせてやろう。お前の妻がお前の死を知ったならたずねてくるはずだが、妻はたずねる道すら知らず、鬱々《うつうつ》としてお前の帰りを待っているにちがいない。ああ、お前の妻は」。

武田祐吉は、このところの「家知らば　行きても告げむ　妻知らば　来《き》も問はましを」の言葉にある不思議な意識の交錯に注意をしている。「家知らば」は人麿自身が主語であるのに、「妻知らば」は死人の妻の方が主語であり、こういう唐突な主語の変化は珍らしいといい、その理由を、人麿がこの死人と自己を同一視していることに求めている。

その通りである。流人人麿は、ここに先輩流人の無残な屍を見たのである。そこにおそらく、近い将来に自分がおちいるにちがいない運命を人麿は見たのである。もはやここでは人麿が死人そのものであり、死人の第一の思いは、はるか遠く離れて、自分が今ここにこうしていることも知らないでいる妻への思いである。

石の間で死んでいる死人、それも、私は一人ではないような気がする。そういう死人を目前に見て、自己の運命に身ぶるいする詩人の姿を私はそこに見る。それは凄惨で壮絶な美である。そのような美は、日本の詩ばかりではなく、世界の詩においても類例の少ないものであると私は思う。この歌を、万葉集随一の歌にしてもいいと私は思う。朗々と朗誦《ろうしょう》して見たまえ。冷たい月がかがやいている冬の夜にでも、この詩を朗誦したら、魂の底まで凍え切ってしまうだろう。すばらしい詩が、人麿の死の事実と共に、千年以上も隠されていたのである。

第二部　柿本人麿の生

――賀茂真淵説をめぐって――

第一章　賀茂真淵の人麿考

人麿論の方法について

私は第一部において、おどろくべき柿本人麿の姿を見た。それは、宮廷第一の詩人として、天皇、皇族に扈従《こじゅう》し、荘厳《そうごん》にして華麗なる詩を詠《よ》む人麿の姿ではなかった。また、数々の恋人をもち、これらの恋人たちに哀切きわまりない離別の歌を歌う人麿の姿でもなかった。そしてまた、律令《りつりょう》政府の下級官僚としてあちこちに旅行し、地方官吏として地方へ赴任する人麿の姿でもなかった。そうではなくして、石見《いわみ》の海で、世にも悲しげな辞世の歌を残して入水《じゅすい》する、流《る》刑者《けいしゃ》・人麿の姿であった。

この姿を見て、読者はおどろき、私の語った人麿像はまちがっているにちがいないと思うだろう。たしかに私が語った人麿像は、われわれが子供のときから教えられた常識的な人麿像と矛盾している。そして、常識と矛盾する像とぶつかるとき、誰しも思う。やはり常識の方が正しくて、今ここで語られる新しい説の方がまちがっているのではないか、そしてまた、そのような像を語る一人の学者なるものは、学者に非《あら》ずして、むしろ一人の妄想家ではないか、と。

法隆寺にかんする私の説も、また、常識を逆なでする説であった。それを読んで、ある学者は懸命に叫んだ。「これはまちがっている。これは学問ではなく、妄想だ」と。私はそういう学者に微笑をもって答えることにしよう。一人の学者が三十年も四十年もの長い間、そのことを信じ、また自らそのことを真理として人に教えていたことが、たとえある学者によってどんなに明快に、誤謬《ごびゅう》であり不完全であると説かれたとしても、どうして一朝にして、そのような長い誤謬から離脱することができようか。誤謬が形成された長さと同じように長い年月が、真理の成熟には必要なのである。

聖徳太子《しょうとくたいし》（五七四―六二二）によって建てられた聖なる寺・法隆寺のイメージは、何百年の間信じられてきた日本人の常識であった。その常識にもとづいて、多くの学者は法隆寺を考えた。その常識を一挙にして転倒せしめる私の説が、一朝一夕に認められるはずはない。人間の性は、そういう新説を一気に認めるほど単純ではないのである。私にとって、意外に多くの人々、その中にはすぐれた学者や芸術家がたくさんいられるが、そういう人たちが私の新説を認めてくれたことのほうが、むしろ不思議に思われる。おかげで私は、「孤立無援」で真理を守るポーズをとることができなくなってしまった。法隆寺のことは、もう語る必要があるまい。今は柿本人麿のことを語るべきである。

人麿についても、私はどうやら、はなはだ常識離れの結論に到達したようである。実をいえば、この常識離れの結論に私は困っているのである。故意に常識を転倒させようとする意志は、私には毛頭ない。常識は、やはり、人間が生きることのできるルールを与えてくれる。このルールがなかったら、人間はどうして生きてよいのか分からなくなる。私は人間から生きるべきルールをうばってゆく、邪悪な心をもった価値転倒者であるのか。聖徳太子によってつくられた聖なる寺・法隆寺という信仰を依然としてもちつづけ、また、もちつづけようとしている人々にとって、私は一人の邪悪な心をもった価値転倒者にほかならない。私はどうやら、私の意志にさからって、そうした価値転倒者の役割をしなければならぬようであるが、法隆寺の場合ばかりでなく、今また柿本人麿と万葉集においても、私は一人の価値転倒者とならねばならぬ。日本第一の神聖なる宮廷詩人としての人麿の像は、もしも私の第一部での論旨が正しかったとすれば、崩壊する。そして、そのかわりに、石見の海の水底《みなそこ》から、藻《も》くずに濡《ぬ》れ、呪詛《じゅそ》の歌を歌う人麿の姿が、出現してくる。このような人麿像は、常識的な人麿像になれた人から見れば、聖なるものの冒瀆《ぼうとく》であり、常識の恐るべき否定であるように思われるであろう。邪悪な心をもった価値転倒者よ、呪《のろ》われよ。そういう呪いの声が、良識ある人々から起こるのはもとより覚悟の上である。だが、私は、何度もいうように、好んで常識を否定する意志は毛頭ない。理の必然が、私をここに導いたのである。人麿の水死は、どうしようもないことのように思われる。

しかし、真理の断定において、われわれはあくまで慎重でなくてはならない。私は第一部の終りに、たとえ石見の海で水死する人麿の最後の姿が、どれほど確実に見えるにせよ、もし彼が、どのような理由で流刑され、どのような理由によって刑死したかが明確に理解されない以上、人麿刑死説についての決定的判断を保留すべきだといった。われわれは、このような人麿の流刑と刑死の理由を明らかにする仕事に入らねばならない。

この仕事は、はなはだ困難である。なぜなら、われわれは、人麿の伝記を知る資料を、万葉集以外にはほとんど持たない。そして、万葉集においても、人麿の歌はあちこちにちりばめられ、彼の人生を全体として理解するには、このような、あちこちにちりばめられた彼の歌から、彼の人生の真実を深く読みとらなければならない。

万葉集には、もとより人麿の流罪と刑死については一語の言葉もない。それがないゆえに、おそらく私が、どのように豊かな資料で、彼の流刑と刑死を説いても、納得しない学者もあろう。しかし、勅撰集《ちょくせんしゅう》という伝えのある歌集に、当の政治権力にマイナスとなるような事実をあらわに語ると思うのが、むしろおかしいのである。後に、私は万葉集の性格についてくわしく語りたいが、「原‐万葉集」を形成すると思われる万葉集の巻一と巻二は、私には、ひそかに人麿の復権をはかろうとした橘諸兄《たちばなのもろえ》（六八四―七五七）と、大伴家持《おおとものやかもち》（七一八？―七八五）の合意によってつくられているように思われる。

万葉集は、ある種の暗号のような深い意味をもった書物ではないかと私は思う。ここで人麿の流刑と刑死がはっきり語られていないとしたら、私たちはもう一度、そのような人麿像の立場に立って、万葉集における多くの人麿の歌や、また人麿周辺の人々の歌を整理しつつ、彼の人生を、悲惨なる刑死に至る必然の道として新しく解釈しなおさねばならない。そのために彼の作とされている歌、多くの長歌、短歌、および彼の歌集である『柿本朝臣人麿之歌集《かきのもとのあそみひとまろのかしゅう》』の歌を根本的に再検討しなくてはならないのである。

この仕事が根源的であるためには、やはり、常識となっている人麿についての通説を、徹底的に批判することが必要であろう。斎藤茂吉（一八八二―一九五三）の「鴨山考《かもやまこう》」の吟味からはじまった第一部において、私は、かの茂吉の人麿像は、結局、賀茂真淵（一六九七―一七六九）の人麿像の下に立っていて、この真淵の人麿像そのものが、徹底的に吟味にさらされねばならないことを明らかにした。まったく、茂吉ばかりか、真淵以後のあらゆる人麿像は、折口《おりくち》一派の人麿像を除いて、ほとんどすべて真淵説の影響下にある。いわば真淵説が、われわれの人麿理解の常識となっている。それゆえ、このような常識を否定するために、われわれは、賀茂真淵による人麿像に徹底的な吟味を加えねばならない。

賀茂真淵の人麿解釈

真淵の人麿像は、先にいったように、彼の『万葉考』の「万葉考別記」の柿本人麿の項目において、もっとも明瞭《めいりょう》に語られている。少し長いけれど、全文を引用してみよう。

㈠「柿本臣《ノオミ》は、古事記に、葛城《ノ》腋《ワキ》上《ノ》宮《ノ》天皇の皇子、天押帯日子命《あめのおしたらしひこノみこと》の後、十六氏に別れたる中の一つなり、且臣《かつオミ》のかばねなりしに、浄御原《きよみはらノ》宮の御時朝臣と為給《なしたま》へり、かくて此《この》人麻呂の父祖は考べき物なし、紀に（天武）柿本朝臣佐留《サル》とて四位なる人見え、続紀には同氏の人かた〴〵に出て、中に五位なるもあり、されど何《いづ》れ近きやからか知がたし」

㈡「さて人麻呂は、崗本宮《をかもとノ》の頃にや生れつらん、藤原宮の和銅の始の頃に身まかりしと見えたり、さて巻二挽歌《ばんか》の但馬《たぢまノ》皇女《ノ》薨後《こうご》云云《うんうん》（此皇女和銅元年六月薨、）の下、歌数のりて後此人在二石見国一死と志るし、【こゝに引し和銅元年と同三年都うつしとの間なれば、和銅二年に死たりといふべし、】其次に和銅四年と志るして他人の歌あり、（同三年奈良へ京うつされたり、）すべて此人の歌の載たる次《ツイ》でも、凡《およそ》和銅の始までなり」

㈢「齢《よはひ》はまづ朱鳥《あかみとり》三年四月、日《ひ》並知《なみしノ》皇子命《ノ》の殯宮《もがりのみや》の時此人の悼奉《いたみたてまつ》れる長歌巻二に有、蔭子《おんし》の出身は廿一の年よりなると、此歌の様とを思ふに、此時若くとも廿四五にや有つらん、かりにかく定め置て、藤原宮の和銅二年までを数るに、五十にいたらで身まかりしなるべし、此人の歌多かれど老たりと聞ゆる言の無にても志らる」

㈣「且出身はかの日並知皇子命《ノ》の舎人《トネリ》にて、（大舎人なり、）【内舎人《うどねり》は大宝元年六月始て補せられしかば、こゝにいふは大舎人なり、されど後世ばかり卑《いやし》くはあらず、】其後に高市皇子命《ノ》の皇太子の御時も同じ舎人なるべし、巻二の挽歌の意にて志らる、筑紫《つくし》へ下りしは仮の使ならん、近江《あふみ》の古き都を悲み、近江より上るなど有は、是も使か、又近江を本居にて、衣暇《イカ》田暇《デンカ》などにて下りしか、【官人五月と八月に、田暇衣暇とて三十日づゝの暇を給、又三年に一度父母を定省する暇も給へる令の定めなり〕いと末に石見に任《マケ》て、任の間に上れるは、朝集使税帳使などにてかりに上りしものなり、此使には、もろ〳〵の国の司一人づゝ、九十月に上りて、十一月一日の官会にあふなり、其上る時の歌にもみぢ葉をよめる是なり、即石見へ帰りてかしこにて身まかりたるなり、位は其時の歌、妻の悲める歌の端にも死と書つれば、六位より上にはあらず、三位以上に薨《こう》、四位五位に卒《しゆつ》、六位以下庶人までに死《し》とかく令の御法にて、此集にも此定めに書て有、且五位にもあらばおのづから紀に載べく、又守《かみ》なるは必任の時を紀に志るさるを、柿本人麻呂は惣《すべ》て紀に見えず、然《しかれ》ば此任は掾目《じようさかん》の間なりけり、此外に此人の事考べきものすべてなし、後世人のいふは皆私ごとのみ、よしや身は志もながら、歌におきて其頃より志もつ代に志く人なきからは、後世にことの葉の神とも神とたふとむべきはこのぬしなり、其言《ことば》とも竜の勢有て、青雲の向伏《むかぶす》きはみのものゝふと見ゆるを、近江の御軍《みいくさ》の時はまだわかくしてつかへまつらねば、いさほしをたつるよしなく、歌にのみ万代の名をとゞめたるなり」

㈤「古今歌集の今本の貫之《つらゆき》が序に、人麻呂をおほきみつの位と有は、後人の書加へし偽ごとなり、同集の忠岑《ただみね》の長歌に、人まろこそは、うれしけれ、身は下ながら、ことのはは雲の上まで聞えあげといへり、五位ともなれらば身は下ながらといふべからず、ましで三位の高き位をや、かく同じ撰者がよめるを挙て、序にこと様の事かゝんや、すべて古今集には後の好事《かうず》の加へし事有が中に、ことに序には加はれる言多し、古《いにし》へをよく知人は見分べし、そのあげつろひはかの集の考にいへり、又かの真字序《まなじょ》は、皇朝の事を少しも志らぬ人の書しかば、万葉の撰の時代も、人まろ赤人の時代をも甚誤《はなはだあやま》れり、そもかの考にいへればここは略《はぶ》けり」

真淵はたいへん論理的な頭脳の持主であって、この人麿像は、はなはだよく整理されている。もう一度、彼のいっていることを、現代の言葉で要約すると、以下のようになるであろうか。

㈠　出身氏姓と、正史における記載

柿本人麿が属する柿本氏は、臣《おみ》を名のる姓《かばね》であるが、天武天皇《てんむ》（在位六七三―六八六）の時、朝臣《あそみ》をさずけられた。正史である日本書紀には、柿本佐留《かきのもとのさる》（？―七〇九）なる四位の人物が見え、また『続日本紀《しょくにほんぎ》』にも、柿本を名のる人がいくらかいて、中に五位の人もいるが、それらが人麿のどのような親戚《しんせき》に当るかは分からない。

㈡　時代

人麿は後岡本宮《のちのおかもとのみや》、すなわち斉明天皇《さいめい》（在位六五五―六六一）のときに生まれたのであろうか。そして死んだのは、藤原京に都があった頃、奈良遷都《せんと》の直前であろう。例の巻二の人麿の死の歌の次に、和銅《わどう》四年（七一一）としるした他人の歌がある。

㈢ 年齢

時代のはっきりしている人麿の最初の歌は、持統《じとう》三年（六八九）、草壁皇子《くさかべのみこ》（六六二—六八九）が死んだときの歌である。そのときの歌には、人麿の長歌とその反歌以外に、草壁皇子に仕えたたくさんの舎人《とねり》の短歌がある。そのとき、おそらく彼も舎人の一人であったのであろう。身分ある人の子が舎人となるのは二十一歳の頃と考えられるが、そうすると、この頃、彼は二十四、五歳くらいではなかったか。とすると、人麿が死んだと思われる和銅二年においても、人麿はまだ五十歳になっていない。この人の歌に老年のものがないのは、若くして彼が死んだ為《ため》であろう。

㈣ 官位

人麿は宮仕えを舎人からはじめた。皇太子・草壁の舎人、その後、高市皇子《たけちのみこ》（六五四—六九六）の舎人となり、その後、地方官となってあちこちの国の下級役人になった。彼が死んだとき、「死す」とあり、「薨ず」あるいは「卒す」と書いてないのは、彼が六位以下の掾か目、つまり地方官でも第三級以下の掾《じょう》か目《さかん》という低い位であったからであろう。彼は、位が低く、ただ歌の道だけで、万代に名をとどめたのである。

(五)『古今集』の序文の誤謬

人麿について、すべてこのようなことのみが正しく、他の伝承は信じがたい。古く、『古今集』仮名序《かなじょ》に「おほきみつのくらゐ」とか、真名序《まなじょ》に「柿本の大夫」とかあるが、仮名序のこの部分はあとから書き加えられたもの、真名序は、日本のことを少しも知らぬ人の書いたもの、共に信じがたい。

柿本氏の消長と万葉集復権期の暗合

真淵の人麿論は、以上の五つの主張に要約されるが、このような真淵の主張は、何百年にわたる人麿についての、万葉集についての研究史を背景にした、真淵独自の人麿解釈である。その一つ一つについて、検討していこう。

(一)人麿が属する柿本氏という氏族が、正史の上に登場するのは、天武十年(六八一)の十二月に、柿本臣猨《かきのもとのおみさる》が小錦下《しょうきんげ》を授けられたのにはじまる。小錦下とは、従《じゅ》五位下相当の位であるが、この柿本臣はそれから三年後、天武十三年に朝臣の姓を授けられている。

また古事記には、「天押帯日子命《あめのおしたらしひこのみこと》は、春日臣、大宅臣、粟田臣、小野臣、柿本臣、

〔……〕の祖なり」とあり、『新撰姓氏録《しんせんしょうじろく》』には「柿本朝臣《カキノモトのあそみ》。大春日朝臣《おほかすがのあそみ》と同祖、天《あめの》足彦国押人命《たらしひこくにおしひとのみこと》の後なり。敏達《びだつ》天皇の御代、家の門に柿の樹《き》有るに依《よ》りて、柿本臣氏となす」（原文漢文）とある。

してみると、柿本氏は古く天皇と姻戚《いんせき》関係にあり臣姓を名のる和珥《わに》氏の一分家らしいが、この氏が歴史上に登場するのは、やはり壬申《じんしん》の乱《らん》以後、おそらくは柿本猨なる人物の功績によるのであろう。この猨については、その後日本書紀においては何も語られず、『続日本紀』の和銅元年四月二十日に「従四位下柿本ノ朝臣佐留卒ス」とある。佐留と猨は同一人物であり、猨がその間に従四位下まで昇進したと考えるべきであろう。

　佐留が去ってから、しばらく柿本を名のる人間は正史に登場しないが、神亀《じんき》四年（七二七）正月二十七日の条に、正六位上柿本朝臣建石《かきのもとのあそみたけいし》（生没年未詳）が従五位下に任ぜられたという記事があり、ついで天平《てんぴょう》十年（七三八）四月十七日に、外従五位下柿本朝臣浜名《かきのもとのあそみはまな》（生没年未詳）が備前守《びぜんのかみ》に任ぜられたという記事がある。

　この二つの記事は、何でもないようであるが、よく考えると、大きな意味をもっているように思われる。というのは、柿本建石にせよ、柿本浜名にせよ、彼らが五位に任官されたのは、いずれも、藤原氏の勢力が相対的に弱まったときなのである。和銅元年に佐留が死んで、長らく歴史上に姿を現わさなかった柿本氏が再登場するのは、藤原不比等《ふじわらのふひと》（六五九―七二〇）および元明女帝《げんめい》（六六〇―七二一）の死後、長屋王《ながやのおおきみ》（六八四―七二九）の発言力が強まったと思われる神亀四年である。そして、それから二年後、長屋王は殺され、再び藤原四兄弟の独裁がはじまるが、その間、柿本氏は史上に登場しない。そして、再び柿本浜名が登場するのは、藤原四兄弟が相ついで死に、橘諸兄が輿望《よぼう》をになって政権についた、その最初の人事においてである。ところが浜名はまもなく死んだのか、以後彼は正史には現われず、それに代って登場するのが、柿本朝臣市守《かきのもとのあそみいちもり》（生没年未詳）なる人物である。市守は天平二十年二月十九日、従五位下に任ぜられ、天平勝宝《てんぴょうしょうほう》元年（七四九）閏《うるう》五月、丹後守《たんごのかみ》となり、天平宝《てんぴょうほう》字《じ》元年（七五九）、安芸守《あきのかみ》となり、同五年、主計頭《かずえのかみ》となり、同八年従五位上となっている。

柿本氏は市守以後、しばらく正史に登場しないが、次に登場するのは『日本後紀《にほんこうき》』の弘仁《こうにん》二年（八一一）二月二十日、従五位下、柿本朝臣弟兄《かきのもとのあそみおとえ》（生没年未詳）を肥前守《ひぜんのかみ》になすとある記事である。従五位下とあるからには、それ以前に弟兄はすでに従五位下となっていたのであろうが、それはいつの頃であろうか。周知のように『日本後紀』には脱落があっていつとは定められないが、それは平城天皇《へいぜい》（在位八〇六―八〇九）の御代《みよ》、大同《だいどう》の頃である可能性が強い。

万葉集の撰者としては、昔から橘諸兄、および平城帝があげられているが、諸兄、平城帝の時期といえば、藤原氏の勢力が相対的に弱まっているとき、そのとき柿本を名のる氏族が再興されているように見えるのは考えすぎであろうか。

弟兄以後、柿本朝臣を名のる人間が正史に登場するのは、文徳《もんとく》天皇（在位八五〇―八五八）の仁寿《にんじゅ》元年（八五一）に、柿本枝成《かきのもとのえなり》（生没年未詳）というものが従五位下に叙せられている。この他、朝臣の姓のない柿本小玉《かきのもとのおだま》（男玉）（生没年未詳）なるものが天平勝宝年間に従五位に叙せられ、また柿本安永《かきのもとのやすなが》（生没年未詳）なるものが、『続日本後紀《しょくにほんこうき》』の承和《じょうわ》九年（八四二）十二月の笠粢麿《かさのやなまろ》伝に、たいへんずるい人間として記せられている。

このように考えると、柿本家の消長は、万葉集の撰集の時期と何らかの関係をもっているように思われ、猨はもちろん、建石も、浜名も、市守も、弟兄ですら、人麿に関係のある人間ではないかと思われるが、真淵は人麿との関係を、「されど何れ近きやからか知がたし」の一言で片づけている。つまり、柿本人麿なる人物が、正史に登場しない限り、たとえ人の代わりに猿が登場したとしても、人とサルとが何らかの関係をもっているとは考えがたいと考えたのであろう。

人麿が正史の上に登場しない、それは真淵以前から長い間、万葉学者の最大の謎《なぞ》であった。というのは人麿は、古今第一の歌人であるばかりか、『古今集』の仮名序には「おほきみつのくらゐ」とあり、真名序には「先師柿本の大夫といふ者《ひと》あり」とあるからである。大夫は五位以上の通称であるが、もし三位であるならば正史に書かれないはずはないし、また五位以上でも必ず任官のときに書かれるはずである。それにもかかわらず、柿本人麿の名が正史にないのは、どういうわけであろう。

平安時代末期の、歌はまずいが学は古今無双といわれた大歌学者、顕昭《けんしょう》（一一三〇頃―一二一〇以降）は、『柿本朝臣人麿勘文《かきのもとのあそみひとまろかんぶん》』なる一文を草しているが、その中に盛んに人麿が正史に現われないという文証をあげている。


「古今序云。おほきみつのくらゐかきのもとの人丸《ひとまろ》なむ。うたのひじりなりける。

同目録云。藤仲実《とうのなかざね》撰　柿本人麿。父母詳《つばひ》らかならず。

卅六人伝《さんじゆうろくにんでん》云。藤盛房《もりふさ》撰　柿本人丸。先祖を見《あき》らかにせず。

万葉集目録云。藤敦隆《あつたか》撰　柿本人麿。国史を検《けみ》するに所見に無し。

（中略）

金玉集《きんぎよくしふ》序云。正三位柿本人麿と云ふもの有り。而《しか》して旧記を尋するに歴任有る無し。詳らかに之を検載せず云々。

拾遺抄目録云。江佐国《こうのすけくに》撰。柿本人丸。近江権守従三位云々。

私云。是一本の注也。之を用ふる可からず。

卅六人伝云。柿本人丸。年々の除目《ぢもく》叙位に就いて、其の昇進を尋ぬるに所見に無し」（原文漢文）

すでに平安時代の末頃には、柿本人麿という人の素姓は、全く分からなくなってしまっていたのであろう。子孫も絶え、伝承も定かならぬようになった頃、この古今第一の詩人の跡を、正史に求めようとして見つからないもどかしさが、これらの文献の列挙によく表われている。

大江佐国《おおえのすけくに》（生没年未詳。十一世紀後半）が撰したといわれる『拾遺抄目録』に、「柿本人丸。近江権守《ごんのかみ》従三位云々」と注があったという。近江は、人麿が例の「夕波千鳥」の歌を残しているところである。そして権守とは、流人がしばしばそのような名称の役職でもって流される官位である。このような伝承を佐国はどこから得たのか。顕昭は否定しているが、この注は無視できないと思う。

顕昭は、おそらく日本における最初のすぐれた考証的文献学者であった。彼の『古《こ》今集序註《きんしゅうじょちゅう》』や、『柿本朝臣人麿勘文』、『万葉集時代難事《まんようしゅうじだいなんじ》』などを読むと、彼が、実に明敏なる頭脳の持主であると共に、仮借なき論争者であったことがよく分かる。こうした人の常として、文献考証の結果たしかめられる真理以外のあいまいな伝承を、彼は信じようとしない。正史に柿本人麿なるものの名はない。従って、人麿は正史に登場しない。これほど明快な真理があろうか。

賀茂真淵も、文献学者として、顕昭の道を継ぐ人であった。彼の師・荷田春満《かだのあずままろ》（一六六九―一七三六）の養嗣子《ようしし》、そして真淵と関係の深かった荷田在満《かだのありまろ》（一七〇六―一七五一）は、次のようにいっている。

「是を以《もっ》て中古も今も歌学明ならず。歴世の間僅に清輔《きよすけ》朝臣と顕昭法師とのみ其詞の中に取るべき物あり。されど猶《なほ》是を得たりとしも云《いふ》べきには非ず。只《ただ》近年に至りて津の国大阪の僧契沖といふ者、万葉古今より始て若干の歌書を釈す。其説猶十に一二は甘心し難き事ありといへども、広く古書を考へて千載の惑を一時に開けり」

（荷田在満『国歌八論』）

近世の国学者が、藤原清輔（一一〇四―一一七七）と顕昭とを、取るべきものある言葉を語るただ二人の学者としたのは、彼等の実証的文献学的態度ゆえであろう。清輔も顕昭も、今から見ると全く時代離れのした、あるいは時代に先立ったすぐれた文献学者であったと思う。彼等は古書をよく読み、それらを比較検討し、その真偽をよく判別した。そして、そういう文献学的態度から、彼等は一切のあいまいな伝承をそのまま信じようとしなかった。もとより二人とも、近世の国学者、契沖（一六四〇―一七〇一）や真淵ほどすぐれた文献学者ではなかったので、彼等は、たとえあいまいな伝承であっても、それをそのまま否定せず、なお伝承を伝承として残しておいた。

この厳密なる文献学的考証によって、正史に柿本人麿が登場しないことは明々白々、誰もが疑いえない真理となった。そして顕昭以上に論理的ではるかにすぐれた文献学者であった契沖、真淵が、この文献学的真理を継承しないはずはない。人麿の名は正史に出ない。しかし、正史には三位はおろか五位であっても必ず記載されるはずである。それゆえ、人麿は六位以下である。文献学的に動かし難い真理にもとづく推論は、このように展開せずにはいられない。事実、契沖、真淵はそのような推論を展開する。

このような点にかんしては、また㈣の官位考の場でふれよう。ここでは、人麿の出身問題と、彼と正史との関係についての真淵の主張が、中古以来のものであり、それが顕昭以来の文献家の、論理的帰結であることを指摘すれば十分であろう。

たしかに、人麿の名が正史にないことは文献学的考証の結果、絶対にまちがいのない事実であるように見える。しかしこの文献学的正確さには、どこかに大きな抜け穴があるのではないか。私の法隆寺論を読んで、法隆寺がタタリ鎮《しず》めの寺であると正史に書いてないから、梅原説は信用しがたいと論じた歴史学者があった。ああ、正直きわまる文献好きの歴史学者よ、あなたは、政府の公文書に、水俣病《みなまたびょう》やイタイイタイ病の悲惨なる記録が、そのままのると思っているのであろうか。文献学的合理主義によって歴史を解釈することは、ちょうどコンピューターに会社の経営をやらせるように、大いなる誤謬への道を、実に正確なる計算によってたどることになりはしないか。

人麿時代考に重なる『古今集』仮名序解釈

(二)　真淵はいう。人麿は後岡本宮の頃に生まれ、和銅の始めに死んだ、と。死の時期を、真淵は、第一部で私がくわしく論じたように、万葉集巻二における人麿の歌の配列の順序によって考証する。奈良遷都の前であるから、おそらく和銅二年である、と。人麿が和銅の頃に死んだということは、万葉集に彼の歌が以後現われないことによっても確実であるように思われるが、このような事実が認められるには、長い年月が必要であった。先にいった、例の顕昭の、『柿本朝臣人麿勘文』なるものは、まさに、人麿の和銅年間死亡説を考証するためのものであったといってよい。人麿の死亡の年についての認識を狂わせたのは、何よりも『古今集』の仮名序であった。『古今集』仮名序には、次のようにある。

「いにしへより、かくつたはるうちにも、ならの御時よりぞ、ひろまりにける。かのおほむ世や、哥《うた》のこゝろをしろしめしたりけむ。かのおほん時に、おほきみつのくらゐ、かきのもとの人まろなむ、哥のひじりなりける。これは、きみもひとも、

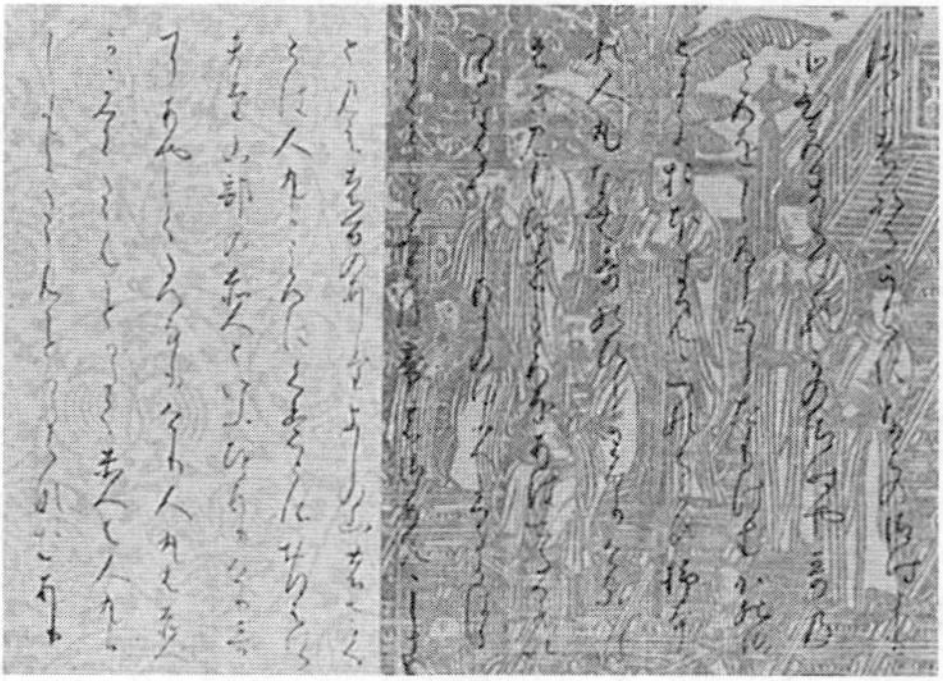
古今集仮名序（巻子本）

身をあはせたりといふなるべし。秋のゆふべ、たつた河にながるゝもみぢをば、みかどのおほんめには、にしきと見たまひ、春のあした、よしのの山のさくらは、人まろが心には、雲かとのみなむおぼえける。又、山の辺のあか人といふ人ありけり。哥にあやしく、たへなりけり。人丸は赤人がかみにたゝむ事かたく、あかひとは人まろがしもにたゝむことかたくなむありける。ならのみかどの御うた、竜田川もみぢみだれてながるめりわたらばにしき中やたえなん。人麿、むめの花それとも見えずひさかたのあまぎるゆきのなべてふれれば。ほのぼのとあかしのうらのあさぎりにしまがくれゆく舟をしぞ

おもふ。赤人、春の野にすみれつみにとこし我ぞのをなつかしみひとよねにける。わかのうらにしほみちくればかたをなみあし辺をさしてたづなきわたる。この人々をを（お）きて、又すぐれたる人も、くれ竹の世々にきこえ、かたいとの、よりよりにたえずぞありける。これよりさきの哥をあつめてなむ、万えうしふ（ふ）と、なづけられたりける。

〔……〕かの御時より、この方、としはも、とせあまり、世はとつぎになんなりにける」

この『古今集』の序文の文章ほど、人まどわせの文章はないといってよい。『古今集』は古代・中世の貴族にとって、最高の美の聖典であった。その聖典の序文は、疑いえないものであったにちがいない。しかし、この疑いえない序文が、そのまま信じられないとしたらどうであろう。

この序文を率直に読む限り、「ならの帝《みかど》の時から歌は広まった。その時代に、人麿という人があって、帝と共に歌を詠《よ》んだ。また、山部赤人《やまべのあかひと》という人があり、この人も、人麿と匹敵する歌の達人であった。この人々以外にも、多く歌の上手な人があり、これより先の歌を集めて、万葉集と名づけたという」という意味になる。

この文章は、万葉集の撰集にかんする最古の記録である。万葉集撰集にかんしても、古事記撰修や、法隆寺再建や、出雲《いずも》大社建造のように、正史には一言も語られていない。このことは、万葉集の性格を考えるにあたって無視できない事実であると思われるが、延喜《えんぎ》五年（九〇五）、紀貫之（八七二頃―九四五）によって書かれた『古今集』仮名序によれば、万葉集は、「ならのみかど」のとき柿本人麿、山部赤人（生没年未詳）という同時代者によって、それ以前の歌を集めて撰集されたことになる。いったい、「ならのみかど」とは、何天皇であるのか。

これについて、最初の精細な考証をしたのは清輔である。清輔以前に、この「ならのみかど」を聖武《しょうむ》帝（在位七二四―七四九）、桓武《かんむ》帝（在位七八一―八〇六）、平城帝と解釈する考え方があったけれど、清輔はこの帝を聖武帝と考証する。清輔の考証の仕方は、はなはだ学問的である。万葉集には天平宝字三年以後の歌はなく、また家持の官位の記載が内舎人《うどねり》、越中守《えっちゅうのかみ》、少納言《しょうなごん》、兵部少輔《ひょうぶしょうゆう》、右中弁《うちゅうべん》、因幡守《いなばのかみ》などであって、それ以後の公卿《くぎょう》のときの官位の記載はない。それゆえ、万葉集の撰集のときを平安時代に降《くだ》らしめることができず、かつ、人麿と同時代の人である「ならのみかど」を桓武帝と考えても、人麿の年齢が百六十歳にもおよぶことになり、したがって「ならのみかど」は聖武帝であり、聖武帝のときまで人麿は長生きして、万葉集の撰にあずかったのであると清輔は考える。この傍証として、清輔は、『栄花物語《えいがものがたり》』の「万葉集は天平勝宝五年、橘諸兄が撰した」という説と、『万葉五巻抄《まんようごかんしょう》』の序に伝えられる、『柿本朝臣人麿之歌集』にあるという、天平勝宝五年、橘諸兄と人麿が歌を交わしあったという記事とをあげている。

この清輔の説も、『古今集』の序文を「ならのみかど」の時代に人麿、赤人が生きていて、万葉集を撰したと解釈したゆえであるが、そう考えても、人麿は長生きすぎるのである。万葉集における人麿の歌の初出は、持統三年、草壁皇太子薨去《こうきょ》の時の挽《ばん》歌《か》であるが、その時たとえ人麿を二十五歳と考えても、天平勝宝五年には八十九歳になる。八十九歳でも、もとより歌を撰ぶことはできなくないが、それと、石見国《いわみのくに》での彼の死とはいったいどういう関係があるのであろう。清輔は、万葉集における歌の順序は必ずしも時代の順序どおりではなく、したがって、人麿の死のときを和銅年間におく必要はないというが、それにしても八十九歳をすぎて石見国へ行き、哀切きわまる妻との離別の歌を詠んで死ぬというのは、やはり無理であろう。

こういう不合理を誰よりも鋭く指摘したのが顕昭であった。顕昭の、『柿本朝臣人麿勘文』は、一方で万葉集によると共に、一方において『古今集』仮名序の「かの御時より、この方、としはもゝとせあまり、世はとつぎになんなりにける」という言葉を生かそうとした、苦心の考証であった。

第一、仮名序にいう「ならのみかど」は、真名序には「昔、平城の天子」とあり、明らかに平城天皇をさしている。聖武天皇を平城の天子ということはできず、しかもこの万葉集を撰した帝を平城天皇とし、そして撰集のときを大同元年（八〇六）とすると、その間に、平城、嵯峨《さが》、淳和《じゅんな》、仁明《にんみょう》、文徳、清和《せいわ》、陽成《ようぜい》、光孝《こうこう》、宇多《うだ》、醍醐《だいご》と十代の帝がある。つまり「ならのみかど」を平城帝とすると、この十代、百年という数字はピタリと合うわけである。このように万葉集の撰集のときを、平城帝のときと定めた顕昭は、人麿については、はっきりと「大宝以前の人なり」と断定する。その証拠として、藤原敦光《ふじわらのあつみつ》（一〇六二—一一四四）がつくった、人麿画讃の「持統、文武の聖朝に仕へ、新田、高市の皇子に遇《あ》ひ」という言葉、および『古今和歌集目録』にある「柿本人丸は大宝ごろの人なり」という文証をあげると共に、万葉集を精読するかぎり、聖武帝以後の人と考えることはできないと断定する。このへんの論証を原文で見てみよう。

「また藤原の宮の御代、人丸死去の条。第二巻前後、全く相違無し。疑ひ有る可《べ》からず。然れば万葉の一部を考ふるに、人丸の歌の中、慶雲以後の年号を載する無し。また元明以後の御代、敢《あへ》て人丸の作歌無し。仮《たと》へ聖武を以て既に奈良の帝と称すると雖《いへど》も、其の代に人丸有る可からざれば、其の義詮《せん》無し歟《か》」

（顕昭『柿本朝臣人麿勘文』原文漢文）

これは、まことに見事な人麿伝の考証である。真淵の例の和銅二年人麿死亡説も、この顕昭の考証を出ていない。そして、最後に「仮へ聖武を以て既に奈良の帝と称すると雖も、其の代に人丸有る可からざれば、其の義詮無し」という言葉は、一言にして清輔説を葬《ほうむ》る強い批判の言葉であろう。

清輔は、『古今集』仮名序の意味を、奈良の帝が人麿、赤人と共に万葉集を撰集したという意味にとり、奈良の帝を聖武帝とした。そのために人麿を聖武帝の時代まで引き下げなければならなかった。しかし、残念なことには、その時代まで人麿は生きてはいなかったと顕昭はいう。清輔の、『古今集』仮名序の言葉と万葉集の内容とをつじつまを合わそうとした苦心の試みは、全く無理であり無益であったわけである。

かくて、顕昭により、人麿の時代は確定された。契沖も真淵も、この顕昭説によって人麿を持統（在位六八六―六九七）、文武帝（在位六九七―七〇七）のときの人と考えるわけであるが、そう考えても、あの『古今集』序文の文章の謎《なぞ》は残るのである。

顕昭は、仮名序には、平城天皇の御時、人麿と奈良の帝が同時代であり、共に歌を詠む話があるが、真名序においては、そういうことは書かれていない点をとらえて、次のように断定する。

「但し其の御時に人丸有りの条は、暫《しばら》くは浮説に付き、其の旨《むね》を載すと雖も、時代

相違の故、真名序に至れば、人丸の時代に載せず。万葉を撰《えら》ぶの詞に於《お》いて、平城天皇の御代に載する也」　（同前）

「然《シカ》レバ聖武ヲ申ニテモ、奈良ノ御時ニ人丸アリト云コト、不審也。又大和物語、幷《ナラビニ》拾遺ニモ、ナラノ御カドニ人丸アヒタテマツルトミエタリ。然而《シカレバ》真名序ニ、此人丸赤人事ヲカキノスル所ニ、仮名序ノゴトクニ、イヅレノヨトカクベキニ、カ、ヌゾアヤシク侍《ハベル》。但仮名序ニ、其由《ヨシ》ハ書タレド、慥《タシカ》ニミエタル事ニアラネバ、真名序ニハ不㆓書載㆒歟《カキノセザルカ》。古今序ヲダニユルケテハ、大和物語拾遺ハ、非㆓大事㆒歟《ダイジニアラザルカ》」　（顕昭『古今集序註』）

顕昭のように「ならのみかど」を平城帝として、万葉集を平城帝のときの撰集としても、仮名序の、帝と人麿との歌の唱和の謎は残るのである。顕昭がいうように、仮名序ははたして「暫くは浮説に付」いたのにすぎないものであろうか。また、万葉集を平城天皇の大同の頃の撰と考えると、万葉集に天平宝字三年までの歌しかなく、また、家持の官位の記録も、その頃までのものであるという、清輔の出した疑問はそのまま残るのである。

俊成《しゅんぜい》と定家《ていか》の先説にたいする懐疑の表明

俊成（一一一四―一二〇四）、定家（一一六二―一二四一）という歌道と歌学における二人の天才父子は、それぞれ、個性的な調子で、これにたいして懐疑主義の立場をとる。

俊成は一応、顕昭の説を認めて、「ならのみかど」を平城帝ととる。そして彼は、たとえ「ならのみかど」を平城帝としても、「人丸赤人をめしつかふ御世に、万葉集をえらぶ」ということはありえず、「人丸あか人はふるき人」であることを、顕昭と共に認める。

しかし、まだ官位にたいする疑問は残る。とすれば、万葉集はやはり「聖武天皇くらゐをおりさせ給ひて、孝謙天皇くらゐにおはしますころの集」ではないか。俊成は一応、顕昭の考証を認めつつも、再び、例の『栄花物語』の天平勝宝年間、橘諸兄撰説に帰ってくる。しかし、彼は断定に慎重である。

「やす〳〵と人のしりたることにて候《さうら》はぬ也。むかしのことはなにごともかすかにたしかならて。人の心はしなやかに心にくゝ候へは。ものをあなかちにあまてさたすることも候はす。かきつくる事も、申さはしとけなきことおほく申ちらして候を。

よのすゑには。いかにせんとしらぬ事をもしりかほに。見さためぬことをも。事をきるやうに申あひ候へは。きゝにくゝも又おこがましくも候なり。これよりすきてたしかなる説は。たれもえ申候はしとおほえ候」

(藤原俊成『万葉集時代考』)

昔のことは、かすかで確かでなく、かつ人の心もしなやかで、奥深いところがあるので、ものを一様にきめつけない。また、乱れがましいことを多く書いているのに、今の時代に、知らないことを知った顔していい、はっきり分からないことをはっきりと断定していうのは、愚かなことである。これ以上、確かなことは誰もいえまい。

言葉とは不思議なもので、小さな言葉といえども、その人の性格がはっきり出る。俊成はおそらく、清輔や顕昭の、あのものをきめつけたような議論の仕方に、不快の感をもっていたのであろう。実際、はっきりと分からぬことを、はっきりと断定するのは、知性のあやまった行為である。史料全体が、古い昔の定かならぬことで、「やすく〳〵と人のしりたること」ではない。いかにもこれは、長者の人柄をもった俊成らしい言葉である。後鳥羽《ごとば》帝(在位一一八三—一一九八)は、俊成の歌を「釈阿(俊成)は、やさしく艶《えむ》に、心も深く、あはれなるところもありき。殊《こと》に愚意に庶幾《しょき》する姿なり」(『後鳥羽院御口伝』)という。それは歌の批評でもあると同時に人柄の批評でもあろう。俊成の懐疑主義は、彼の人柄にふさわしく、謙虚であわれなる懐疑主義とでもいうべきであろう。

俊成の子供であり、父の俊成以上にすぐれた歌人であった定家は、この点においても、父俊成の古典にたいする懐疑主義をおし進めている。

「万葉集の時代の事、古来賢者なほ疑ひを遺《のこ》す。近代の好士重ねて相ひ論ず。頻《しき》りに勘文を作り、互に己が理を為《な》す。末愚本集を倩《つらつら》見るに、斟酌《しんしゃく》する所有り。何を是とし、何を非とせん。只後学の所存に随《したが》ふべし。云人云我。全く自説の謂《い》ひ有るを称《とな》へず」（藤原定家『万葉集長歌短歌之説』原文漢文）

万葉集の時代について、古代からいろいろ論争があり、多くの人が勘文をつくっている。私もたまたま、万葉集を見ていささか考えたことがある。何を是とし、何を非とするかは、後世の学者の判断にまかせるより仕方がない、他人は他人、私は私、私は自説が正しい根拠があるなどといわない。

定家は、いかにも謙遜《けんそん》そうに自説を述べるけれども、このあと彼が説いたのは、いまだかつて誰によっても語られなかった、根本的懐疑である。

定家は、万葉集の巻十七から巻二十までの時代を区切る。巻十七は天平二年（七三〇)から二十年、巻十八は天平二十年三月二十三日から天平勝宝二年(七五〇)一月二日まで、巻十九は天平勝宝二年三月一日から天平勝宝五年一月二十五日まで、巻二十は天平勝宝五年五月から天平宝字三年(七五九)正月一日までの歌である。このように、歌の時代を考証した後に、彼は次のように断定する。

「凡《およ》そ和漢の書籍の習ひ、多く註載する所を以《もつ》て、其の時代の書と為す。何ぞ本集の所見を抛《なげう》ち、徒《いたづ》らに他集の序詞を勘《かんが》へん哉《や》。其の謂《いはれ》無きに似たり。是れ所見の及ぶ許《ばかり》を註するなり。賢者と論ずべからず」(同前)

実に明快な断定である。一般に日本の書でも中国の書でも、そこにのせられている年月が、その書の書かれた時代を示している。万葉集に則して考えれば、この本が天平から天平宝字にかけてつくられた本であることは明白である。この万葉集にあるたしかな証拠を捨てて、「他集の序詞」、つまり『古今集』の序文で万葉集の時代を測定するのは、まちがっているというのである。これは、『古今集』の序文にもとづいて万葉集撰集の時代を考えてきた今までのすべての学の立論の根拠を、一挙にふっとばす強烈な議論である。

定家は、このような懐疑を父俊成から受けついだのであろうが、俊成の懐疑と定家の懐疑とは性格がちがう。俊成の場合は、昔のことは定かでないから、そういう定かでないことを、定かに理解したように断定するのはよくないという、謙虚にしてあわれなる懐疑主義の立場である。しかし定家は、その懐疑を一歩進めて、『古今集』の序そのものを疑うに到《いた》る、かなり断定的な懐疑主義である。こうして、全く断定的に懐疑を述べた後に、定家は、これは私見で、賢者と争う気はないとつけ加えているのである。

　後鳥羽院は、定家の才を認めてはいたが、父俊成とちがって、その人柄をひどく嫌っていた。「鹿《しか》をもて馬とせしがごとし。傍若無人、理《ことはり》も過ぎたりき。他人の詞《ことば》を聞くに及ばず」「わが心に叶《かな》はぬをもて左右《（さう）》なく哥見知らずと定むる事も、偏執《（へんしふ）》の義也」（『後鳥羽院御口伝』）と評している。

　まことに文章とは不思議なもの、こういう性格の一端が、ここにも出てくる。全く、彼は、断定的に、自説を述べる。その説は、『古今集』の序文を絶対としてきた人々にとって、「傍若無人」にして、「鹿をもて馬とせし」ごとくに見えたであろう。

　しかし、その言葉の後で、これは私見にすぎず、賢者と争うべきではないといってるのは、どういうわけであろう。この言葉は、謙虚な言葉に似て実は、傲慢《ごうまん》きわまる言葉であろう。賢者ぶって、あれこれ歌のことをあげつらっているやからに、何が分かるものか。そんな奴等《やつら》と議論しても仕方がない、といいたげである。まさにこれは、「傍若無人、理も過ぎ」「わが心に叶はぬをもて左右なく哥見知らずと定むる〔……〕偏執の義」であろうが、定家の見識は、当時の歌人の見識に、はるかに卓越していることは否定できない。

二条家における権威ある誤謬《ごびゅう》の形成

「此の序の如《ごと》きは、文武天皇の御世、柿本山部列座の由歟。山部赤人の歌、万葉集を見るに、柿本人麿詠ずる所の歌、皆藤原の宮の由之を註す。山部赤人の歌、神亀元年以後、天平年中の由之を註す。其の年月遠からずと雖も、相並ぶの由所見無し」

（定家、前掲書）

この議論も、はなはだシャープである。今までの議論は、『古今集』仮名序を、「ならのみかど」が人麿および赤人と共に歌を交わし、万葉集を撰したことをのべたものととり、その「ならのみかど」は誰かについての議論であった。しかし定家は、その議論の前提になる「人麿と赤人」というところに眼をつけたのである。人麿の歌は、奈良遷都以前である。そして赤人の歌は、神亀以後である。人麿と赤人とは、時代はそんなに離れてはいないが、しかし一緒に歌を詠むことはない。つまり定家は、「ならのみかど」が人麿および赤人と列席したという前提そのものに、まず懐疑の眼をむけるのである。

ところでここで、定家が「ならのみかど」を一応文武帝としていることに注意する必要があろう。これは、全体の文意からすると、一種の仮定法なのである。もし、ならの帝が人麿、赤人と一緒に歌を詠んだとすれば、その帝は当然、人麿と同時代の文武帝であるはずであるが、赤人と人麿が一緒に文武帝の前に列席したとは考えられず、そういうことはありえない。だからこの「ならのみかど」は文武帝ではないという推論であろう。

しかるに、後に、定家の孫の為氏《ためうじ》（一二二二—一二八六）からはじまる二条家において、「ならのみかど」を文武帝ととり、文武帝のときに万葉集の撰集が行なわれたという説がとなえられたらしい。

「而《しか》るに、大納言為氏卿より以来、文武天皇を以て奈良の御門《みかど》と号《なつ》け、彼の御宇《みよ》に於て、万葉集を撰ばせらる。人麿赤人同く近臣たるの由、代々の庭訓《ていきん》也。随つて二条家の証本の古今集には、序幷秋部のならの御門の御歌と云註には、文武天皇と註付せる」

（由阿《ゆうあ》『詞林采葉抄』原文漢文混り）

由阿（一二九〇—?）は、口をきわめてこの二条家の伝承を否定している。文武帝はまだ藤原京にいて、奈良へは遷都していない。しかも、万葉集には文武以後の歌、とくに天平以後の歌が多くとられている。それなのに、どうして文武帝の時代に、万葉集の撰が行なわれたといえよう。これは、家祖、俊成、定家の説にあらざる邪説であると罵《ののし》っているが、そのとおりであろう。しかし、この二条家の説は、由阿の批判以後も、まだ相当勢いをもっていたらしくて、一世の碩学《せきがく》、一条兼良《いちじょうかねよし》（一四〇二—一四八一）も『古今集童蒙抄《こきんしゅうどうもうしょう》』で次のようにいっている。

「文武天皇、はじめて藤原宮にまします。高市郡也。慶雲《けいうん》元年に平城にうつり給《たま》ふ。添上郡也。元明天皇も藤原平城に都をたてるそのゝち元正より光仁までは一向に平城の宮也。人丸赤人同時の帝を申さば文武天皇也。故《ゆゑ》に。定家卿本に文武天皇と傍《わき》にしるし付《つけ》侍《はべ》り」

もちろん兼良は、万葉集は文武天皇のころに撰せられたなどとはいわないが、やはり「ならのみかど」＝文武帝説をとり、定家の本にも傍に文武天皇としるしてあったという。『万葉集長歌短歌之説』を見るとあるいはそうかと思われるが、その場合も、かりに「ならのみかど」を人麿と同時代の帝と考えたら文武帝になるが、そういうことはありえないという意味のメモであろう。このような推論のための否定的仮定が、むしろ定家の説として、定家の権威の下に語られ、すぐれた学者、一条兼良もその説にもとづき、つじつまを合わせるために慶雲元年（七〇四）に平城《なら》に遷都したなどという。兼良が平城遷都のときを知らなかったとは思われないが、これは、定家の権威の重さを示すのであろうか。

このようなことを考えると、私はある種の感慨にかられざるをえない。それは、誤謬は伝承されるということである。おそらく、為氏が「ならのみかど」を文武帝とったのは、それなりの根拠があったのであろう。『長歌短歌之説』にもそのようなことが書かれてあり、あるいは定家のもっていた『古今集』の傍注に、そのように書いてあったのかもしれない。為氏はそれを祖父の説としてとり、それゆえ祖父の権威によってその説を強めたのであろう。そして、強められた説は、由阿によるきびしい批判にもかかわらず、いぜんとして伝承されるのである。定家の権威の名の下に、定家のもっている意見ばかりか、定家のもっていず、あやまって定家に帰せられた偏見すらも、絶対の真理の如く扱われる。こういう定家の権威を真っ向から否定し、文献、しかも古文献に書かれていることにのみ、真実を見出《みいだ》そうとするところに、契沖、真淵の新精神があった。

それはたしかに新しい合理主義の時代にふさわしい、新しい解釈の学である。その学がはたして、完全なる学であり、その道がはたして誤りなき道であったかどうか、それが、ここで私が展開しようとする根本的疑問である。真淵はたしかに定家の権威を否定し、きびしい文献解釈にもとづく新しい万葉学を創始した。真淵の努力たるやたいへんなもので、彼と契沖によって、万葉集ははじめて多くの日本人に読みうる古典となった。そして、彼の影響をうけて、もっぱら古事記の解読に努力した本居宣長《もとおりのりなが》（一七三〇―一八〇一）によって、古事記ははじめて多くの日本人に読みうるものとなった。真淵の学問的功績は、いくらほめてもほめたりないほどである。

しかし、私がいいたいのは、真淵によって万葉集の歌の多くは見事に解読されたが、それによって万葉集を解釈するわれわれの視点は大きくゆがめられたのではないかということである。一つのものには、必ずプラスとマイナスの面がある。たしかにその文献の解読においては、万葉集に大きなプラスであるが、逆にそれはまた大きなマイナスを含んでいる。その後の国学はすべて真淵の道を歩むこととなり、その後の学問に大きなマイナスを、自ら意識せずしてもちこんでいるのではないか。

私のここでの論証は、真淵学のマイナスの性格を明らかにして、万葉集の解釈ばかりか、古代学研究の方向を、真のあるべき姿にかえす用意をすることにある。二条家の歌学は、定家という権威を背負いつつ、遠く深い誤謬の道を歩んできた。現代の万葉学も、真淵という権威を背負いつつ、遠く深い誤謬の道を歩んでいるのではないだろうか。私の議論は、思わず脇道《わきみち》へそれた。議論を定家にもどそう。

定家の仮名序否定と万葉集成立期の推論

「文武の大宝元年より、延喜五年に至るまで二百五年、文武以後延喜まで十八代か。たとへ奈良の御時に存すと雖も、聖武天皇の御世まで、其の前後二十四年三代（元明、元正）なり。此を以て序は平城天皇の証拠と為す。（顕昭之を付す）」

（藤原定家『万葉集長歌短歌之説』原文漢文）

ここにきて、定家の語ったことが一種の仮定法であったことが分かる。もし「ならのみかど」を文武天皇とすると、大宝《たいほう》元年（七〇一）から延喜五年（九〇五）まで二百五年。そして文武天皇から醍醐《だいご》天皇（在位八九七—九三〇）まで十八代。だから『古今集』序文にある、百年、十代という言葉に矛盾する。だから、この「ならのみかど」は、『古今集』の序文の意味では、文武天皇ではなくて平城天皇であるといっているのであろう。また、たとえ人麿が聖武天皇の時代まで生きていても、その前後は二十四年、三代にすぎず、やはりこの「みかど」を平城天皇にするより仕方がないと定家は考えているのであろう。

このへんの考証を見ると、定家という人は、実に頭のいいことが分かる。頭がよくて、他人が馬鹿《ばか》に見えて仕方がない。自負心は強いけれども、他人の認めるところとならない。こういう人間が、一種独特な自負をもって世に対したことは、よく理解されるのである。

この「ならのみかど」を平城帝ととる点において、彼は父俊成と同じく、顕昭の説を認めるのであるが、その説にたいしても父以上に懐疑的である。

「大同年中、和歌を撰すべき人無し。称徳天皇以後の歌を載せず。平城の説においては勿論《もちろん》言ふに足らざる事歟《か》」

（同前）

この論証も、鋭く、かつ新鮮である。大同年間に和歌集を撰《せん》するような人があったかというのである。代々の勅撰集はすぐれた歌人によって撰せられている。万葉集のみが、そういうすぐれた歌人の撰者をもたないはずはない。これは、顕昭、および顕昭の反対者などが考えもつかなかった論点である。そして、万葉集には、称徳天皇

(在位七六四—七七〇)以後の作歌はない。だから平城帝時代撰集説はとるに足らない説であるというのである。文は簡潔であるが、要を得ている。

「これよりさきの歌をあつむる文、又以て不審多し。強《あなが》ち時代年限を勘《かんが》へず、文章の課する所を書きし歟。

天平勝宝年中の歌をこれよりさきの歌と書く。尤《もっと》も其の理《ことはり》無き歟。道因《だういん》の所載の勘文、此等の子細を註せず」(同前)

『古今集』序文には、「これよりさきの哥《うた》」を集めたとあるが、これはどういうわけか分からない。この撰のときを、平城帝のときにおいても、聖武帝のときにおいても、この言葉は理解できない。時代年限をあまり考えずに、文章の調子で書いた言葉であろうか、と彼はいう。道因(?—一一八三頃)は、顕昭の反対者であり、聖武帝期万葉集撰集説の主張者であるが、道因もそれにふれていないという。定家は顕昭の平城帝撰集説と同じく、この清輔以来の聖武帝撰集説も無理であるというのである。

こうして、定家は『古今集』の序文にもとづいて万葉集の編集時をあげつらったあらゆる解釈のあいまいさを指摘した後に、次のようにいう。

「古今序の此等の事、頗《すこぶ》る万葉集を披見《ひけん》せる人に似ず如何」

（同前）

これはおどろくべき結論である。『古今集』は、古代、中世を通じて美のバイブルであった。この美のバイブルに疑問を投げ、万葉集こそそれ以上のバイブルであるとしたのは、徳川吉宗《とくがわよしむね》（一六八四―一七五一）の次男田安宗武《たやすむねたけ》（一七一五―一七七一）と、その国学の師・真淵であった。しかし、それは後に、誰よりも真淵の弟子、宣長によって否定された。それ以後も万葉集を美のバイブルとして万葉調の歌を詠むのは、やはり少数派であって、子規《しき》（一八六七―一九〇二）がいうように、『古今集』は彼の時代まで、千年にわたって美のバイブルであった。その美のバイブルを完全に否定し、万葉復帰を高らかにとなえたのは、子規であった。子規の時代から、明らかに『古今集』は美のバイブルの地位を万葉集にゆずり渡す。

　定家はもとより『古今集』を重んじる。勉強家の彼は万葉集をよく読み、万葉集をも重んじていたが、万葉集を歌の手本として認めてはいなかった。

「万葉はげに代もあがり、人の心もさえて、今の世にまなぶともさらにを《（お）》よぶべからず。〔殊に〕初心の時をの《（お）》づから古体をよむ事あるべからず。但、稽古《けいこ》年かさなり風骨よみ定まる後は、又万葉のやうを存ぜざらん好士は、無下の事とぞおぼえ侍《はべ》る。稽古の後よむべきにとりても、心あるべきにや。すべてよむまじき姿詞《すがたことば》といふは、あまりに俗にちかく、又おそろしげなるたぐひを申し侍るべし」（藤原定家『毎月抄《まいげつしょう》』）

万葉集は、昔の歌集であるので、現代人が学ぼうとしても及ぶことができない。とくに初心のときは、古体を詠んではいけない。歌が上達して、自分の歌風ができた後は、万葉風の詠み方を知らないようでは困るが、そのときも注意して詠まねばならない。万葉集は「俗にちかく、又おそろしげなる」姿がある。

この『毎月抄』は定家が実朝《さねとも》（一一九二―一二一九）に与えた手紙ではないかといわれるが、定家は、実朝に万葉集を送ったらしい。実朝が時代ばなれした万葉調のすばらしい歌を残したのは、一つには彼が鎌倉武士の立場に立って、たおやめぶりよりますらおぶりを好んだ点にもあろうが、一つにはやはり定家の影響であろう。定家は、その『毎月抄』で、自分の影響の下に、はるかに行きすぎて万葉風の歌を詠んだ実朝をたしなめようとしたのかもしれない。

定家の理想としたのは、小町《こまち》（生没年未詳）、業平《なりひら》（八二五―八八〇）である。

「ことばはふるきをしたひ、心《こゝろ》はあたらしきを求め、をよ（お）ばぬたかきすがたをねがひて、寛平以往の哥にならはゞ、を（お）のづからよろしきこともなどか侍らざらん」

「むかし貫之《つらゆき》、哥の心たくみに、たけをよ（お）びがたく、ことばつよくすがたおもしろき様《さま》をこのみて、余情妖艶《えうえん》の体をよまず」（藤原定家『近代秀歌』）

余情妖艶が定家の歌の理想であった。それは、小町、業平の歌および彼自らの歌のように、切々たる人間の悲しみを、妖艶きわまりない言葉に盛ろうとして、盛りえないような歌をいうのであろう。この点、貫之の歌は、大岡信《おおおかまこと》氏が見事に論証したように、はなはだ論理的な、物語的な歌が多い（大岡信『紀貫之』）。『古今集』は女性的な歌集であるといわれるが、私は貫之はきわめて男性的人間であるように思う。こういうところを、妖艶なる女性美の詩人である定家は嫌ったのであろう。

しかし、貫之の歌風を嫌っても、『古今集』を定家は評価しなかったわけではない。『近代秀歌』において定家が秀歌としている歌をあげると、『古今集』二十四、『後撰《ごせん》集《しゅう》』十、『拾遺集《しゅういしゅう》』八、『後拾遺集《ごしゅういしゅう》』三、『金葉集《きんようしゅう》』五、『千載集《せんざいしゅう》』十一、『新古今集』二十一と、『古今集』の歌が彼自身が撰者であった『新古今集』の歌よりも多い。また、定家撰と伝えられる「小倉百人一首《おぐらひゃくにんいっしゅ》」でも『古今集』二十四、『後撰集』七、『拾遺集』十一、『後拾遺集』十四、『金葉集』五、『詞花集《しかしゅう》』五、『千載集』十四、『新古今集』十四、『新勅撰集』四、『続後撰集《しょくごせんしゅう》』二と、圧倒的に『古今集』の歌が多い。

定家はこのように『古今集』を重んじていながら、『古今集』の序文を根本的に疑っているのである。『古今集』の序文の作者は、万葉集を見たことのない人のようであると彼はいう。『古今集』の真名序において、歌の撰集の有様が書かれている。広く、古い歌集を見て、万葉集にとられているのは除いたとされる。にもかかわらず、『古今集』の中には、万葉集にとられている歌が少なからず入っていて、その考証は厳密とはいえないが、『古今集』の撰者が万葉集を見ないなどという奇怪なことがあろうはずはない。にもかかわらず、定家はそういうのである。『古今集』の仮名序は紀貫之、真名序は紀淑望《きのよしもち》（?―九一九）が書いたが、淑望はとにかく、貫之は『古今集』の撰者である。どうして彼が万葉集を見ないなどということがあろうか。

たしかにそう考えるのが常識であろう。しかし定家は、理のおもむくところに従って、『古今集』の序文は万葉集を一向に読んだことのない人によって書かれたのだという。このへんに、後鳥羽院のいう偏執をもつ定家の苛烈《かれつ》な性格があるのであろう。ここにおいて、定家は、伝承より理性を重んじる一個の合理主義的精神の持主である。

また藤原実熙《ふじわらのさねひろ》（一四〇九―?）の『拾芥抄《しゅうがいしょう》』は、万葉集の撰者についての、定家の次のような言葉を伝えている。

「撰者又慥《たしか》なる説無し。世継物語に云《いは》く、万葉集は、高野の御時諸兄大臣之を奉《たてまつ》る

云々《うんうん》と。但し件《くだん》の集橘大臣薨《こう》せし後の歌多く之を書く。家持卿《きやう》の注する所に似たり。尤《もつと》も以て審《つばひら》かにせず」（原文漢文）

これまた鋭い見解である。『栄花物語』に、万葉集は天平勝宝五年に諸兄が撰したとあるが、それはちがう。橘諸兄は天平勝宝九年に死んでいるが、万葉集にはそれ以後の歌もとられている。この集は、家持がつくったものではないか、よくは分からないがと、例の調子で定家は苦々しげにつぶやいている。

契沖の家持私撰説と真淵の二段階編集説

万葉集＝家持私撰集、これこそ契沖によって説かれはじめ、多少の訂正をうけつつも真淵によって採用され、真淵以後、現代の多くの学者がとるところである。私は、この『水底の歌』において、万葉集の撰集の問題にくわしく入ることはできない。しかし、家持私撰説のみでは万葉集の性格はとらえられないと私は思う。巻一、巻二は、やはり通説通り、橘諸兄が家持をして天平勝宝年間——五年ごろが一番考えられやすいが——に撰せしめたものであると思う。それには、一種の政治的ねらいがあるのである。

人麿、この流刑者《るけいしゃ》・人麿の復権を、この第一次万葉集ともいうべき巻一、巻二は、ひそかにはかったものであると思う。この人麿復権は、当然、人麿を流刑にし、死刑にした政治勢力への、批判ならびに断罪の意味を含んでいる。この権力とは何か。それは明らかに藤原不比等の権力である。天平勝宝の頃は、諸兄の左大臣時代とはいえ、孝謙女帝《こうけん》（在位七四九—七五八）の寵《ちょう》を背景にして藤原仲麻呂《ふじわらのなかまろ》（七〇六—七六四）の勢力が優勢になっていた時代である。たとえ聖武上皇の庇護《ひご》をバックにしたとはいえ、万葉集撰集は諸兄にとって大きな賭《かけ》であったと思う。この賭は、おそらく失敗に終った賭であったろう。諸兄は聖武上皇の死と共にしりぞき、彼の死後、橘奈良麻呂《たちばなのならまろ》の変《へん》（七五七）によって、彼の一族および彼につながる反藤原勢力は一掃されるのである。家持は難をまぬがれたが、大伴氏はこの変によって大きな打撃をうける。

万葉集の撰者については、まだ語るべきときではない。私は、諸兄撰説と、平城帝撰説と、共に捨てがたいと思うが、政治的状況を度外視して文献のみによる合理主義を採用する限り、諸兄、平城帝説は根拠うすく、ひとり、家持のみが万葉集の撰者として浮かび上ってくるのである。

契沖は、結局、万葉集の撰者を、仙覚《せんがく》（一二〇三—?）以来、諸兄と家持と考えられ、勅撰集とされていたのを、撰者から諸兄を除き、家持のみを万葉集の撰者として残し、そしてそれを勅撰集ではなく私撰集に帰するのである。契沖の考証は精密であるが、根本的には定家が語ったように、万葉集の巻二十には諸兄死後の歌があり、それゆえに万葉集の撰者を諸兄と考えることはできず、また巻十七から巻二十には、とくに大伴家持の歌日記のようなところがあり、私撰集と考えるよりほかはないという理由による。

真淵はこの契沖の説をうけたにもかかわらず、巻一、巻二、巻十一、巻十二、巻十三、巻十四は、「原‐万葉集」というべきで、諸兄撰であるとする。

「万葉集は高野の御時孝謙天皇の天平勝宝の時を云へし、橘《の》諸兄の大臣撰み給へり、と世継が物語に見ゆ、されど高野の御時よりも前、聖武天皇の御代《みよ》ならんとおもふ事あり、たゞ諸兄のおとゞの撰ぞちふは、古《いにし》へよりいひ伝へしにて、実にさりけらし、万葉といふは巻一より六までにて今の三四五六にあらず、是ぞ此おとゞ、上つ代より奈良の宮の始めまでの哥《うた》を撰みてのせられし物也、然《しか》るを後世人は、今ある二十巻を一度に集めし物と思ひをり、諸兄のおとゞは天平宝字元年正月薨給へるに、巻二十の末に同三年正月までの哥載しかば、しからずと云といへど、二十巻などは万葉の外なればきらひなし」（賀茂真淵『万葉集大考』）

すぐれた文献学者、真淵は、ここに画期的な新説を出している。万葉集二回撰集説である。万葉集は一度、孝謙天皇のときに諸兄によって編集された。しかし、それは現在の巻一、巻二、巻十三、巻十一、巻十二、巻十四であり、その順に並んでいたと真淵は考える。この「古 - 万葉集」というべきものに、新しく家持の私撰集が加わったものであると真淵は考える。真淵のように考えても、やはり万葉集は、家持私撰集の色彩が強くなるように私は思う。その後の学界は、やはり万葉集を、契沖、真淵に従って、家持の私撰集とみる考え方が大勢を占めているようである。ただ、真淵の提出した橘諸兄を中心にした「第一次万葉集」編集説は、その後の学界ではその意味が深く考えられていないと思う。

このような点には、もとよりここでふれることはできない。どうやら人麿の時代考証についての真淵説の位置づけは、思いがけなく煩雑《はんざつ》になったようである。このようにして見ると、いかに一つの学説というものが、歴史的伝統の下に立っているかが分かる。われわれは一つの学説を真理と考えているが、それは事態の必然上の真理であるより、歴史的な伝承の上で、真理として認められているものである場合が多い。

人麿についての考証の歴史で指摘したいことは、この人麿時代考が、実は万葉集成立期の問題と深く結びついていることである。顕昭の明白なる論証によって、人麿の時代を和銅以後に引き下げることは不可能であるにもかかわらず、仙覚、由阿などの歴史の知識をも歌学の知識と共に備えていた人々が、なおかつ人麿の生きる時期を聖武帝の時代にまで引きのばそうとするのは、『古今集』仮名序にある人麿、赤人万葉集撰集説を真理と考え、しかも奈良時代の終りに万葉集の撰集のときをもっていくのが、もっとも合理的だと考えたからである。

それからもう一つ、この人麿時代考は、『古今集』の序文をどのように読み、どのように信用するかの問題と深くかかわってくる。清輔、顕昭、あるいは仙覚、由阿すら、この『古今集』序文を事実と見て、これと、万葉集についての彼らの見解を、矛盾なく両立させようとして、かえってさまざまな矛盾に陥ることになる。わずかに定家のみが、この『古今集』の序文に決定的な懐疑を投げかけ、この懐疑は、契沖、春満、真淵にうけつがれ、遂《つい》に真淵は『古今集』の仮名序のこの部分を、後世記入されたものと見て、大幅に削除するのである。これは、定家の大胆な懐疑をいっそう大胆に断定したものであろうが、一般に、近代の国学者は、定家の父・俊成から伝えられた懐疑主義、いにしえのことは分からないからはっきり断定すべきでないという懐疑主義を、ほとんど失っていると思う。このことは、ただ、古い時代のことについてのみいいうるのではなく、世界や人生についての態度全体についていいうる。

世界や人生は不可解なもので、それらは人知でもっては解きがたい。その不可解なものを大切にしよう。それが、中世人の態度である。しかし、近代人はちがう。その不可解なものを、あくまで理性で解きほぐそうとする。そのとき、多くの人は、理性の限界についての認識を忘れる。不可解なものでも、理性を働かせれば分からないはずはない。契沖にはじまる国学も、そういう理性万能主義の下に立っているが、この理性万能主義そのものが非合理な闇《やみ》の中をさまよっている場合だってあるのである。

真淵の人麿年齢考の二つの前提

㈢ 真淵の人麿時代考についての私の補足説明は、いささか長くなった。先を急がねばならない。年齢考については簡単である。なぜなら、人麿の年齢まで考証したのは、真淵がはじめてだからである。古代中世においては、人麿を六十余歳の人であると考えていた。

「今日は柿下大夫人丸の供也。件《くだん》の人丸の影は新に図絵せらる所也。一幅長三尺計。着烏帽子直衣。左手は紙を操《と》り、右手は筆を握る。年齢六旬余の人也」（藤原敦光『柿本影供記《かきのもとえいぐき》』原文漢文）

元永《げんえい》元年（一一一八）六月十六日、修理《しゅり》大夫《だいぶ》、藤原顕季《ふじわらのあきすえ》（一〇五五―一一二三）の宅

で、源俊頼《みなもとのとしより》（一〇五五—一一二九？）、藤原顕仲《ふじわらのあきなか》（生没年未詳）等の歌人を集めて、人麿の影供がもよおされた。つまり人麿の画像をかけて人麿の霊をなぐさめた後、和歌を詠《よ》むのである。そこに画かれた人麿画像は六十歳ぐらいの人であった。これは古代からの伝承であったろう。

真淵はこのような伝承を信用しない。彼は、何よりも万葉集について、文献から人麿の年齢を推論する。真淵の推論の根拠は、万葉集巻二に持統三年、草壁皇子が死んだときに、人麿が長歌一首と反歌二首をつくっていて、その後に、同じく草壁皇子の死を悲しんだ舎人《とねり》らの歌が二十三首のっている。この歌から察して、人麿もまた舎人であったにちがいないが、舎人であるとして、蔭子《おんし》、つまり父祖の官位高きものの子であるとしたら、蔭子は二十一歳になって出仕するものなので、この年、人麿はほぼ二十四、五歳ぐらいだというのである。

この推論には、二つの前提がある。一つは人麿がこのとき舎人であったことと、もう一つは彼が蔭子、官位高きものの子であったという前提である。

『万葉考』を見ると、真淵は、どうやら、人麿の歌とこの舎人の歌とは、同じ作者であると考えたようである。彼は舎人の歌のはじめにある「皇子尊《みこのみこと》の宮の舎人ら慟《かな》しび傷《いた》みて作る歌廿三首」という詞書《ことばがき》に、次のような注をつけている。

「こは右の長歌につぎて、同じ御事を、同じ舎人のよめるなれば、端詞《はしことば》を略《はぶ》きて書しと見ゆ」

はたしてそうであろうか。人麿は高市皇子の死のときも挽歌《ばんか》を詠んでいるが、真淵（賀茂真淵『万葉考』）は、草壁皇子の舎人として失業した人麿は、つぎに高市皇子の舎人となったと考える。はたしてそうか。

また真淵は、人麿を蔭子の出身にするが、はたして人麿の父祖は身分高き人であったろうか。人麿を蔭子と考えることは、大歌人にしてしかも一生六位以下であったという真淵の人麿の官位考と、ひどく矛盾することになりはしないか。このへんの推理は後でくわしく論じることにしよう。真淵の論旨を整理し、その歴史的由来を考えることだけが、今ここでなすべきことである。

真淵のいうように、仮に人麿が持統三年（六八九）に二十四、五歳ぐらいであるとすると、人麿は、逆算して、六六五年か六六六年の生まれになる。六六五年は天智《てんじ》四年であり、六六六年は天智五年である。とすると、先に、人麿は後岡本宮のころ、すなわち斉明天皇のとき生まれたであろうという自説とも矛盾することになる。そういう矛盾も深く考慮されずに、この真淵の人麿年齢考が、彼の人麿舎人説と共に、ほとんど疑われなかったのは、ちょうど中世の学者たちが、定家の権威のもとにひれふして、定家の説と称するものを無批判に信じたように、近代の学者たちも、真淵の権威のもとに、真淵の説、それ自身の中においてさえ明らかな矛盾を含む真淵の説を無批判に信じ、史料そのものを根本的に疑ってみることをしなかった故ではなかろうか。

ひとまず真淵の考証に従うことにしよう。もし持統三年、二十四、五歳ぐらいとするとどうなるか。万葉集にある年月のはっきりした最初の彼の作は、この持統三年の歌で、最後の歌は文武《もんむ》四年（七〇〇）、明日香皇女《あすかのひめみこ》（?―七〇〇）の死亡のときの歌である。持統三年から文武四年までの歌は、天皇および皇子、皇女などの供奉《ぐぶ》の歌と挽歌が多いが、人麿の宮廷詩人としての活躍は、この期間にしぼられるであろう。

とすると、彼の詩人としての活躍期は、二十四、五歳に始まり、三十五、六歳で終わることになる。そして真淵が人麿の死亡のときとする和銅二年は、人麿四十五、六歳となる。もっとも真淵は「若くとも」と一応ことわっている。持統三年を二十四歳から二十八歳におき、人麿死亡のときを四十四歳から四十八歳までにおいているのであろう。いずれにしても、このような説をとるとすれば、人麿は五十歳にならずに死んだことになる。真淵はその傍証として、人麿の歌に、老人らしい歌がないとする事実をあげているが、それはどうであろうか。

ここに一つ問題がある。万葉集には、はっきり人麿の作という歌と、『人麿歌集』にあるという歌があり、『人麿歌集』の歌にも人麿の歌が入っていることは、万葉学者によってしきりに主張されていることであるが、巻十の二〇三三番に天の河を歌った『人麿歌集』の歌があり、その後に「この歌一首は庚辰《かのえたつ》の年に作れり」という詞書がある。この庚辰には、天武九年（六八〇）と天平十二年（七四〇）の二説があるが、天平十二年には人麿は生存していないと考えられ、もし『人麿歌集』が人麿の編集したものであるとするならば、その歌の年代は当然、天武九年の庚辰の年であろう。『人麿歌集』のうちで、年代が明記せられているのはこの歌一首であるが、もしこの歌が人麿の歌であるとすれば、真淵の考証に従えば、人麿十五、六歳のときの作ということになる。ちょっと若すぎるように思うが、真淵は『万葉考』において、別にそれを問題にしたあとはない。『人麿歌集』を、別に人麿の歌と考える必要はなく、また、天才が十五、六歳にして歌をつくったとしても、別に不思議はないからであろう。

八色《やくさ》の姓《かばね》制定と柿本朝臣登場の意味

真淵の説は、いずれにせよ、ほぼ完全に後世の学者によって踏襲されている。真淵以後、人麿の年齢について、それほど精密に考証した学者はいないが、たとえば岡熊《おかくま》臣《おみ》（一七八三—一八五一）は真淵の説を引き、次のようにいう。

「今按《アンズ》ルニ、人麻呂年齢ノコトハ岡部翁《ヲウ》ノ説可然ナリ。俗説ノ如ク、人麻呂モシ七十余マデモ長生セラレバ、老後ノ哥モ有べキニ、老年ノ作ト思《オボ》シキハ絶テナケレバ、必和銅ノ頃ニ死給ヘルナラム。朱鳥元年ヲ廿八九トシテモ五十有余ニスギズ」

（岡熊臣『柿本人麻呂事《じ》蹟《せき》考弁』）

また茂吉以前に、人麿についてもっともくわしい全体的な考証をした樋口功《ひぐちいさお》氏は、次のようにいう。

「今草壁皇子薨去《こうきょ》の時の人麿の年齢を仮に二十七八歳とすると、和銅の初年頃は四十七八歳となる。それを逆算すると生年は天智天皇の初年頃といふことになる。別記に『崗本宮《をかもとのみや》の頃にや生れつらん。』とあるは無論後崗本宮（斉明）の誤りで、同書は初任をやや早く見たので斉明天皇の末頃と推定したのである。草壁薨去の時を二十七八歳としたのは、官人の出仕は二十五歳からであるから二十五六歳で初めて仕へ、一両年後皇子が薨去されたと、仮定したので、此の仮定は多くの考証家も既に立ててゐ、最も容《い》れ易《やす》い仮定である。別記が『蔭子の出身は二十一の歳《とし》よりなると此歌（〇日並皇子を奉悼した歌）の様とを思ふに此時若くも二十四五にや有つらん。』としたのは、異論もあり且官人の出仕年齢を標準とするのも如何と思ふが、年齢の推定の大凡《おほよそ》は近世の諸家の略《ほ》ぼ一致する所である。それは前にも再三いつたやうに、人麿の歌で年代の明かな最初のものは草壁皇子薨去を奉悼した歌で、是より前の諸皇子に関係の歌も見えず、また老人らしい歌が一首も見えぬ処《ところ》から推すと、此の歌は早くて二十六七歳遅くも三十歳未満位の作であらうと想像するのが最も自然だからである。皇子の舎人であつたとすれば尚更《なほさら》此の想像が最も実に近い。それで先《ま》づ人麿の年齢は、少なく見て四十五六歳、多く見て五十歳未満とするのが最も考へ易いやうに思はれる」（樋口功『人麿と其歌』）

この樋口功氏の意見が、大体の常識的な意見であろう。彼がいうように、これが「多くの考証家も既に立ててゐ、最も容れ易い仮定」であり、「最も自然」な、そして「最も実に近い」想像であろう。

武田祐吉《たけだゆうきち》氏（一八八六―一九五八）は、先の天武九年の庚辰《かのえたつ》のときを二十歳と考えている。とすると、真淵の説より人麿は五歳ほど年をとるわけであるが、この説について武田氏もはっきり断定しているわけではない。（武田祐吉『柿本人麻呂攷』）

また、岡田正美《おかだまさよし》氏は真淵の蔭子説を疑い、次のようにいっている。

「蔭子の出身は廿一年よりの定なれば云々といへるは未《いま》だ考へ足らぬことなり。何ぞといふに、蔭子とは勅授の人の子をいふことにて父の蔭《かげ》にて位をもらふもののことなり。人麿を蔭子なりと見んには、其父は正に五位以上の人、しかも勅授の人たらねばならぬなり。しかるに人麿の父はさるべききはの人にてあらざりしことは明なることなり。されば人麿は蔭子として出身せしにはあらぬことも明なればなり」

（岡田正美『柿本朝臣人麻呂事蹟考』）

岡田氏のいうことは、まことにもっともで、人麿の父が五位以上であったかどうかは疑問である。真淵は一方で、人麿を身分の低い生まれといっているのに、一方では蔭子というのは、矛盾している。この点についての岡田氏の疑問は正しい。人麿は蔭子ではないとすれば、どうか。少し人麿の年齢を上げなければならない。

「人麿は庶人より帳内《ちやうない》これは有品《うほん》の親王に給ふ仕丁の数にて、庶人より京官に出仕せんには、此帳内又は資人《しじん》（これは五位以上の諸臣に給ふ仕丁の類なり）になることを得るのみなりに出仕して、やがて草壁皇子の舎人となりしなるべし。しからば、出身の年齢は廿五以上の定なれば、かれこれをおもふに、齢廿六七にて出仕したりけむ」

（同前）

岡田氏は、人麿が舎人になったのを仮に持統天皇のときとして、持統三年に三十歳ぐらいであったとする。人麿の年齢が五つほどくりあがったわけである。茂吉も大体この岡田氏の説に従っている。たしかに岡田氏の説は、蔭子説については真淵の説を疑っているが、人麿が持統三年に舎人であったとする真淵の新説——新説が認められると通説になるわけであるが——にもとづいて推論をすすめている。

最近、神田秀夫《かんだひでお》氏は人麿の年代について、はなはだ興味ある説を出した。氏は、まず柿本人麿と柿本猨との関係に論及する。神田氏は、古事記において柿本氏は、孝昭《こうしょう》天皇の皇子・天押帯日子命《あめのおしたらしひこのみこと》の子孫だといわれるが、じっさい柿本を名のる人間が、はじめて史上に登場するのは、天武十年の柿本臣猨が後の従《じゅ》五位下にあたる小錦下《しょうきんげ》の位を授けられたとする記録がはじめてであり、それから三年後の天武十三年に、いわゆる八色の姓が制定されたとき、柿本朝臣なるものが出現したのも猨との関係であると論じる。

「天武天皇は、後にも触れるやうに、大化の改新の公地公民の制を貫徹しようとする実質に於ては天智天皇以上に、強硬な天皇である。従って、改姓といふことも、その政策の一環をなす対氏族策なのであって、旧来の姓を一旦《いったん》、御破算にしたといふことは、大化以前の先祖の自慢は、もう認めないぞと宣言したことを意味する。

今後は、朕《ちん》が新たに姓を与へた家だけに、家柄の自慢を許すのだといふことである。（中略）

新姓はもはや、世襲社会に於ける氏族の役割を示す標識ではなく、朝廷が与へる栄爵《えいしやく》であり、やがては位階や官職の高下、昇進の遅速までも約束する、新しい家柄の標識であり、奈良朝貴族の誕生を意味した。この時、大化や壬申《じんしん》の功臣でなくて高い姓を与へられてゐるのは、往時の帝室の外戚《ぐわいせき》、縁辺、史上の名門、長期にわたる文化的功労者である帰化人などで、このバスに乗りおくれた者は、律令《りつりやう》体制のもとに於ても、卑官に甘んじなければならなかった。〔……〕

かういふ際に柿本ノ臣は、『朝臣《アソミ》』になった。しかし、それは、右のやうな状況から看て、柿本氏の一部であり、柿本猨といふ功臣の一家だけだらうと思ふのである」

（神田秀夫『人麻呂歌集と人麻呂伝』）

これは八色の姓の制定についてのはなはだ明快な考え方である。ところで神田氏は、そこから猨と人麿は、きわめて近い近親関係にあるという説を出してゆく。

「さうすると、猨も、人麻呂も、どっちも朝臣であり、しかも大体、同時代の人間であるから、両者は、父子か、兄弟か、叔姪《しゆくてつ》か、そんなところだらう。なぜなら、恐らく、この時、朝臣の姓は柿本氏の一族全体に賜はったのではなく、その一族全体からみれば、ほんの一部である、功臣柿本猨の一家に対してのみ賜はったものであり、時代が降《くだ》って、猨の子孫が増えない以上は、柿本氏で朝臣を称し得る者は極めて限られてゐるわけで、四等親、五等親まで行くわけがないからである」（同前）

たしかに猨と人麿はどちらも朝臣であり、同時代の人である。神田秀夫氏がいうように、天武十年に小錦下を授けられた柿本猨は、『続日本紀』にある和銅元年四月二十日に死んだ従四位下柿本佐留であろう。人麿の死を真淵にならって和銅二年と考えれば、猨の死んだときと人麿の死んだときは同時代である。二人が同年代であり、朝臣の姓が、功臣柿本猨の一族に対してのみ授けられたとなれば、二人は神田氏のいうように「父子か、兄弟か、叔姪か、そんなところ」であることになる。

このように論じた後に、神田氏は柿本猨と人麿は親子関係にあるものと考える。

神田氏は、柿本猨というへんな名前がついたのは、おそらく猨が申《さる》年の生まれであると考える。申年は六三六年丙申《ひのえさる》、六四八年戊申《つちのえさる》、六六〇年庚申《かのえさる》があるが、六六〇年では六八一年に小錦下になるにはおそすぎるので、六三六年か六四八年の生まれである。ところが一方、人麿も「丁麻呂《ひのとまろ》」をもじった名前ではないか。となると人麿は六五七年丁巳《ひのとみ》か六六七年丁卯《ひのとう》の生まれとなる。もしかりに六四八年に猨が生まれ、六六七年に人麿が生まれたとすると、人麿の生まれた時、猨は二十歳、まさに「丁年」であり、猨は人麿の父親ではないかと神田氏はいう。神田氏の説をとると、人麿は天智六年の生まれで、持統三年には二十三歳になり、期せずして真淵説とほぼ一致するわけである。私は正直にいって、この猨＝申年生まれ、人麿＝丁年生まれという神田氏の説には従いがたいが、猨と人麿の近親関係に着目した神田氏の着想を、八色の姓の制定に対する正しい理解と共に評価したいと思う。

いずれにせよ、真淵の説は、年齢の点でも、大きな反対にぶつかってはいないようである。真淵によって人麿の年齢は、どうやら十歳以上、若返ってしまったらしい。地下の人麿は、己を若返らせてくれた考証学者、真淵に深甚《しんじん》なる敬意を表していることであろう。

伝承の正三位と考証の下級地方官との間

㈣　人麿は、年齢の考証にかんして真淵に感謝したかもしれないが、官位の考証にかんしては、感謝どころか大いに憤懣《ふんまん》の意をもらしたにちがいない。なぜなら真淵は、契沖と共に彼を六位以下ときめつけた上に、石見国《いわみのくに》の掾《じょう》と目《さかん》の間という、はなはだ微官のままで死なしめているからである。

かつては、もちろんそうではなかった。『古今集』の仮名序にはっきりと、「おほきみつのくらゐ、かきのもとの人まろなむ、哥のひじりなりける」とある。大き三つの位は正三位と考えられるが、『古今集』仮名序の筆者、すなわち紀貫之は、人麿を歌聖とたたえると共に、彼の官位が高かったことをも強調しているのである。

この仮名序は、紀淑望によって書かれた真名序とも符合し、真名序には「先師柿本の大夫《たいふ》といふ者《ひと》」とある。大夫は五位以上の通称であると普通考えられる。とすると人麿は三位、たとえ仮名序の記載が誤謬《ごびゅう》であったとしても、少なくとも五位以上ということになる。

ところが、『古今集』序文のこの説には、古来から異説があった。というのは、三位はもちろん、五位でも必ず正史にのるはずだからである。しかるに柿本人麿の名は正史にない。正史にないとすれば、六位以下ではないか。つまり、この官位の問題は、先に私が論じた㈠の、人麿は正史に登場しないという問題と深くかかわっている。

この点について、最初のくわしい考証をしたのはやはり顕昭である。顕昭は彼以前の人麿の官位にかんするさまざまな記載を挙げている（三八四―三八六ページ参照）。

これで見ると、人麿を三位と考えたのは、『古今集』の序文ばかりではないらしい。『金玉集《きんぎょくしゅう》』序に正三位とあり、『拾遺抄目録』にも従三位とある。『金玉集』は柿本末《かきのもとのすえ》成《なり》撰と伝えられ、その序は藤原公任《ふじわらのきんとう》（九六六—一〇四一）の書いたものとされる。柿本末成は公任の仮名らしい。公任は十一世紀前半に活躍し、当時「天下無双の歌人」といわれた人であり、また『拾遺抄目録』を書いた大江佐国は十一世紀後半の人で、万葉集の研究家としても有名であった。こうして見ると三位の説は、『古今集』の仮名序だけではなく、代々伝えられてきた伝承なのである。特に、『拾遺抄目録』の「近江権守《おうみのごんのかみ》従三位」という説は、顕昭は無視しているが、『古今集』仮名序や、『金玉集』序などとちがった伝承を伝えているだけに、無視しがたいと思う。

ところで『金玉集』や『卅六人伝《さんじゅうろくにんでん》』などは、すでにこのような三位説に疑いを示していて、『金玉集』序などは、「之を検載せず」といっている。顕昭はこのような懐疑を徹底させて、次のようにいう。

「私に云《いは》く。古今仮名序は、或《ある》人云く、六の位を三の位と書くか。みちのくを世俗むつのくにといふがごとし。又公卿《くぎやう》之条、万葉に見ず。又公卿補任《ふにん》、公卿伝、国史等之を載せず。其の官位知り難きか」

（顕昭『柿本朝臣人麿勘文』）

顕昭は、『古今集』仮名序に書かれた三位説を疑っている。「三《みつ》」は「六《むつ》」の誤りではないかとさえいっている。しかし彼はやはり古代の人らしく、人間の認識能力にたいして謙虚であり、「其の官位知り難きか」と結論している。

このような態度が、多くの古代人、中世人の態度であった。たしかに、三位と書かれていて正史に記載されないのはおかしい。おかしいけれど、それを、だから六位にちがいないと断定しないで、何か特殊の事情があるのかもしれない、要するにそれは理解できないというのが、古代、中世のつつましい認識にたいする態度であった。

「おほき三のくらゐは正三位也。人丸三位の事、公卿補任等に所見なしといへども、それはしるしおとす事もありなん。此序をもて証拠とすべし」（一条兼良『古今集童蒙抄』）

「此人正三位と云事、昔より之ヲ疑フ。公卿補任などにも之見エザル故也。但是はあながちの難歟。上古補任は現任ばかり載せ、散位をば之書カザリシ歟」

（北畠親房《きたばたけちかふさ》『古今集序註』）

兼良も親房も、疑いはあるけれど、『古今集』序を証拠として三位説をとっている。特に北畠親房（一二九三―一三五四）の、上古補任は現任ばかりを載せ、散位を書かないのではないかというのは、鋭い指摘であると思われる。人麿の叙任について、はっきり書けない事情が存在したのではないか。

こうした中世人の謙虚な認識の態度にたいして、近代人は、全く懐疑なく顕昭の懐疑主義を徹底させたように思われる。このような懐疑なき懐疑主義の徹底は、契沖による人麿六位以下説の新しい証拠の発見から起るのであろう。

「延喜《えんぎ》式《しき》云。凡百官身亡者、親王、及三位以上ニハ称シレ薨ト、五位以上、及皇親ニハ称シレ卒ト、六位以下達ルマテハ二於庶人ニ一称スレ死ト。コレニヨレハ人丸ハ六位以下ナル事明ケシ」

（契沖『万葉代匠記　精撰本』）

契沖は、『延喜式』に、人が死んだとき、親王および三位以上は薨といい、五位以上および皇親は卒といい、六位以下は死というとある、という。ところが万葉集の巻二に、人麿の死にたいして、「柿本朝臣人麿、石見国《いはみのくに》に在りて臨死《みまか》らむとする時」、および「柿本朝臣人麿の死《みまか》りし時」と二度にわたって死と書いている。だから、人麿は六位以下であるという。この契沖による新しい証拠の発見に、荷田春満による正三位の全面的な否定が加わる。

「人麻呂伝此集の外所見なし。官位もたしかならず。下位なるよしは証拠あり。正三位などゝいふ説は後人のいつはり也」

（荷田春満『万葉集僻案抄《へきあんしょう》』）

真淵は契沖の学問と春満の学問を受けつぐと自称する。とすれば、契沖、春満が、人麿の官位について六位以下とはっきり断定している以上、いささかも迷う必要はあるまい。彼は、自信たっぷり六位以下と断定し、事のついでに、人麿の官職についても断定を下すのである。

万葉集には人麿のあちこち旅をした歌があるが、これは、彼が地方官として赴任したゆえであろう。しかし、国守であったら正史にのるはずである。正史にのらないところを見ると、守以下、掾と目の間であり、例の妻に別れて上来せし歌は、朝集使《ちょうしゅうし》、税帳使《ぜいちょうし》などにてかりに上来した歌ではないかというのである。この説もまた、真淵は契沖に学んだのであろう。

「其後石見守ノ属官ト成テ、彼国ニ居住セラレケル歟。第一第三ニ近江ヘ下リ、第三ニ筑紫ヘモ下ラレタル哥アリ。此等モ亦《また》其国〻ノ属官歟。又第三ニ、笥飯《けひ》ノ海ノニハヨクアラシト云哥ヲ以テ思フニ、越前国ヘモ下ラレタリト見エタリ。後ニ石見国ヘ下リテ死セラレタルモ、亦再タヒ彼国ノ属官ニ下ラレケル程ノ事ナルヘシ。其時ヨマレタル哥ト、依羅娘子カ、ケフ〳〵ト吾待君ハトヨメルニテ知ヘシ。臨死時ト云ヘルニテ六位以下ニテ官位ハ云ニ足ラサル程ナルコト知ラレタリ」

（契沖、前掲書）

契沖の推論は、先の六位以下という断定と万葉集にある人麿の臨死の歌とを組合わせた推論であるが、真淵はこの点について全く契沖に従っているといってよい。ただ真淵の新たな規定は、朝集使、税帳使という規定のみである。

どうやら詩人・人麿は、あわれにも契沖、真淵によって、辺境の地、石見の国で掾と目の間という微官をおおせつかったらしいが、真淵以前には、人麿をこのようにひどい扱いをした人はいない。すでに兼良にせよ親房にせよ、多少の疑いを残しながらも三位説を信じている。三位の官にあるものが、どうして、掾と目の間などという微官に甘んずることが出来ようか。

『人丸秘密抄《ひとまろひみつしょう》』の奇妙な記述と真淵の考証の圧勝

真淵以前に人麿の官称について書かれた文献は、私が現在まで知る限り、次の二つである。一つは先の『拾遺抄目録』にあるといわれる近江権守という官職であり、もう一つは『詞林采葉抄《しりんさいようしょう》』に引く例の『石見国風土記《いわみのくにふどき》』逸文の記事である。

「天武三年八月、人丸、石見《いはみ》の守《かみ》に任ぜられ、同九月三日、左京大夫《だいぶ》正四位上行《ぎやう》に任ぜられ、次の年三月九日、正三位兼播磨《けんはりま》の守《かみ》に任ぜらる」

また、『人丸秘密抄』と称する寛文《かんぶん》十年（一六七〇）に出版された奇妙な本があるが、この本には次のようにある。

「冬通、清御原《きよみはら》天皇に奏す。帝《みかど》よろこび思召《おぼしめし》て歌道の御侍読たり、是哥姓流水之速、于時任二石見ノ権守ニ一。始テ賜レ姓ヲ号二柿下人丸ト一是其時乃名字也。同年（天武三年）九月三日任二左京大夫別書正四位下行一。次年三月一日補二任春宮大夫木工権頭《とうぐうのだいぶたくみのごんのかみ》正三位行兼二任播磨守一贈正二位内大臣云云孝謙天皇ノ御時也。或本云、聖武天皇崩御。平城天皇大同二年八月十一日贈官と云」

『人丸秘密抄』は、『石見国風土記』あるいは『詞林采葉抄』によったのであろうか。人麿の官位の順は、『石見国風土記』逸文では石見守、左京大夫、播磨守となっているが、『秘密抄』の方が官位が高く、正二位内大臣まで到《いた》っている。『人丸秘密抄』はもちろん、『詞林采葉抄』に引く『石見国風土記』なるものも、いささかならず疑わしい文献であるが、これらの書には、人麿の官位と共に人麿流罪の話が書かれていることに注意する必要がある。私は第一部に人麿流罪説について語ったが、いずれもう一度、くわしく語ることにしよう。特にこの『人丸秘密抄』に正二位とあり、或る本には平城天皇大同二年八月十一日贈官とあるのは、見逃せない。正三位を死後贈官と考えたらどうか。

くわしい論証は後にしよう。今ここで、私は真淵の人麿六位以下、掾と目の間の地方官説が、いかに彼以前の説にたいして革新的であり、いかにその位が当時の伝承と矛盾しているかを明らかにすればよいのである。

真淵は、『万葉考』の序文で彼の思想の先駆者として契沖と春満をあげながら、契沖は新墾、つまり新田の開墾をしたが、まだ苗を植えなかった。春満はその田を鋤《す》き返したが、まだ稲を刈り収めないうちに死んだという。彼が契沖、春満のあとをうけて、万葉集という未開拓の荒田に、はじめて苗を植え、稲を刈りとることが出来たというのであろうか。また、彼は、万葉集を高山に比し、自らを、誰も登ったことのない高い山に登った人と、ひそかに考えているふしがある。

ヴィンデルバント（一八四八―一九一五）は、カント（一七二四―一八〇四）以前の近代の一切の哲学はカントにそそぎ、カント以後の一切の哲学はカントから発するという。私はこの言葉をドイツの哲学者らしい、いささか自国の哲学者に甘すぎる評価の言葉であると思ったが、今、真淵の万葉集についての見解を点検するとき、この言葉を思い出さざるをえない。まことに『万葉考』、ここでは特に人麿考を問題にするわけであるが、人麿考において、真淵以前の人麿についての見解は、真淵にそそぎこみ、そして真淵以後の人麿についての見解は、すべて真淵から発するといってよい。

る。そして、真淵以前と真淵以後の人麿についての見解は、全く違ってしまったのであ る。もはや『古今集』仮名序の正三位説はとるに足らない誤謬とされた。そして柿本大夫説——長い間、人麿はその名で呼ばれてきたが——も迷妄になってしまった。まして『詞林采葉抄』に語るが如《ごと》き播磨守説、流人説などは、一顧の値うちもないものとなってしまった。真淵の六位以下説は、もはや真実きわまるもののようであった。そしてこれと共に、下級官僚説、石見国の掾あるいは目説もほぼ疑いえないものになってしまった。

そして、それ以後、真淵説が常識になり、真理となってしまったのである。この常識化され、真理化された真淵説の痕跡《こんせき》の証拠を、私がもはや挙げる必要はあるまい。この常念のためにその一端を挙げれば以下の如くである。

「廷臣としての位地は、その位階が語るのであるが、それは六位以下の低いものであつたといふことが分るだけである。それは彼の死が、万葉集巻二の歌の題詞によると『死』といふ文字をもつて記されてゐるが、これは当時厳守されてゐた用字法によつてのもので、それによると六位以下といふことが分るのである。

廷臣として人麿の奉仕してゐたことは、一に作歌によつて想像されるものである。その石見国に下つてゐたのは、国司四人の中の一人であつたらうとされ、六位以下であつたところから地位は低かつたらうとされてゐる」（窪田《くぼた》空穂《うつぼ》『柿本人麿』）

私は、窪田空穂（一八七七―一九六七）を、歌学者としても高く評価している。この『柿本人麿』という本も、歌の観照において鋭い見解を示している。しかし、やはり伝統の力は恐ろしい。彼もここでは契沖、真淵の説をおうむ返しに述べているにすぎない。

「紀には五位以上の薨卒は記載する例であるのに、人麻呂の事は全然出てゐない。又死歿《しぼつ》の書例、四五位には卒、六位以下には死の字を用ゐるが令の規定だのに、集中巻二の題詞に『在《リテ》二石見国《ニ》一臨《メル》レ死《ニ》時自《ラ》傷《カナシミテ》作歌』と書かれてある。この二つは人麻呂が六位以下であつたことを、如実《によじつ》に証するもの丶如くである。処《ところ》が本集の題詞に、どの場合でも、柿本朝臣人麻呂と記署されてある。これは普通五位の人の書式である。さあこの矛盾はどう解決してよいか。

公式令に拠《よ》ると、寮司の長官は位階に関はらず、大夫と称して姓名を記し、次位の人は随《したが》つて氏姓名を記すことになる。然し人麻呂は地位卑《いやし》くその資格がない。或は尊敬の意から出たものか。山部赤人が人麻呂よりも一層微官で終つたらしいのに、尚山部宿禰赤人と集中には記署されてある。但その他微官らしい人で姓を并記《へいき》したのが沢山ある。この題詞はさう公式の書式にのみ拠らず、厳格なる統一はないものと見てよい」

（金子《かねこ》元臣《もとおみ》『万葉集評釈』）

この金子元臣（一八六八―一九四四）の『万葉集評釈』も、独自の見解を多く含む名著というべきものであろう。彼は、柿本朝臣人麿という書き方が五位の人の書式であると一応疑っているが、その疑いを自ら否定している。金子氏の中にある常識が、自らの疑いを否定させたのであろうか。

人麿の六位以下説は、良識であるよりもはや真理であるかに見える。なぜなら、それは、テキストや、事典にも語られているからである。

「（柿本人麿）天智から文武の頃の人、生没年不明。奈良初期生存説もある。身分は六位以下、舎人や国司になったらしい。持統・文武朝に盛んに作歌し、絢爛《けんらん》たる修辞と沈痛重厚で弾力のある作風を以《もっ》て、古今独歩の歌人と称せられる」

（日本古典文学大系『万葉集一』岩波書店）

「（柿本朝臣人麿）藤原時代の人。孝昭天皇の皇子天押帯日子命の後裔《こうえい》であるが万葉集以外に所伝がなく、官位も低く、六位以下で終つたとおぼしい」

（佐佐木信綱編『万葉辞典』中央公論社）

「（柿本人麻呂）人麻呂の名は史書にみえない。七〇八年（和銅一）に死んだ柿本佐留（さる）の名がみえるのみで、その人との関係は不明である。史にみえないことは六位以下の身分であったことを思わせる。その死は臨終の作のおさめられた位置から考えて七〇九〜七一〇年（和銅二〜三）ころと考えられ、賀茂真淵が〈五十にいたらで身まかりしなるべし〉といっているのがだいたいあたっていると思われる」
（沢瀉久孝《おもだかひさたか》『世界大百科事典』平凡社）

これらは、いずれも私が恩恵を受けている書物である。特に、沢瀉久孝氏（一八九〇—一九六八）の『万葉集注釈』には教えられるところが多かったが、やはり、人間とは結局、時代の子であろうか。中世の学者が結局、定家の権威の下に、定家の説は誤謬なきものと錯覚したように、近代、現代の学者は結局、真淵の権威の下に、真淵の仮説を真理と錯覚したのではないか。真淵は、その仕事においてばかりか、その影響においても全く偉大であった。

(五)『古今集』仮名序を改竄《かいざん》する真淵の近代合理主義

すでに述べたように、『古今集』序文は、人麿の時代およびその官位を考える人にとって、昔からつまずきの石であった。

なぜなら、『古今集』仮名序は、平凡に読めば、人麿と赤人は同時代で、「ならのみかど」と歌を詠みかわし、万葉集を撰《せん》したといっているように思われるからである。この『古今集』仮名序とその表面的な解釈が、いかに後世の人麿考証学者をなやませたかは、すでにくわしく述べた。それゆえに、古代・中世の歌人、歌学者たちは、彼らの、『古今集』を聖書として尊敬する心と、この点にかんする懐疑との間の矛盾に悩まざるをえなかった。

また人麿の官位にかんしても、仮名序に「おほきみつのくらゐ」とあり、真名序には「柿本の大夫」とある。『古今集』を信ずる限り、たしかに人麿は三位、少なくとも五位以上であるはずであるが、それにしては彼の名は正史上に見あたらない。

こういう二つの矛盾に、古代、中世の歌人たちは悩み、定家の如きは、『古今集』序文は万葉集を見たことのない人によって書かれたかのようだと疑った。しかし、いかに『古今集』序文を疑うにせよ、彼らは懐疑の節度を保っていた。事は遠い上代のことである。はるか時代をへだてて、それは定かには知りがたい。それゆえ、現在のわれわれの理性で理解できぬことがあるとしても、仕方がない。定かならぬことを、小ざかしい理性で、ああだ、こうだときめつけない方がよい。こういう俊成の態度こそ、もっとも中世人にふさわしい態度であり、多かれ少なかれ、中世人はそういうふうに懐疑にたいする礼節を心得ていた。

しかし、近代人はちがう。日本において、近代は二重であるといわれている。最初の近代は徳川時代であり、第二の近代は明治時代であるという意味である。西洋におけるルネッサンス以後の思想の発展状況とよく似た思想の発展状況が、日本において、徳川時代に存在している。それは、一言でいえば、理性の時代であるということである。ヨーロッパにおける理性は、近代科学と結びついた合理主義的理性であった。日本においては、近代科学こそ十分に生み出すことができなかったが、やはり、徳川時代においては、理性的思想の発展はめざましいものがある。この理性の時代は徳川家康（一五四二―一六一六）が、藤原惺窩《ふじわらせいか》（一五六一―一六一九）を重用して仏教に代わって朱子《しゅし》学《がく》を国教とした時に、すでにその出発点がある。

朱子学は、いわば観念論的な思想体系をもった体制擁護の儒学であったが、後に、伊《い》藤仁斎《とうじんさい》（一六二七―一七〇五）、荻生徂《おぎゅうそ》徠《らい》（一六六六―一七二六）によって、その観念的理性は、実証主義的理性へと変質してゆく。このような思想の展開過程を、最近、源了円《みなもとりょうえん》氏は『徳川合理思想の系譜』なる著書によって明らかにした。これは、おそらく初めての本格的な、徳川時代の思想史の試みであろう。こういう合理主義思想の発展と、その変質にかんしては、源氏の著書を見てほしい。

契沖と仁斎、春満と徂徠はほぼ同じ時代の人であり、かつて村岡典嗣《むらおかつねつぐ》氏（一八八四—一九四六）が指摘したように、真淵、宣長学のように、彼らの学が仁斎、徂徠学の影響を受けたと考えることはできないが、彼らの学問は、同じ時代の同じ精神的状況の中に、実証的合理主義の精神の生み出したものといえよう。そして、合理主義の武器は、懐疑である。すべてを疑って、疑うべからざる明晰《めいせき》判然たる確実なるものを見《み》出《いだ》す。デカルト（一五九六—一六五〇）によって語られた、この徹底的な懐疑の精神こそ、近代的合理主義の本質なのである。もはや、ここで理性は、懐疑を制止し、妨害するあらゆる障害を乗りこえる。近代的理性の道具は矛盾律である。理性は矛盾律を使って、彼の理性がつくり出した、首尾一貫した合理的世界に矛盾すると思われる一切のものを、容赦なく排除する。

顕昭、定家において、その活動を抑制されていた懐疑精神は、今や一切の抑制を破って、自由に、まことに自由に、学問の大道を闊歩《かっぽ》しはじめるのである。

真淵にとって、『古今集』序文は、彼自らの万葉集にたいする研究からつくり出した、首尾一貫した合理的な人麿像と矛盾するものであった。そして、合理性に矛盾するものがあったら、容赦なく排除するのが近代的合理主義の本質なのである。それゆえ、真淵は大胆にも、『古今集』の仮名序から、合理性に矛盾する部分を削除し、改《かい》竄《ざん》してしまうのである。

この点について私は、すでに第一部でも論じたが、いかに真淵が、原典の削除、改竄を行なったか、原典と比べてみよう（三八九―三九〇ページ参照）。

「いにしへよりかくつたはるうちにも柿本の人まろなん哥《うた》のひじりなりける又山部の赤人といふ人有けり哥あやしくたへなりけり

人まろは赤人がかみにたゝん事かたく赤人は人まろがしもに立《タヽ》んことかたくなんありける

此《ノ》人々をおきて又すぐれたる人もくれ竹の冠辞世々にきこへかた糸の冠辞より〳〵にたえずぞ有ける

こゝに古のことをも哥の心をもしれる人わづかにひとり二人《フタリ》なりきしかあれど是《コレ》彼《カレ》えたる所得ぬ所たがひになんある」

（『古今集序表考《こきんしゅうじょひょうこう》』）

これが真淵の削除、改竄した文章である。紀貫之自ら書いた『古今集』仮名序によれば、この『古今集』勅撰の仕事は、かつての万葉集勅撰の仕事を受けつぐ仕事であり、詩人としての貫之は、自己を人麿と赤人の伝統のもとにおこうとする、強い意識をもっている。それゆえ貫之は、この新しい勅撰集の成立の事情を語るために、かつての勅撰集の成立の事情と、詩人たちの運命を語らねばならなかった。それが、真淵のように原文を削除、改竄してしまったら、序文は万葉集の成立の事情も詩人たちの運命も、全く語らないものになってしまうことになる。

はたして、そういうことが許されるであろうか。真淵が『古今集』仮名序の削除、改竄を行なったのは、けっして偶然ではなく、事柄の必然にもとづくものであるが、よほど『古今集』仮名序のこの文章が真淵にとって気になったものか、その注釈を真淵は、『続万葉論序《しょくまんようろんじょ》』『古今集序表考』『古今集序別考《こきんしゅうじょべっこう》』『古今和歌集打聴《こきんわかしゅううちぎき》』の四通りも行なっている。だが、原文の削除、改竄の点は、いずれも変わりはない。

原典を書きかえた文献学者・真淵の弁明

この真淵による四通りの『古今集』序の注釈のうち、『古今集序表考』のほうは説明が簡単で、『続万葉論序』と『古今集序別考』は、はなはだよく似ている。真淵が人麿考において「かの考」といっているのは、そのいずれかは分からないが、もっとも説明のくわしい『続万葉論序』によれば、その削除の理由は次のようである。

「考るに、今の本は、かくつたはる中にも、といふ次に、奈良の御時よりひろまりけるかの御世や哥の心をしろしめしたりけんかの御時におほきみつのくらゐ、といふ迄《まで》の詞は、後に書添たる物也、と荷田東万呂《かだのあずままろ》うしいはれたり。下に此類多し。皆同しぬしの考にていとよく当れる事なれはしたかへり。そも〳〵哥は、万葉を見るにあすか藤原の宮の程こそ上下ともにさかり成けれ、奈良の宮にいたりては漸《やうやく》に下り行て、称徳天皇の御時などにはいと浅らに成つ。然るに人万呂を奈良の宮迄有しとおもへるにや。いとおろか成事也。人まろはしめ清見原の宮の皇太子の舎人にて、其後高市皇子皇太子の時もまた舎人と見え、末に文武天皇の御時、石見の国の掾《ジヨウ》目《サカン》の間の任《マケ》にて下りしが、かの任のうちにかしこにて死たる事万葉に見ゆるを、正《オホキ》三位《ミツノクラヰ》といふは何事そや。是らかならす貫之の筆にあらず。又、ひじり成ける、といふ、是は君も人も身をあはせたるといふ成へし、秋の夕たつた川にながるゝもみちをはみかどの御目に錦《にしき》と見給ひ、春のあした芳野の山の桜をは人万呂か心に雲かとのみなんおほえける、と云詞書も後に添たるなり。まづ右に云如く、ならの宮に至りて哥に君臣合体といふへき君おはさずまして、人万呂の在し時も右の如くたがへり。さてたつた川もみち乱てながるめり云々、といふ哥を今の本に奈良のみかどの御哥といへるも後の作事にて、たゞよみ人しられぬ哥也。又人万呂のよし野の桜を雲と見し哥もなき事也。凡《おほよそ》人まろのは万葉集にのみのれるをしらぬ人のみたりに偽れる也。此言ともを云ときは文もよくつゞき、事の誤りもなく、又かく様につたなき言は貫之の筆ならぬ事も知弁《しりわきま》へらるべし」

これが、先に引用した「ならの御時」から「おほきみつのくらゐ」、そして「これは、きみもひとも」から「雲かとのみなむおぼえける」までの文章を、真淵がはぶいた理由である。真淵のいうことは、はっきりしている。①歌は奈良時代になって盛んになったというのはまちがっている。歌は藤原の宮、つまり持統—文武天皇の頃がピークであって、称徳天皇の頃にはおとろえてゆく。それゆえ、これは歌のことを知らない、「いとおろか」なる文章である。②人麿の時代および官位についても、まちがっている。これはけっして「貫之の筆」ではない。③また人麿と身を合わせた、つまり君臣合体したという天皇もいない。④人麿が天皇と詠《よ》みかわした歌は、人麿の歌ではない。

たしかに真淵のいうことは、もっともであるようにみえる。

また、「これよりさきの哥をあつめてなむ、万えう（ふ）しふと、なづけられたりける」という言葉をはぶいた理由としては、次のように彼はいう。

「考るに、絶すそ有けるてふ下に、是よりさきの哥を集めてなん万葉集と名付たりける、てふ言あり、是も後に真字序の誤りにならひて加へしものなり。今万葉二十巻有をもていふにも、天平宝字三年正月の哥までに終りぬ。こゝの文にいへるよみ人までを万葉のよみ人の事とせは、宝字三年より左の文に挙《あげ》いふ天長までの間、称徳光仁桓武平城嵯峨淳和の六代には惣《すべ》て哥よみ無とせんとするか」（同前）

多分に論旨は乱れているが、真淵のいうことはもっともである。もし万葉集が平城天皇のとき撰せられていたとしたら、どうして天平宝字三年以後の作品がないかというわけである。

また、例の十代、百年説をはぶいた理由は次のようである。

「考るに、右のたかひになん有てふ下に、かの御時よりこのかた年はもゝとせあまり世は十つぎになん成にける古への事をも哥をもしれる人多からす、てふ言あり。是も真字序のひか事をもわかぬ後の人のくはへたる也。何ぞといはゞ、年は百《もも》とせ余り世は十つぎといふは、平城天皇大同の始より延喜の今まで世は十代年は百年になれるをいへり。然有《しかあり》て其大同の年比《としごろ》人万呂赤人共に在て万葉集を撰《えら》めりとおもへる成へし。大同のころには人万呂は死の後御世は七代年は百年余りに成、赤人も死後御代は六代年は七十年斗《ばかり》に成ぬへし。又万葉集は先は一二の巻を云也。そは諸兄公の撰み給《たま》ふといへは、天平宝字元年より前の事也。又今家持卿《きやう》の哥集其外の哥集ともの加りて二十巻となれる本にていふとも、天平宝字三年正月までの哥有て、大同元年まて四十四年前也。かく定か成事万葉に見ゆるを、いかなるをこ人かかゝる事を添つらん。又古《いにし》へに同し言を重《かさね》いふ事やは有へき。是も必貫之の筆ならねはすてつ」

（同前）

これも、大同の頃、人麿、赤人が万葉集を撰んだという説は、非合理の説であるという。もしも『古今集』仮名序が、人麿、赤人が平城天皇と大同年間に歌をとりかわし、万葉集を撰んだという歴史的事実をのべたものであり、「おほきみつのくらゐ」についての顕昭以来の疑いが正しいものとすれば、真淵のいうことはいちいちもっともであり、『古今集』仮名序は「おろか」で「つたなき」「ひか事」のように見える。そして、真淵は、こういう馬鹿《ばか》なことを紀貫之がいうはずはないと考え、これは、無知な後人の書き加えたものにちがいないと考えて、その部分の文章を削除、改竄したのである。

このようなことを、われわれはどう考えたらよいであろうか。文献の勝手な削除、改竄、それは文献学者として、もっともしてはならないことである。文献の削除、改竄を行なうには、それをなしうるに足る、よほど確実な他の文献的根拠がいるのである。真淵は、何一つ、そういう操作を行なわず、ただ、以上の文章が非合理で、そういう非合理なことを紀貫之ともあろう人が書くはずはないといって、それを削除、改竄するのである。真淵に、その『古今集』仮名序の削除、改竄という大胆きわまりないことを行なわしめたのは、近代的合理主義の至上命令なのである。はたして、このような合理主義の至上命令は、それ自身、合理的であるや否《いな》や。

古今序の謎《なぞ》と近代考証学の限界

われわれは、真淵のように、『古今集』の序文を勝手に削除、改竄することはできない。この『古今集』の序文が、われわれの理性によって、たとえ理解できないものであったとしてもその原因をわれわれは、序文のほうに求めてはならず、その理由を、われわれの理性のほうに求めなくてはならない。われわれの理性は、あまりに浅すぎて、あるいはあまりに形式的でありすぎて、『古今集』序文の含んでいる、深いシンボリックな意味をよく理解することができなかったのではないか。そしてまた、顕昭以来の文献学的理性がたどった、人麿の官位についての疑いも、その疑い自身、何か大切なことを見忘れた疑いであり、それは疑いというよりも、むしろ迷いではないかと、理性はもう一度、己れに問うべきであったのである。

しかし、真淵における近代的理性は、そのような自分自身に向かっての問いを発しない。それは、自分自身にたいする絶対の信頼の上に対象の矛盾を強く指摘し、ついに、千年の間の聖書であった『古今集』の仮名序を、削除、改竄するに到るのである。

真淵が『古今集』のこの部分を、後人の加筆と考えたのは理由なきことではない。紀貫之が万葉集の撰集、および人麿の生存の時代と官位とをまちがえるはずがないからである。『古今集』が撰せられるのは延喜五年、人麿が死んだと思われる和銅年間からまだ二百年とたっていず、真淵のいう「第一次万葉集」が撰せられたと考えられる天平勝宝年間から、百五十年もたっていないからである。

また、真名序には、醍醐《だいご》天皇のおおせで古い歌を集めて歌集をつくり、「続万葉集」と名づけたが、後に『古今和歌集』と名を変えたとある。明らかにここで貫之は、この集を第二の万葉集と考え、自己を人麿、赤人の伝統の復興者と考えているのである。

そして、紀貫之は歌人としてばかりか、歌学者としても一流である。こういう紀貫之が、万葉集の成立年代と、人麿の生存時代とその官位について、まちがうはずはないのである。

もしも真淵のいうように、紀貫之がそれらのことをまちがうはずはなく、また、真淵のなしたごとく、原典を削除、改竄することがけっして許されないとしたら、どうなるか。

それにはもう一度、はじめからわれわれの推理をやり直すことが必要である。われわれは、われわれの認識の矛盾を対象のせいにせず、われわれが認識過程で、重大な誤りをおかしているのではないかと、われわれ自身に問うべきである。

イマヌエル・カントは、対象の認識に入る前に、対象を認識するわれわれの理性の吟味に入るべきだと考えた。真淵の合理主義には、認識批判の仕事が落ちていたのである。われわれは、今や一つの大きな矛盾の前に逢着《ほうちゃく》した。それは、『古今集』序文か、合理主義的理性かという問いである。真淵は、合理的、啓蒙《けいもう》的理性の道をとり、ついに『古今集』仮名序の削除、改竄に到った。それは、明らかに、このおそらくはまちがってはいないと思われる序文の否定であり、無視である。そういう道を、われわれがとることができないとしたら、われわれは、われらの合理的理性なるもの、顕昭、定家以来のあらゆる推理の道がはたして正しいものかどうか、そこからそれは大いなる迷路に入っていはしないかを、根本的に問わなければならないであろう。

こういう問いを問う前に、今までの論旨を整理しておく必要があろう。私は、真淵の人麿考を構成する五つの主張の、論理的、歴史的分析を試みた。

論理的に見れば、この五つの主張のうち、最初の四つは肯定的主張であり、あとの一つは否定的主張である。ところでこの㈤の否定的主張は、明らかに㈣の肯定的主張、官位にかんする主張と密接に関係している。つまり㈤の主張が正しいとしたら㈣の主張も正しいが、逆に㈤の主張がまちがっていたら、㈣の主張もまたまちがっていることになる。

そして㈤の主張は㈠の主張とも、㈣の主張ほど密接ではないにしても、深い関係をもっている。なぜなら、顕昭などがいうように、『古今集』仮名序の人麿三位説が誤りでないとすれば、三位の人間が正史に書かれていないはずはないからである。もちろん、親房などがいうように、正史が、何かの事情で五位以上、あるいは三位以上の人でも、彼の任官を記載しないこともありうるであろう。しかし、そういう場合があったとしても、その理由がはっきり説明されなくてはならない。それゆえ、われわれが『古今集』の序文に書かれていることを正しいと考えたら、柿本人麿は、はっきり正史に登場してくる可能性は、きわめて大きい。それゆえに、㈤の主張は、㈠の主張ときわめて密接な、論理的関係をもっている。

また㈤の主張は、同じく㈡の主張とも深い関係をもっている。なぜなら『古今集』仮名序を、ごく常識的に理解する限り、人麿と赤人は、平城天皇と同時代にして、共に歌を詠みかわし、共に万葉集を撰したように考えられるからである。㈤の主張が正しければ㈡の主張も正しく、また㈡の主張が成立すれば、㈤の主張も成立するように思えるからである。そして、また㈤の主張は、㈡の主張を通じて㈢の主張、つまり人麿の年齢にかんする主張とも間接に結びつく。人麿が、ならの帝のときに生きているとしたら、人麿は、和銅年間に死んだことにはならず、真淵の年齢考も空《むな》しくなる。

それゆえ、㈤の主張は、㈠から㈣までの主張全体とも密接な関係をもっている。

真淵の推論は㈠、㈣、および㈡を通じて、㈤の主張に到ったようである。このようにそれぞれの主張は、相互に密接な論理的関係をもっているのであるが、われわれは少なくとも㈤の主張について重大な疑問に逢着することになった。われわれは真淵のように序文を勝手に削除改竄してはならないし、また、紀貫之が万葉集成立の時代および人麿の時代や官位について、まちがって理解したということも考えることが出来ない。

紀氏の屈折した主張と柿本猨《かきのもとのさる》の秘密

とすれば、どういうことになるのか。われわれの『古今集』序文にたいする理解か、われわれの人麿考がまちがっていたのである。㈡の点については、文献学者の人麿考の方が正しい。とすれば、われわれの『古今集』序文解釈がまちがっていたのではないか。『古今集』仮名序は、はたして、人麿と赤人が同時代人であり、彼ら二人が帝と共に万葉集を撰したという、歴史的事実を語っているのであろうか。

後にくわしく語りたいが、私は、はっきり『古今集』仮名序はそういう歴史的事実を述べたものではないと思う。それは、ならの帝と人麿の精神的感応の事実を語ったものであろう。われわれは古人と必ずしも別の世界に住んでいるわけではない。文学を通じて古人はわれわれに語りかける。古人がわれわれに語りかけたとき、古人がわれわれと合体することだってありうるのである。こういう運命の深さときびしさを知らない人に文学は無縁であろう。

紀貫之は、そういう魂の感応をよく理解する人であった。彼が『古今集』を撰《えら》んだとき、人麿、赤人との魂の感応を彼自らが信じたのであろう。仮名序にある「人まろなくなりにたれど、うたのことゞまれるかな」という言葉、および真名序にある「嗟呼《あゝ》、人麿既に没したれども、和哥斯《ここ》にあらずや」という言葉はそういう感応の言葉である。平城天皇と人麿の間にとりかわされた和歌、そういう和歌こそ、深い魂の感応の言葉であり、運命の共同性の告白ではないか。

紀貫之の語る言葉は、曖昧《あいまい》である。その曖昧さが、後の学者たちをなやませ、迷わせた。貫之は、そういう曖昧な言葉しか語れない混濁した頭脳の持主であろうか。それとも彼は、自己の真情を韜晦《とうかい》させずにはいられない何らかの必然性をもっていたのか。私にはその理由は、前者であるより後者であると思われる。紀貫之は実に明晰《めいせき》な頭脳をもった人間であることは、彼の歌や日記を見ればよく分かる。しかし彼は、その日記に「男もすなる日記《にき》といふものを女もしてみんとてするなり」と書きつける男である。彼が『古今集』を撰んだのは、例の菅原道真《すがわらのみちざね》（八四五—九〇三）の左遷《させん》事件が起こって四年後であり、道真が死んだのは、ほんの二年前であった。そして紀氏は藤原氏から白い眼で見られている古代貴族のほとんど唯一《ゆいいつ》の生き残りである。こういう紀貫之が、自己の主張を曖昧な表現の下に隠そうとしたのは無理もないのである。それゆえわれわれは、『古今集』序文を繊細なる政治的、文学的な感受性をもって読まねばならない。言葉の裏にかくされた貫之の語りたいものを、われわれは用心深く

紀貫之

聞きとる耳をもたなければならないのである。

不幸にして、中世以来、そういう繊細な耳の必要は全く忘れられてしまったように思われる。古代を通じて生き残った貴族はほとんど藤原氏に限られ、藤原氏の血を引く子孫たちには、没落氏族の屈折した心情などというものは、理解しえないものであったにちがいない。先の『古今集』序文の文章を、一つの歴史的事実の言葉とのみ見たのである。

そして近世の国学は、文献的合理主義の上に立っている。それは文献の解釈について精密で、正確である。契沖、真淵による画期的な万葉集解釈、われわれはそれをいくら高く評価しても評価しすぎることはない。しかし、たしかにその解釈は精密、正確であるが、それは政治的配慮をもった屈折した心情の文章をよみとる点において、十分ではない。真淵は、古代社会における激烈なる権力闘争と、それにたいする古代貴族の用心深い態度とを、ほとんど理解していない。真淵は、古代人はおおらかで正直であるという。あたかも古代人が、おおらかで、正直で、言葉どおりにものをいっているかのように彼はいう。しかし私はそれは反対であると思う。万葉集にせよ、『古今集』にせよ、それぞれひそかな政治的配慮をその背景にもっている歌集である。そういう歌集の真の意味をくみとるためには、その時代のきびしい政治的状況を知らねばならぬ。われわれは紀貫之という一人の人間の生きていた時代と、彼のおかれた政治的状況と、彼の屈折した心理を知ることによってはじめて、『古今集』序文の文章を理解することが出来るのであろう。

しかし、あの、ならの帝と人麿との間の歌の唱和、および万葉集の撰集のことは、われわれの解釈がまちがっていたせいであるにせよ、「おほきみつのくらゐ」というのは、はっきり三位としかとりようがないであろう。しかるに、正史に人麿の名が見えないのはどうしたわけかと人は問うであろう。そういう問いは顕昭以前から、人麿にかんするもっとも困難な問いであった。そして正史にないことが、人麿六位以下説を生み、更に『古今集』序文の誤謬《ごびゅう》説をいっそう強力にした。しかし、この推論のはじめにおいて、われわれはすでに誤りをおかしているのではないか。柿本人麿は正史に出てこない。この根本的常識が疑われはしまいか。たしかに柿本人麿という名は正史にはない。しかし、彼は別の名で登場してはいないか。藤原不比等は、日本書紀では藤原史《ふひと》とあるが、『続日本紀』以下では、藤原不比等とある。一人の歴史家が宮廷第一人者になったからであろう。また大伴旅人《おおとものたびと》（六六五—七三一）は万葉集には淡等《たびと》とあるが、『続日本紀』では、一カ所、多比等《たびと》とある。私にはそれは書き違えというより、それを書いた藤原氏側の故意のいたずらのような気がする。自分たちの先祖は比べられない秀才、大伴の先祖は比べるもの多い凡才という意味であろうか。また不比等と共に持統、文武帝の重臣であった石上麻呂《いそのかみのまろ》（六四〇—七一八）は、日本書紀には物部麻呂《もののべのまろ》であり、『続日本紀』以下には石上麻呂とある。おそらく、一度朝敵の汚名をうけた物部氏を名のることを自ら避けたのであろう。また藤原不比等の孫、藤原八束《ふじわらのやつか》（七一五—七六六）は真楯《またて》でもあり、藤原宿奈麻呂《ふじわらのすくなまろ》（七一六—七七七）は良継《よしつぐ》と改名した。このようなことを考えると、われわれは柿本人麿が別名でもって正史に登場しているのではないかと疑ってみる必要があろう。

ここで真淵とちがって、私は別の懐疑の道を歩くことにしよう。それは文献にかんする懐疑ではなく、長い間、われわれの理性がたどった常識的推理への懐疑である。今までのあらゆる人麿考が常識とした、人麿が正史に現われずと考えるその根本常識を疑ったらどうか。人麿は、正史の上に現われていても、名を変えていたためにわれわれはそれと気づかなかったのではあるまいか。

何という名前で人麿は正史に現われてくるのか。正史に現われてくる柿本を名のる人麿の同時代者は、天武十年に小錦下《しょうきんげ》をさずけられ、和銅元年に死んだ柿本猨――『続日本紀』には柿本佐留とある――一人である。この柿本猨を人麿と考えたらどうなのか。われわれはここに、古来からの人麿考と全く異った仮説の上に立った。この仮説は多くの人に、まだ奇異な感じを起こさせるであろう。しかしどんなに常識に奇異な感じを起こさせたとしても、それが、万葉集および他の史料によって語られるあらゆる史料と矛盾せず、しかもその仮説がこの史料をよく説明することが出来たら、その仮説を真としなければならない。

われわれはそういう仮説の上に立って、もう一度、㈠正史との関係、㈡人麿の時代、㈢人麿の年齢、㈣人麿の官位、㈤『古今集』序文の理解の五つの問いを、われわれの立場で問わなければならない。

第二章　年齢考

はたして正史は人麿にふれていないか

前章において、私は、賀茂真淵の人麿考を五つの項目に分類して吟味した。人麿考は、真淵一人の創意にかかるものではなく、むしろ中古以来の人麿研究の論理的帰結であった。人麿は正史に登場しない。それが中古以来の多くの人麿研究家がいだいた疑問であった。人麿が正史に登場しないとすれば、彼の官位は六位以下となり、『古今集』仮名序の「おほきみつのくらゐ」ばかりか、真名序の「柿本の大夫」という言葉も全くの誤謬《ごびゅう》となる。古代・中世の歌学者にとって、『古今集』は絶対の権威であった。それゆえ、彼等は、人麿が正史に登場しないという事実と『古今集』の序文の権威との間の矛盾に苦しんだ。しかし中世人は懐疑の自制を知る人間であった。それはたしかに矛盾であるが、彼等は矛盾を矛盾のままに残しておいたのである。

しかし、近代の国学者は、この矛盾を自分の理性をもって解決しようとする。そこに合理主義的な近代の学問の立場がある。真淵は、そういう合理主義を、おそらく儒学、特に伊藤仁斎ら古学派の思想から学んだのであろう。彼は懐疑を徹底させて、大胆にも『古今集』の序文を削除、改竄《かいざん》するに及んだ。「おほきみつのくらゐ」という言葉を、人麿が「ならのみかど」と共に歌を詠《よ》み身を合わせたという言葉と共に、後世の追記であるとする。しかも真淵がそれを追記として削除するには、何ら文献的、学問的根拠がなかった。根拠はただ、彼の理性のみであった。『古今集』の撰者《せんじゃ》・紀貫之が、かかる愚かなことを書くはずがない。それが、簡単にして明瞭《めいりょう》なる彼の原文削除、改竄の理由であった。

そして彼は、契沖に従って、万葉集巻二にある「柿本朝臣人麿死時」という言葉で人麿は六位以下であると断定したうえ、人麿は石見国《いわみのくに》の掾《じょう》と目《さかん》の間、朝集使《ちょうしゅうし》であったという規定を新たにつけ加える。こうして、真淵によって人麿像は確定した。そして、彼以後のすべての万葉学者は、折口信夫（一八八三―一九五三）などごく一部の人をのぞいて、ほとんど無条件に彼の説を採用し、彼によって定着された人麿像で、人麿の人生とその歌を考える。かくして人麿は、あらゆる生きた歴史から痕跡《こんせき》を消し、真淵によってつくりあげられた人麿像に従って、舎人《とねり》として歌をうたい、朝集使としてあちこちに旅行をし、石見国の掾と目の間の小役人として死んだ。前にのべた斎藤茂吉の「鴨山考《かもやまこう》」の、滑稽《こっけい》なまでの人麿の死に場所についての誤解も、こうした真淵にはじまる人麿像の混迷から生じた、一層混迷した人麿探求の結果にすぎないのである。

われわれは、人麿像にかんして深い混迷の中にいる。その混迷の原因は、何よりも真淵自らにあると私は思う。真淵は、たしかに万葉集の読み方において、契沖と共に大きな功績を残した。しかし、人麿像にかんしては、彼はまだそれまでかすかながらも続いてきた正しい解釈の道をとざしてしまった。そして、誤った道なき道を正しい道であるかの如《ごと》く思いこみ、その道が人麿自身にまで到《いた》らないときも、彼は新たに道をつけてこの誤った道と人麿自身とをつないでしまったのである。真淵は、古道に帰るのをモットーとしたが、少なくとも人麿像に関する限り、彼は新道の建設者であった。人麿は正史に登場せずという中古の懐疑の道を、それ以前の一切の伝承を無視して、人麿自身に直結させてしまった。その道を真淵は古道と呼び、彼自身そう思い続けたが、私にはその道が儒教的合理主義によって舗装された、真淵自らがつくった新道であるような気がして仕方がない。

私のここでの仕事は、その道が、けっして古道ではなく新道であり、それが正しい解釈の道ではなく、誤った解釈の道であることを明らかにすることにあるのだが、そのためには、真淵を誤らしめた中古以来の懐疑の道を根本的に疑ってみる必要がある。

人麿は正史に登場せず。これが中古以来の人麿研究家にとって、明々白々な事実であるように思われた。その前提から、人麿は六位以下ではないかという結論が導かれ、その結論がさらに前提となり、『古今集』序文はまちがっているという、より大胆な結論が導かれた。その点において、歴史はまさに、論理的な道を歩んでいる。しかし、私のいいたいのは、その道ははなはだ論理的であるが、所詮《しょせん》、誤謬の道にすぎないではないか、ということである。そして、その誤謬は前提そのものにあるのではないかと私は思う。

人麿は正史に登場せず。この前提そのものが、はたして明々白々たる事実であろうか。この明白に見える事実そのものがまちがっていたとすれば、そこから出てくる人麿は六位以下であったのではないか、という懐疑もまちがいであり、その懐疑の積極的肯定の上に立った契沖、真淵以下の人麿像はすべてまちがっていたことになる。

私はここで、中古の懐疑にたいして根本的な懐疑を投げかけたい。懐疑そのものがまちがっているのではないか、と。私のこのような懐疑は、全く時代離れのした懐疑のように見えるが、このような懐疑によってしか、混迷の中にある人麿像を正すことはできないと私は思う。

柿本人麿は正史に登場しない。たしかに、柿本人麿という名でもっては、人麿は、彼が生きていたと思われる時代の正史である日本書紀にも、『続日本紀《しょくにほんぎ》』にも登場しない。しかしわれわれは、たとえ人麿がその名で正史に登場しなくても、別の名で正史に登場していないかどうかを疑ってみる必要がある。一人の人間が二つ、あるいは三つの名をもつ例は、古代にあっても、現代にあっても、しばしばある。

別名で人麿が正史に現われているとしたらどうか。別名で人麿が正史に登場したとしても、柿本朝臣《かきのもとのあそみ》という氏姓は変えることはできまい。まさに彼の生きている時代に、新しく八色《やくさ》の姓《かばね》が定められ、氏姓の秩序がきびしく定められたのである。人麿が別の氏あるいは姓を名のることは、固く禁ぜられているはずである。柿本朝臣人麿は、正史において名を変えて現われていたとしても、柿本朝臣某でなくてはならぬ。

ところが、彼が生きている時代において、柿本朝臣を名のる人物の記事が正史に登場するのはただ二回、日本書紀の天武十年（六八一）の十二月十日に柿本臣猨《かきのもとのおみさる》が小錦《しょうきん》下《げ》を授けられたという記事と、『続日本紀』の和銅元年（七〇八）四月二十日に従《じゅ》四位下の柿本朝臣佐留《かきのもとのあそみさる》が死んだという記事のみである。この猨はもちろんサルと読み、佐留も同じくサルと読むべきであるから、この猨と佐留とは同一人物であろう。天武十年に小錦下、従五位下相当の位を授けられた柿本臣猨が、天武十三年、八色の姓の制定で朝臣の姓を授けられ、その後昇進して和銅元年に従四位下で死んだと考えられる。

もし人麿が正史に現われると考えるならば、われわれはこの天武十年に小錦下を授けられ、和銅元年に従四位下で死んだ柿本佐留が、人麿と同一人物であると考えるよりほかはない。もしも人麿が正史に登場せずという仮説をたどるなら、われわれは真淵の如く、『古今集』の序文を否定しなければならないことになる。先にのべたように、この道は背理の道である。それゆえわれわれは、ここで全く別の仮説を追求してみる必要がある。人麿は正史に登場している。日本書紀の柿本臣猨、『続日本紀』の柿本朝臣佐留こそ、まさにわが国第一の詩人、柿本人麿の別名ではないだろうか。

このような仮説は、一見はなはだ無謀な仮説であるように思える。明らかにヒトはサルではない。いかに眼の悪い人でも、ヒトとサルをまちがえる人はいまい。多くの人は、ヒトとサルが同一人物であることを証明しようとする私の無謀な試みを、一笑に附すかもしれない。そして真淵が、年齢について、官位について、『古今集』序文について加えた考証を信ずるとすれば、これを根本的に疑おうとする私の仮説は、世にも愚劣で奇怪な説のように見えるであろう。

しかし、読者は以後の私の論証をよく理性をもって吟味してほしいのである。真淵の立てた、人麿の時代、官位、年齢についての考証は、よく考えてみるといずれも根拠なきものであり、まして『古今集』序文の勝手な削除、改竄にいたっては言語道断なことである。このような言語道断な説が真理としてまかり通っていたのは、万葉集の訓詁《くんこ》注釈の面で、契沖をうけついで真淵がなしとげた業績に、国学の大家・賀茂真淵という権威に、人は批判の眼をくらまされていたからである。彼の人麿考を根本的に批判しない限り、人麿にかんする真の理解に達することはできない。

柿本猨が人麿である。たしかにこの証明はむずかしい。そして、すべての歴史的真理がそうであるように、それが一〇〇パーセントたしかな真理であることを証明することはできない。そうでない可能性もいくらかは残る。それゆえその証明は、次のような手続きになる。柿本人麿と柿本猨を同一人物と考えたほうが、今までのように全く別人と考えるより、はるかに人麿にかんするすべての文献および伝承が、首尾一貫して説明され、それによって万葉集の歌がより深く理解されることができるとしたら、私が再三再四強調するように、多くの事実をより首尾一貫して説明しうる仮説は、事実を首尾一貫して説明できず矛盾を内在している仮説より、真理であるといわなければならず、人麿＝猨という仮説は、人麿＝非猨という常識よりはるかに真理に近いといわねばならぬ。

今、私は人麿を猨と考える仮説をとることによって、今までほとんど説明がつかなかった人麿にかんする多くの事実が、矛盾なく首尾一貫して説明できると思う。

この簡単な仮説を、注意深く一歩一歩追求してみよう。

八色の姓の政治効果

先にいった、人麿が猨と共に属する朝臣姓は、天武十三年の八色の姓制定のときに定められたものである。それは、まことに巧妙になされた無血革命といってよい。従来、氏姓制度の下に、すべての日本人は姓を固定されていた。公《きみ》・臣《おみ》・連《むらじ》・直《あたい》・造《みやつこ》・首《おびと》などの姓により、彼の身分と職業は定められた。このような世襲的身分制を否定し、広く人材を活用し、律令《りつりょう》体制に活躍させるのが、大化改新（六四五）以来の政府の方針であった。それには古い身分の姓を根本的に否定する必要があるが、そのためには、新しい価値制度、新しい身分制度をつくり出す必要がある。かくしてつくられたのが、真人《まひと》・朝臣《あそみ》・宿禰《すくね》・忌寸《いみき》・道師《みちのし》・臣《おみ》・連《むらじ》・稲置《いなぎ》などの八色の姓であるが、まことに巧妙な価値の転換であった。

この古き姓と新しき姓について、氏姓の研究家、太田亮《おおたりょう》氏は次のようにいっている。

「以上述べた公・臣・連・直・造・首の六姓は最も一般的のカバネであつて、最初は自然的に発達したものであらうが、上下の別が判然し、当時の官制と一致し、氏族的色彩が濃厚であつて、皇室を中心とせるを見れば、或《あ》る時代に、当時の風習に鑑《かんが》みて、次の如きカバネに関する制度が定められたと思はれ、而《しか》して其《そ》れは允恭《いんぎよう》天皇の氏姓を制定されたと云《い》ふ時期と考へられるのである。

即《すなは》ち公は皇室と最も血縁の近い氏、即ち開化天皇以後の皇胤《くわういん》の称するカバネであり、臣は孝元天皇以前の皇胤、皇室と疎遠《そゑん》なる皇別諸氏、次に連は天孫降臨以来、皇室に陪従する氏、及び天孫諸氏、次に造は伴造《とものみやつこ》、直は国造《くにのみやつこ》、首は県主《あがたぬし》・稲置、及び地方の小伴造のカバネとせられたものであらう。しかし之《これ》は中央で定められたもので、地方には、従来から称《とな》へて居たカバネを其の儘《まま》に襲用して居たものもあつた故、異例が尠《すくな》くない。それでオミの如きは、慣習的に従来から使用して居た氏の分は使主《おみ》の文字を用ひて、以上の臣と区別して居る。其の他・我孫《あびこ》・積《つみ》・国造《くにのみやつこ》・県主《あがたぬし》・稲置・史《ふみひと》・訳語《をさ》・勝《すぐり》・村主《すぐり》・吉士《きし》・王《おほきみ》・神主《かむぬし》・祝《はふり》等、従来から使用した称号や、官職名等をカバネとして使つて居る者も尠くない。

其の後、天武天皇の御代《みよ》に至り、従来のカバネが時代の経過と共に実状に適しない点が尠くないので、之を調節せんが為《ため》に、連姓以下の氏に連姓を与へ給《たま》ひて、其の家格を引上げられたが、なか〳〵それ位の事では不充分であつたから、遂《つひ》に八姓の御制定となり、有力なる氏々に新姓を賜ふ事となつた。内、真人は従来の公に相当するカバネで、此《こ》の時は応神天皇以後の皇胤、即ち疎遠なる皇族に賜ひ、朝臣は其れ以前の皇胤、即ち皇室と疎遠なる皇別諸氏中の有力者に賜はつた。つまり従来の臣に相当するのである。次に宿禰は連に相当する者で、天神・天孫諸氏中の有力者に賜ひ、忌寸は伴国両造、即ち従来の直姓と連姓の有力者に賜はつた。道師以下は賜姓の事がなかつた為に、其の性質は詳《つばひら》かでないが、その名称や前後の事情から考へると第五の道師は史・訳語・薬師《くすし》・画師《えし》等、諸道に秀《ひい》でた者に賜ひ、第六の臣と第七の連とは、朝臣・宿禰等の新姓を賜はらない旧来の臣姓の氏、連姓の氏を其の儘とし、第八の稲置は旧来の首に相当するもので、以上以外を一列に之にするのであつたかと思ふ。けれど不平な者が続出したので、之を中止せられたと考へられるのである」

（『姓氏と家系』）

この八色の姓は巧妙な政策だと思う。それは一つには、従来の臣・連の姓を奪わなかったことである。人間は欲深い。何でも与えられることは好むが、奪われることは嫌うものである。新しい身分制を確立するために従来の身分や称号を奪ったら、奪われた人は怒り、政府の指導者を恨むにちがいない。こうした旧《ふる》い氏族の怒り、恨みによって、近江《おうみ》朝廷は滅亡したのである。こうした改新に不満な旧氏族の助けを受け、政権をとった天武王朝が、どうして前者の轍《てつ》を踏むことがあろうか。

天武王朝は、旧豪族の動向に、天智《てんじ》王朝よりはるかに神経をつかわねばならない立場にあった。天武帝は、天智帝（在位六六二―六七一）のごとく強引きわまりないクーデターによって政権をとったのではなく、旧豪族の助けを得た戦争によって権力をとったからである。天智帝はその権力を恐怖政治によって保ったが、天武帝はその立場上からも、そういう恐怖政治は行なえなかった。けれど、歴史的方向として彼は、やはり天智帝によって踏み出された律令的官僚制の方向をとらざるを得なかった。それゆえ彼は、天智帝とちがって、やわらかな革命を行なわねばならなかった。

八色の姓の制定において、従来の氏族は何ら権利を奪われたわけではない。従来のすべての貴族は、同じように臣・連を名のることができる。たしかに旧豪族の権利意識に暴力を加えたわけではない。しかし、そこでは価値の基準が変わっているのである。従来の第二位の臣は第六位に、従来の第三位の連の位は第七位に落ちている。臣・連を名のる豪族は積極的に称号を奪われたわけではないが、新たな称号が、彼の持っている称号の上に五種類もできてしまったのである。

多くの歴史家がいうように、すべての臣・連姓を名のる氏族が、そのまま朝臣姓や宿禰姓を授与されたわけではない。ここではっきりと価値選考が行なわれている。そして、この価値選考を支配するのは、天武政権の意志なのである。天武政権に協力的な氏族に高い姓が与えられ、協力的でない氏族は従来の臣・連姓にほうっておかれたのは当然であろう。そして、同じ姓、たとえば、大春日《おおかすが》なら大春日の、中臣《なかとみ》なら中臣の姓といえども、朝臣を与えられたのは天武政権の功労者の家系に限られ、その他の臣なり連なりを名のる大春日、中臣の家系には与えられなかった。ここに、強力な選考の原理が働いているが、その中に強い権力の意志が顔をのぞかせているのである。たしかに、権力は、旧氏族から何一つ奪わず、専《もっぱ》ら恩恵を与えるという立場に立ったが、これは、従来、允恭帝以来の日本人が最高の価値基準としてきた姓を、一夜にして崩壊させるほどのきびしい革命なのである。

この新しい価値の表において、真人を授けられるのは守山公《もりやまのきみ》以下十三氏、すべて従来、公を名のっていた氏族である。そして朝臣を授けられたのは五十二氏、そのうち君を名のっていたのは、大三輪《おおみわ》、胸方《むなかた》以下十一氏、連を名のっていたのは、物部《もののべ》、中臣の二氏、あとは、すべて臣の姓を名のっていた氏族である。わが詩人の属する柿本臣も、このとき朝臣を授けられた三十九の臣姓のうちの一つである。宿禰を授けられたのは五十氏、そのうち諸会臣《もろあいのおみ》のみ旧臣姓で、あとはすべて連姓である。また忌寸姓を与えられたのは十一氏、そのうち大隅直《おおすみのあたい》のみ旧直姓で、あとはすべて連姓である。つまり旧連姓を名のる氏族は、この制度において朝臣・宿禰・忌寸と、はっきり氏族の身分を分けられてしまったのである。

持統体制確立のための人材登用

ここで私は、普通、歴史家にあまり注意されない二つのことに注意しておこう。一つは、ここで連姓にして朝臣を授けられたのは、物部、中臣の二氏に限られており、大伴《おおとも》氏は、宿禰にとどまっていることである。これは、万葉集の性格を考えるにあたっても、無視できないことである。なぜに大伴氏は、物部、中臣氏とともに朝臣の姓を下賜《かし》されなかったのか。きちんと差別がつけられた身分上のハンディ・キャップは、その後の大伴氏の運命を徹底的に支配したと思う。名家・大伴氏の名誉にかけて、このハンディ・キャップを挽回《ばんかい》しようとする大伴氏の子孫たちの努力にもかかわらず、事態はますます悪くならざるをえなかったのである。

大伴氏は物部氏とならんで、日本におけるもっとも古い豪族の一つである。由来においても、物部氏はもちろん中臣氏の風下に立つような家柄ではない。また大伴氏は、壬申《じんしん》の乱《らん》において、勲功をたてた。なかんずく、吹負《ふけい》（?―六八三）の活躍はめざましい。その活躍がなかったら、壬申の乱の勝敗はどうなったか分からなかった。その壬申の乱の最大の功績者、大伴氏が、ここで宿禰に止《とど》まっているのである。八色の姓は、壬申の乱の功績に従って下賜されたという人があるが、それはちがっていると思う。それならば、どうして大伴氏に朝臣の姓を下賜されないことがあろうか。物部氏が朝臣を授けられたのには物部麻呂《もののべのまろ》の存在を、中《なか》臣氏が朝臣を授けられたのには、中臣大嶋《とみのおおしま》（?―六九三頃）あるいは不比等《ふひと》の存在を考えないわけにはいかないが、しかも彼らは、いずれも壬申の乱において、むしろ近江方にくみした人のように思われる。物部麻呂は大友皇子《おおとものみこ》（六四八―六七二）に最後まで忠節を尽した、敵方の将なのである。この敵将のはずの物部麻呂が小錦下となったのは、柿本猨が同じく小錦下となった天武十年のことである。そして、このとき同じく中臣大嶋も小錦下を授けられているが、この中臣氏も鎌足《かまたり》（六一四―六六九）との関係上、近江朝に近かった氏族であったことはたしかである。とすれば、壬申の乱の論功行賞と相違したというより、まったく正反対の選考の原理がそこに働いていることはたしかである。それはいったい何故《なぜ》であろうか。

私はここで、正史に記されない、別の資料で語られる一つの事実を思い出す。それは、『薬師寺縁起《やくしじえんぎ》』その他に語られる説である。それによれば、天武八年、持統皇后(六四五—七〇二)が病気になったとき、天武帝は薬師如来《やくしにょらい》を鋳造《ちゅうぞう》し、病気平癒《へいゆ》を祈った。そして、そのために持統皇后の病気は直ったが、ついで天武帝が病気になり、持統皇后は薬師如来を本尊とする寺の建造を志し、病気平癒を祈られ、そのおかげで天武帝は寿命をのばされたという話である。

この話は、夫婦愛のロマンに見せかけて、実は政治的ねらいを秘めていることを『隠された十字架』で私は語った。薬師寺建造の話は、ことごとくは信頼できるとは思えないが、それは一つの事実をたしかに語っている。それは、天武帝は、晩年、病気がちであったということである。おそらく、やっと薬師様の加護によって命を永らえているという状態であったのであろう。そして、政治の実権は天武帝から徐々に持統皇后の下にうつってゆこうとしていたのである。

天武十三年は、天武帝が亡《な》くなる天武十五年の二年前である。しかも、八色の姓の制が定められ、十三氏に真人を下賜されたのが十月一日、五十二氏に朝臣が授けられたのが十一月一日、五十氏に宿禰が授けられたのが十二月二日、十一氏に忌寸が授けられたのは、翌年六月二十日である。そして、その翌年九月九日には、天武帝は死んでいるのである。日本書紀はその間、さまざまの天変地異を語り、宮廷ではさかんに僧侶《そうりょ》を集めて経を読ませている。

とすれば、八色の姓の制定なるものが、天武帝亡きあとの、新しい政治体制への布石であったとも考えられる。おそらく、持統皇后は政治の行方が不安であったにちがいない。天武帝の亡きあと、彼女が天武帝との間にもうけた一粒種、草壁皇子《くさかべのみこ》が彼女の思惑どおり、果たして皇位につくことができるかどうか。

天武帝には、多くの皇子があった。もっとも持統皇后を不安にさせたのは、彼女の亡き姉、太田皇女《おおたのひめみこ》（生没年未詳）が同じく天武帝との間にもうけた大津皇子《おおつのみこ》（六六三—六八六）が、広く天下の輿望《よぼう》を集めていることであった。大津皇子は、父に似て、容姿たくましく、また詩文にも長じていたのである。

大津皇子ばかりか、高市皇子《たけちのみこ》もまた草壁皇子の有力なる競争者であったにちがいない。高市皇子は、何よりも壬申の乱の功績者であった。彼の母は胸方氏、その出身は地方豪族にすぎず、その点が弱点とはいえ、壬申の乱でのあの若々しい青年・高市皇子の活躍が味方の士気をどれだけ鼓舞したことであろう。柿本人麿は、高市皇子が死んだとき、挽歌《ばんか》を詠んだ。その挽歌を読むかぎり、壬申の乱はまったく高市皇子一人の働きによって、勝利を収めたかのようである。ここに、人麿の主観的解釈が入っているとはいえ、そう歌われてもおかしくないような、見事な高市皇子の活躍であった。

おそらくは、天武帝を助けて一軍の指揮をとっていた持統皇后にとって、継子《ままこ》・高市皇子の活躍は、どんなにたのもしくうつったことであろう。しかし今は、そのたのもしさが持統皇后をかえって不安にさせたであろう。

こういう、大津、高市皇子という有力な競争者をさしおいて、わが子・草壁皇子を天皇にし、この政権を安泰にするのは容易なことではない。このために持統皇后がとった第一の手段は、人材を、彼女と草壁皇子のまわりに集結し、そのような人材に権力と身分を与えて、活躍の舞台をつくってやることである。

前にもいったように、天武十年、柿本猨とともに小錦下を授けられ、政界へ登場した中に、粟田真人《あわたのまひと》（?—七一九）、物部麻呂、中臣大嶋などの持統皇后の側近が入っているのは、けっして偶然ではない。おそらく彼女は、すでにこのとき、天武帝なきあとの政治体制をはっきりたてようとする意志をもっていたのであろうし、また、それらの人びとは、従来の身分にとらわれない、選《え》りすぐった人材であった。

天武十四年、直大肆《じきだいし》に到っていた粟田真人が、その位を父に譲ろうとして許されなかったことを考えるとき、この直大肆という位が、粟田真人の出身階級に比べていかに高い位であるかがわかる。この高い位への恐れが、真人をして位を父に譲ろうとした最大の理由であろう。この人間を抜擢《ばってき》した持統皇后の眼に狂いはなく、後に、遣唐《けんとう》執節使《しっせつし》となって入唐《にっとう》した粟田真人は、その学問、儀容において、おおいに唐朝を感服せしめたという。

また、物部氏はたとえ古くからの豪族であったとはいえ、物部麻呂は壬申の乱において一度は朝敵に属した人物である。この朝敵・物部麻呂を小錦下に抜擢するには、よほどの決意が必要だったと私は思う。ときに物部麻呂はすでに四十六歳。戦後十年たって、戦いの記憶は日々にうすくなってゆくとはいえ、昨日の朝敵を大和朝廷の中堅官僚に起用するには、よほどの決意が必要であろう。おそらく、壬申の乱の生き残りの豪族たちは内心不満であったにちがいないが、もうこのような不満を口には出せないような、厳然たる持統皇后の態度に、豪族たちは沈黙を守るより仕方がなかったのであろう。

名門・大伴氏の疎外と新興・柿本氏の登場

おそらく豪族たちは新しい時代が来ていることをおぼろげに感じはじめていた。ここでは、旧い身分制度は崩壊しようとしているばかりか、壬申の乱の功績すら、ほとんど有名無実と化している。ここで幅をきかせるのは、法律と文学である。持統皇后はおそらく、横目で自己によく似た中国の偉大なる皇后を見ていたにちがいない。

もちろん則天武后《そくてんぶこう》（六二三―七〇五）である。この長い中国の歴史における唯一《ゆいいつ》の女帝が、病弱であった高宗《こうそう》（六二八―六八三）の皇后となったのは六五五年、わが国にあっては孝徳帝（在位六四五―六五四）が死に、斉明帝が重祚《ちょうそ》したときであった。そして夫・高宗が死に、高宗と彼女との間の子供、中宗《ちゅうそう》（六五六―七一〇）の皇位の下で彼女が政権を独占したのは天武十二年のことであり、更に彼女がそのようなロボットの帝《みかど》を排して自ら皇位にのぼり、国号を周《しゅう》と改めたのは持統四年（六九〇）、持統帝が即位したのと同じ年である。中国の文明を採用し新しい律令国家をつくろうとしていた当時の大和朝廷の指導者が、この中国の政情に無関心なはずはない。持統帝の心のどこかに、則天武后を見習おうとした意志があったのではないかと私は思う。

則天武后は、そのライバルである前皇后、および蕭妃《しょうひ》の手足を切り、酒槽にほうりこむなどという残虐《ざんぎゃく》さと、張易之《ちょうえきし》（?―七〇五）や張昌宗《ちょうしょうそう》などの多くの美青年を寵愛《ちょうあい》したといわれる淫蕩《いんとう》さによって有名であるが、彼女には人間の才能を見抜く眼があって、人材をよく活用したという。そうでなければ、夫・高宗の即位のときから七〇五年の彼女の死に到る、半世紀にもおよぶ長い権力の秘密がとけるはずはない。彼女は残虐にして淫蕩であったけれど、それはそれで名君であったのである。

わが持統皇后も、人物を見抜く眼において則天武后にたいして劣っていたとは思われない。彼女が抜擢した人材は、天武帝が死に、彼女の時代がきたとき、それぞれ、そのもてる才智《さいち》を十二分に発揮し、彼女の政権を安泰ならしめた。

私は、前に、彼女のいくところ、いつも物部麻呂と中臣大嶋の姿があることを見た。おそらく、この二人が、彼女の一番の寵臣であったのであろう。そしてこの寵臣を政界に登場せしめて後三年目、新しい姓の制定においては、彼女は二人の属する物部と中臣の連に、多くの連姓の氏族のうち、誰よりも大伴氏をさしおいて、朝臣という姓を与え、新たに他の氏族との間に差をつけたのである。

おそらく大伴氏は、持統皇后の心をとらえることのできる才子、美男子を欠いていたのであろうが、私はこの天武十三年の八色の姓の制定が、天武十二年六月の大伴馬《おおとものま》来田《ぐた》（？――六八三）、および同年八月の吹負の死の翌年に行なわれていることに注意したい。

大伴氏はまさに壬申の乱の功臣、一族の大黒柱を失って失意の底にあったときである。その失意の底にある大伴氏を追いかけてきたのが、天武十三年の八色の姓の制定であり、大伴氏と、物部・中臣氏との間につけられた、はっきりした差別であった。この差別に大伴氏は、はらわたの煮えくりかえるような怒りを感じたにちがいない、しかし、そのときには彼らの間の指導者、吹負、馬来田はいないのである。後に、『竹取物語』によってカルカチャライズされる大伴御行《おおとものみゆき》（?―七〇一）は、この物語がのべるように、おそらく時代の行方を見る眼をもたない、凡庸な才の持主であったにちがいない。彼等は、切歯扼腕《せっしやくわん》すれども、この新しい時代をどうのり切ってよいか、なすすべも見つからなかったにちがいない。

このような含みをもった、思い切った価値秩序の変更を、いったい誰がやったのか。すでにこれは、天武帝の意志であるより、持統皇后の意志であったとしても、持統皇后の背後に誰がいたのか。おそらく、この改革の背後には、この改革によって己れに有利となった物部麻呂や、中臣大嶋の存在があろうが、その大嶋のかげにかくれて、当時、わずか二十五歳の青年・不比等の姿があったとしても、不思議ではないであろう。稗田阿礼《ひえだのあれ》（生没年未詳）と同じく、人となり聡明《そうめい》なる舎人であったと思われる不比等が、このときどのように持統皇后に信頼されていたかは分からないが、すでにこのとき、彼の時代の行方を見る眼は、冴《さ》えていたように思われる。おそらく、中臣大嶋は、この才能と美貌《びぼう》と勇気を兼ねそなえた一門の英才・不比等に、中臣氏の将来を託するに足る頼もしいものを感じていたにちがいない。

中臣大嶋は、歴史撰修に従事したことにおいてばかりではなく、新しい国家神道《しんとう》をつくり出したことにおいても不比等の先輩なのである。彼は鎌足の死に続いて起こった壬申の乱によって、一度は絶えようとした中臣氏を復活し、それを不比等に伝えた蔭《かげ》の功労者であるが、私はすでにこのとき、大嶋は不比等を有力な相談相手にしていたのではないかと思う。

それはともあれ、この八色の姓の制定は、見事な政治的ねらいを秘めている。物部・中臣氏以外の連姓の豪族たちは、甚大《じんだい》なる政治的打撃を受けたといわねばならない。平安時代のはじめ、斎部広成《いんべのひろなり》（生没年未詳）によって書かれた『古語拾遺』の中で、広成は、中臣と忌部《いんべ》は最初は同格であったが、この八色の姓の制定によって、朝臣と宿禰というふうに差別がつけられ、ついに中臣による神祇《じんぎ》権《けん》の独占を招いたと、嘆き訴えているが、中臣氏と同じく大化改新で中央政界に浮かび上ったと思われる忌部氏でさえも、それほど口惜しいのである。まして、日本第一の名家と自他ともに誇る大伴氏が、どうしてこの差別に憤《いきどお》らずにはいられよう。

この憤りが、後の大伴旅人の酒となり、そして大伴家持の歌となったことを思うと、春秋の筆法を用いるならば、八色の姓が万葉集をつくらしめたということになるが、この八色の姓の制定は、万葉集にもう一つの問題点を与える。それは、朝臣の姓を授けられた氏族のうち、二十五番目に柿本氏があることである。

古事記によれば柿本氏は、粟田氏、和邇《わに》氏、大春日氏と同じく、孝昭天皇の皇子、天押帯日子命《あめのおしたらしひこのみこと》から出ているという。おそらく、今は衰えた和邇氏に属する氏族であったのであろうが、猨が登場するまで柿本氏は歴史に現われてこない。

この柿本氏が朝臣に列せられたのは、それより三年前に小錦下を授けられた柿本猨の存在なくして、考えられないのである。しかもこの朝臣という第二位の光栄ある姓は、すべての柿本氏に授けられたのではなく、柿本猨、およびその直系の子孫、あるいはそれに準ずる人のみに賜わったものであることも、否定できないであろう。とすると、朝臣を名のる柿本氏は猨の近親者であることになる。

どうやらわれわれは、すでに推理の第一歩を進めたようである。天武帝の意志より、おそらくは持統皇后の意志によって行なわれたと思われる天武十年の人事において、柿本猨なるものが抜擢されて、小錦下すなわち後の従五位下にあたる位を授けられ、おそらく三年後、この柿本猨および猨の近親、おそらくは直系の子孫に朝臣の姓が授けられたことを、われわれはここに確認しておくことができよう。

もとより、この命題は一〇〇パーセント確実であるとはいえまい。異論もなくはない。柿本氏を名のるすべての臣に朝臣が授けられたということも、論理的に考えられなくはない。しかし、『新撰姓氏録《しんせんしょうじろく》』を見ると、たとえば中臣氏を名のる氏族の姓は、多くは連であり、朝臣の姓を名のるのはいたって少なく、当時の有力な政治家である大嶋や意美麻呂《おみまろ》（?―七一一）の子孫にのみ限られているように見える。柿本を名のる氏族でも、後に朝臣の姓を名のらない柿本小玉《かきのもとのおだま》や柿本安永《かきのもとのやすなが》などがあるところを見ても、この朝臣の姓を名のることができたのは、やはり猨の近親者、おそらくは直系子孫に限ると思われる。

人麿と猨――ありうる三つの関係

そうすると、どういうことになるのか。詩人・柿本人麿は、万葉集にはっきりと「柿本朝臣人麿」とある。とすれば、人麿は猨の近親者、おそらくは直系の子孫ということになる。

人麿は猨の近親者、あるいは直系子孫ではないか――多くの人は、そのように疑った。そして、人麿と猨は父子であるとか、兄弟であるとか、伯父・甥《おい》であるとか、いろいろ考えた人があったが、二人が同一人物であると考えた人はほとんどいなかったのは、ここに一つの論理の陥穽《かんせい》があったからである。

朝臣が、猨および猨の近親者にのみ与えられたという大前提と、柿本人麿は朝臣を名のっていたという小前提から出てくる結論は、①柿本人麿は猨自身であるか、②それとも人麿は猨の近親、すなわち父子、兄弟または伯父・甥の関係になるか、いずれかである——という結論である。多くの人は、②の可能性のみを考察して、①の可能性を考察しなかった。

私はここで、この可能性を追求してみよう。①柿本人麿は、猨自身であるか、②あるいは柿本人麿は、猨の近親者であるか。②の可能性はさらに二つに分けることができる。a柿本人麿と猨の関係は、父子であるか、bそれとも兄弟または伯父・甥であるか。

私はこのうち、まず②のbの可能性は、他の可能性より低いと思う。というのは、無名の氏族・柿本氏が、一躍、朝臣姓を授けられたのは、柿本猨の功績によるのであり、その朝臣姓は、おそらくは直系の子孫に限られると思うからである。しかし、兄のお蔭で弟が、伯父のお蔭で甥までが、名誉ある姓を賜わる可能性もなくはない。一応、この可能性も保留しておくことにしよう。

柿本人麿が、柿本猨と同一人物であるか、もしくは父子、その他の近親関係であるかを決定する有力な基準となるものは、やはり年齢関係であろう。二人の生年月日、および死亡の年を調べれば、その手掛かりが得られよう。

ところでわれわれは、ここに非常に重大なる事実を発見する。それは、柿本人麿は、柿本猨とほぼ同時に死んでいることである。先にのべたように、日本書紀の天武十年に小錦下に叙せられた柿本猨は、『続日本紀』の和銅元年四月二十日に死んだ従四位下・柿本朝臣佐留と同一人物であることはまずまちがいない。とすれば、猨は、和銅元年四月二十日に死んだことになる。ところで、一方、人麿のほうは、真淵の考証に従えば、和銅二年ごろに死んだことになる。この真淵説の根拠は次のようである。万葉集の歌は大体、時代順に並んでいる。巻二、挽歌の中に、柿本人麿の死の際の歌（巻二・二二三番）があるが、その歌は和銅元年六月二十五日に死んだ但馬皇女《たじまのひめみこ》（？—七〇八）の挽歌（巻二・二〇三番）の後にあると共に、五首からなる人麿の死の歌の後に「寧楽宮《ならのみや》」とあり、次に和銅四年に河辺宮人《かわべのみやひと》が姫島《ひめしま》の松原に流れ寄った嬢子《おとめ》の屍《かばね》を見て歌った歌（巻二・二二八、二二九番）がある。奈良遷都《せんと》が行なわれたのは和銅三年三月十日である。とすると人麿の死は奈良遷都以前で、しかも和銅元年六月二十五日以降ということになる。そこから賀茂真淵は、人麿の死の時を和銅二年ごろと推定する。

私はこの推論はほぼ正しいと思うが、もう少し上限をゆるくしたほうがいいと思う。下限においては、次に「寧楽宮」とあるので、人麿の死は藤原宮の時代の出来事であることは否定できないが、万葉集の歌は、ほぼ時代順に並べられてはいるものの、同じ事件に属し、同じ人物に関係する歌は、多少時代を前後しても一まとめにまとめられる傾向がある。

今、問題の、穂積皇子《ほづみのみこ》（六四三―七一五）が但馬皇女を偲《しの》んでつくったという挽歌は、次の通りである。

但馬皇女薨《みまか》りましし後、穂積皇子《ほづみのみこ》、冬の日雪の落《ふ》るに、遥《はる》かに御墓《みはか》を見さけまして、悲傷流涕《ひしやうりうてい》して作りましし御歌一首

降る雪はあはにな降りそ吉隠《よなばり》の猪養《ゐかひ》の岡《をか》の寒からまくに（巻二・二〇三番）

雪よ、おねがいだ、あまり降らないでおくれ。吉隠の猪養の岡で眠っている、わが妹が寒くないように――。

私はこの歌を名歌と思うが、この歌の背後には、穂積皇子と但馬皇女の間にある悲恋があったのである。

この挽歌は、同じく巻二の、但馬皇女が穂積皇子を偲んで歌った三首の歌に対応するものであろう。

但馬皇女、高市皇子の宮に在《いま》す時に、穂積皇子を思《しの》ふ御作歌《みうた》一首

秋の田の穂向《ほむき》の寄れること寄りに君に寄りなな事痛《こちた》かりとも　（巻二・一一四番）

穂積皇子に勅《みことのり》して近江の志賀の山寺に遣はす時、但馬皇女の作りまし御歌一首

後《おく》れ居て恋ひつつあらずは追ひ及《し》かむ道の阿廻《くまみ》に標結《しめゆ》へわが背《せ》　（同・一一五番）

但馬皇女、高市皇子の宮に在《いま》す時、竊《ひそ》かに穂積皇子に接《あ》ひて、事すでに形《あら》はれて作りまし御歌一首

人言《ひとごと》を繁《しげ》み言痛《こちた》み己《おの》が世に未《いま》だ渡らぬ朝川渡る　（同・一一六番）

激情の歌である。とくに三首目はすさまじい。但馬皇女は、高市皇子の宮にいたとき、ひそかに異母兄・穂積皇子と通じた。ことがあらわれて、穂積皇子は志賀《しが》の山寺、崇福寺《すふくじ》に遣わされたのである。これは明らかに、流罪《るざい》追放なのである。なぜに穂積皇子は追放になったのか。

それを解くのは、「但馬皇女、高市皇子の宮に在す時」という言葉であろう。たとえ兄妹とはいえ、母を異にしている女が、男の宮にいるのは、兄妹の関係ではないのである。但馬皇女は高市皇子に所有されていたのであろう。その皇女が、ひそかに弟の穂積皇子と通じたのである。高市皇子から見れば、許しがたい姦通《かんつう》である。そしておそらくは、藤原京の当時、皇太子、あるいは皇太子にひとしい地位にあったと思われる高市皇子にとって、弟・穂積皇子と妹・但馬皇女は、許しがたい不義者であったであろう。持統皇后はそれを察して、崇福寺へ穂積皇子をお遣わしになったのであろう。それは、不義者を罰するためであったか、あるいは高市皇子の怒りを鎮《しず》めるためであったか分からない。

とにかく、こうして兄弟の皇子、皇女の間に起こった姦通事件は、穂積皇子の流罪、あるいは追放によって落着した。しかし、女の心は、それではおさまらないのである。皇女はほんとうに朝川を渡ったのであろうか。早朝、高市皇子の邸《やしき》を抜け出して、穂積皇子を慕って必死の家出を試みたのであろうか。私はこの歌には、その彼女の激情がこめられているように思われる。この激しい但馬皇女の歌に対して、答える穂積皇子の歌はない。彼はこの激情の女に、何といって答えたのであろうか。穂積皇子は、おそらく、わが身のあまりの不運に、女に答える言葉を失ってしまったのであろうか。

この激情の女への穂積皇子の愛情は、彼女の死のとき燃えあがるのである。

この但馬皇女への挽歌が、高市皇子の挽歌の次に来ているのは、論理的であると思う。高市皇子の死、それに続く但馬皇女の死――すべて死は、憎み合った間にも公平におとずれる。万葉集は、大津皇子と草壁皇子との間の三角関係を記した後、大津の挽歌の後に、草壁の挽歌をのせている。死はすべて公平に、どんなにいがみ合い、憎み合った人びとの間にも満遍なくおとずれるのである。

但馬皇女の挽歌が年代どおりでないことは、この挽歌の次に弓削皇子《ゆげのみこ》（?―六九九）の挽歌が置かれていることによっても分かる。弓削皇子が死んだのは、『続日本紀』によれば、文武三年（六九九）七月二十一日であり、但馬皇女の死に先立つこと九年である。それゆえ、ここでは順序が完全に逆になっているからである。

人麿の死と佐留の死は重ねることができる

万葉集では、穂積皇子と但馬皇女の異母兄妹の恋愛を伝えた後に、弓削皇子と紀皇女《きのひめみこ》（生没年未詳）との間の、同じような恋愛関係を伝えている。

弓削皇子、紀皇女を思《しの》ふ御歌四首

吉野川逝《ゆ》く瀬の早みしましくも淀《よど》むことなくありこせぬかも
（巻二・一一九番）

吾妹児《わぎもこ》に恋ひつつあらずは秋萩《あきはぎ》の咲きて散りぬる花にあらましを
（同・一二〇番）

夕さらば潮満ち来《き》なむ住吉《すみのえ》の浅鹿《あさか》の浦に玉藻《たまも》刈りてな
（同・一二一番）

大船《おほぶね》の泊《は》つる泊《とま》りのたゆたひに物思《も》ひ痩《や》せぬ人の児《こ》ゆゑに
（同・一二二番）

これまた、どうやら禁ぜられた男女関係らしいが、こちらは男のほうが情熱的である。先ほどの但馬皇女の歌のように、ここには男の必死の慕情が歌われる。とくに、前の二首目、あなたに逢《あ》えないならば、秋萩のように死んでしまったほうがよい。おそらくこの歌の気配では、弓削皇子はかなり危険なことをしていたのではないか。潮の満ちくる間の、ほんのわずかな時間に玉藻を刈らねばならない。わずかな時をぬすんで、人眼をしのんで女を愛さねばならない。淀むことなく愛し合うということは、まったくはかない望みにすぎない。弓削皇子は文字どおりその生命を危険にさらしていたにちがいない。誰のために――紀皇女のためにである。紀皇女は「人の児」であった。人の児とは人の持ち物、つまり人妻と解される。穂積皇子が、高市皇子の持ち物である但馬皇女と通じて恐れたように、弓削皇子は誰の持ち物である紀皇女と通じて、かくも恐れなければならなかったのであろうか。

この謎《なぞ》を解くとき、私は、人麿にかんする大きな謎が解けると思う。この弓削皇子に、人麿は多くの歌を寄せている。人麿と弓削皇子、弓削皇子と紀皇女との関係について、私は、ここでくわしくふれることはできない。それは一部分だけ『黄泉《よみ》の王《おおきみ》―私見・高松塚』で論じておいたがまだ十分ではない。

ともかく、万葉集の撰者《せんじゃ》は、ちょうど高市皇子―但馬皇女―穂積皇子を一つのセットと考えたように、弓削皇子―紀皇女―人麿を一つのセットと考えたのではないかと私は思う。なぜなら、この弓削皇子が紀皇女に寄せた歌の数首後に、長皇子《ながのみこ》（？―七一五）が、皇弟《いろと》つまり同母弟の弓削皇子にあてた「丹生《にふ》の河瀬は渡らずてゆくゆくと恋痛《こひいた》きわが背《せ》いで通《かよ》ひ来《こ》ね」（巻二・一三〇番）という歌をのせ、そのすぐ後に「柿本朝臣人麿、石見国《いはみのくに》より妻に別れて上り来る時の歌二首 幷《ならび》に短歌」という前書のついた、有名な「石見の海　角《つの》の浦廻《うらみ》を」という歌をのせている。また、人麿の死にかんする一連の歌の前に弓削皇子の挽歌をのせている。

弓削皇子薨りましし時、置始東人《おきそめのあづまひと》の作る歌一首 并に短歌

やすみしし　わご王《おほきみ》　高光る　日の皇子　ひさかたの　天《あま》つ宮に　神《かむ》ながら　神《かみ》と座《いま》せば　其《そこ》をしも　あやにかしこみ　昼はも　日のことごと　夜《よる》はも　夜《よ》のことごと　臥《ふ》し居《ゐ》嘆けど　飽《あ》き足らぬかも（巻二・二〇四番）

反歌一首

王《おほきみ》は神にし座《ま》せば天雲《あまくも》の五百重《いほへ》が下に隠《かく》り給ひぬ（同・二〇五番）

また短歌一首

ささなみの志賀《しが》さざれ波しくしくに常にと君が思ほせりける（同・二〇六番）

つまり、二重に弓削皇子にかんする歌の後に人麿にかんする歌がきているが、これはけっして偶然ではないだろう。しかも、この弓削皇子の死は、私には少なからずあやしいにおいがする。弓削皇子はほとんど日本書紀および『続日本紀』に姿をあらわさない。なぜか正史には最小限度しか登場しないのに、万葉集および『懐風藻《かいふうそう》』では、その個性的な姿をかなりはっきりあらわしている。この挽歌によれば、弓削皇子は「常にと君が思ほせりける」、つまり、いつまでも生きたいと思ったばかりなのに、巻三には全く反対の歌を弓削皇子の歌としてのせている。

弓削皇子、吉野に遊《いでま》しし時の御歌一首
滝《たぎ》の上《へ》の三船の山に居る雲の常にあらむとわが思はなくに（巻三・二四二番）
春日王《かすがのおほきみ》の和《こた》へ奉《たてまつ》る歌一首
王《おほきみ》は千歳《ちとせ》に座《ま》さむ白雲も三船の山に絶ゆる日あらめや（同・二四三番）

いったい弓削皇子は、末長く生きたいと思っていたのか、早く死にたいと思っていたのか。『続日本紀』によれば彼は早く死んだらしいが、どうして万葉集は弓削皇子に関してのみ、このような相矛盾した二つの記事を伝えるのか。

こういう問いは、いずれ後にくわしく問うことにしよう。この弓削皇子の死の歌の次に、人麿が「妻死《みまか》りし後、泣血哀慟して作る歌二首并に短歌」（巻二・二〇七—二一二番、或本歌二一三—二一六番）をのせ、その後に「吉備《きび》の津《つ》の采女《うねめ》の死《みまか》りし時」の歌（巻二・二一七—二一九番）をのせ、その後に狭岑島《さみねのしま》で石中死人を見た時の歌（巻二・二二〇—二二二番）をのせ、更にその後に石見国で人麿が死んだ時の歌五首（巻二・二二三—二二七番）をのせている。私は、これは、先の件と照らして考えても、一連の事件を歌ったものではないかと思う。

どうやら、少々廻り道をしたようである。今、ここではただ、人麿の死を但馬皇女の死のとき、つまり和銅元年六月二十五日以後としなくともよいことを確認しておけば十分であった。

もしも、人麿の死の上限を、少し拡《ひろ》げねばならぬとしたら、いつまで拡げることができようか。年号がはっきりしている人麿の歌は、文武四年の明日香皇女《あすかのひめみこ》の死のときに歌った人麿の挽歌(巻二・一九六―一九八番)であるが、万葉集の歌の順序から考え合わせて、その後の歌と思われる「淡海《あふみ》の海《うみ》夕波千鳥」(巻三・二六六番)や狭岑島の歌や筑紫国《つくしのくに》に下る時、海路にて作った歌(巻三・三〇三、三〇四番)があったりして、その後しばらく、彼は生きていたと考えねばならぬ。そしてあの万葉集の人麿の死――。寧楽宮という書き方から見ても、人麿の死の時をそう上にもってゆくことはできないであろう。和銅一―二年、さかのぼらしても慶雲《けいうん》三―四年(七〇六―七〇七)というところであろうか。

とすると、柿本人麿は、柿本猨とほぼ同時期に、前後しても一―二年の間に死んだことになる。もちろん、人麿が猨と同じく和銅元年四月二十日に死んだと考えてもさしつかえないのである。この、死の同時性ということは、われわれに猨と人麿を同一人物と考える仮説①を、父子と考える仮説②のaより、はるかに真実性の高いものと考えさせる。しかし、父子が同時に死ぬことだってありうる。生まれたときが問題である。

真淵の人麿＝舎人説は十分な論証といえない

人麿生年を問題とするとき、人麿＝猨説は大きな難関にぶつかるように思われる。なぜなら、真淵は人麿を、持統三年（六八九）、草壁皇子が死んだ時、二十四、五歳と考え、人麿は「五十にいたらで身まかりしなるべし」という。もし持統三年、人麿を二十四、五歳とすると、天智《てんじ》三年（六六四）あるいは天智四年の生まれとなり、壬申《じんしん》の乱《らん》（六七二）のとき、わずか七歳、あるいは八歳ということになる。しかし真淵はここで「若くとも」といい、また「崗本《をかもとノ》宮の頃にや生れつらん」といっているので、もう二、三年人麿の年齢を多めに見つもっているのであろう（梅原注―崗本宮はここでは後岡本宮＝斉明朝をさす）。いずれにしても、和銅二年に「五十にいたらで身まかりし」ということになれば、彼の生年の上限は斉明《さいめい》六年（六六〇）を越えてさかのぼらせることはできない。

ところで、柿本猨は、天武十年に小錦下《しょうきんげ》を授けられている。五位を授けられるのは、いかに名家の人といえども二十一歳を越えていなければならず、まして、さしたる氏族の出身ではなく、まったく無名の氏族の出身である柿本臣猨が小錦下を授けられたのは、少なくとも三十近くになっていなければならぬだろう。とすれば、彼は、少なくとも斉明元年ころには生まれていなくてはならない。

持統三年、二十四、五歳であった人麿はもちろん、和銅二年、「五十にいたらで身まか」った柿本人麿が、天武十年に小錦下を授けられるのは、年齢的に見て、どうしても合わない。それゆえ、もし真淵の年齢考証が正しいとすれば、人麿＝猨説は、その点においてすでに成立不可能ということになる。

どうやらわれわれの仮説探求の道は、その始めにおいて早くも真淵という権威にぶつかったようである。私の仮説が成立するためには、この真淵という権威をのり越えねばならない。先にものべたように、真淵以後のほとんどあらゆる万葉学者は、この真淵の権威の下で思索し、たとえ真淵の説がいささかあやしいと思っても、根本的に真淵の説を疑おうとしなかった。しかし、私はソクラテスの門弟として、やはり権威より真理を重んじることを、人生に処する根本的な態度としている。真淵の説といえども、間違っているものは間違っているのである。そして、真淵そのものは、ついに『古今集』の撰者さえ否定し、『古今集』の序文そのものを大幅に削除、改竄《かいざん》するにいたったのである。われわれは真淵の説を根本的な真理の吟味にかけなければならない。

真淵が、人麿を「五十にいたらで身まかりしなるべし」といっているのは、三つの根拠による。

1、持統三年、草壁皇子の死に際して、人麿は、挽歌として長歌一首、短歌二首をつくっている。そして、この挽歌の後に、同じく草壁皇子の死を悲しんだ舎人らの歌が、二十三首のっている。そのことから、真淵は、人麿も当時また舎人であったと断定する。

2、そして真淵は、人麿を蔭子《おんし》の出身であったと考える。「養老令《ようろうりょう》」の「東宮職員令《とうぐうしきいんりょう》」によれば、東宮に六百人の舎人がいたが、舎人の出身には二種類がある。一を蔭子出身とし、一が帳内《ちょうない》出身である。蔭子出身は父が五位以上のものであるが、そういう名家の子は二十一歳以上で舎人になれる。帳内出身者は、父が五位以下のもので、二十五歳以上にならなければ舎人になれない。真淵は、理由をあげずに、「蔭子の出身は廿一の年よりなると」と、簡単に人麿を蔭子の出身であるときめている。

3、この1と2の理由でもって、このとき人麿は二十四、五歳くらいと真淵は断定するわけであるが、その上に真淵は、人麿が「五十にいたらで」死んだ理由として、人麿の歌は多いが「老たりと聞ゆる」言葉がないことをあげている。

この三説を検討することにしよう。
真淵が舎人説をとなえるのは、次の歌によってである。

日並皇子尊《ひなみしのみこのみこと》の殯宮《あらきのみや》の時、柿本朝臣人麿の作る歌一首 并に短歌

天地《あめつち》の 初《はじめ》の時 ひさかたの 天《あま》の河原《かはら》に 八百万《やほよろづ》 千万神《ちよろづかみ》の 神集《かむつど》ひ 集《つど》ひ座《いま》して 神分《はか》り 分《はか》りし時に 天照らす 日女《ひるめ》の尊《みこと》 一に云ふ、さしのぼる日女の命 天をば 知らしめすと 葦原《あしはら》の 瑞穂《みづほ》の国を 天地の 寄り合ひの極《きはみ》 知らしめす 神の命《みこと》と 天雲《あまくも》の 八重《やへ》かき別きて 一に云ふ、天雲の八重雲別きて 神下《かむくだ》し 座《いま》せまつりし 高照らす 日の皇《み》子《こ》は 飛鳥《とぶとり》の 浄《きよみ》の宮に 神ながら 太敷《ふとし》きまして 天皇《すめろき》の 敷きます国と 天の原 石門《いはと》を開き 神《かむ》あがり あがり座《いま》しぬ 一に云ふ、神登《かむのぼ》りいましにしかば わご王《おほきみ》 皇子の命《みこと》の 天の下 知らしめしせば 春花の 貴《たふと》からむと 望月《もちつき》の 満《たたは》しけむと 天の下 一に云ふ、食す国 四方《よも》の人の 大船の 思ひ憑《たの》みて 天《あま》つ水 仰ぎて待つに いかさまに 思ほしめせか 由縁《つれ》もなき 真弓《まゆみ》の岡に 宮柱 太敷《ふとし》き座《いま》し 御殿《みあらか》を 高知りまして 朝ごとに 御言《みこと》問はさぬ 日月の 数多《まね》くなりぬる そこゆゑに 皇子《みこ》の宮人《みやひと》 行方《ゆくへ》知らずも 一に云ふ、さす竹の皇子の宮人ゆくへ知らにす （巻二・一六七番）

反歌二首

ひさかたの天《あめ》見るごとく仰ぎ見し皇子《みこ》の御門《みかど》の荒れまく惜しも　（同・一六八番）

あかねさす日は照らせれどぬばたまの夜渡る月の隠《かく》らく惜しも　（同・一六九番）

或《あ》る本、件《くだり》の歌を以《も》ちて後皇子尊《のちのみこのみこと》の殯宮《あらきのみや》の時の歌の反と為《な》せり

或る本の歌一首

島の宮勾《まがり》の池の放《はな》ち鳥《とり》人目に恋ひて池に潜《かづ》かず　（同・一七〇番）

真淵は、この長歌に次のように注をつける。

「さて下の高市皇子尊の殯時、此人よめる長歌、その外此人の様を集中にて見るに、春宮《とうぐう》舎人にて此時もよめるなるべし、然《しか》ればこゝの宮人はもはら大舎人の事をいふなり、その舎人の輩《やから》この尊の過ましては、つく所なくて、思ひまどへること、まことにおしはかられて悲し」　（『万葉考』）

そして、第一の反歌「ひさかたの」の歌の注として次のようにいう。

「こは高市郡橋の《ノ》島宮の御門なり、さて次の舎人等が歌どもにも、此御門の事のみ

を専《もは》らいひ、下の高市ノ皇子ノ尊の殯の時、人麻呂の御門の人とよみしをむかへみるに、人麻呂即舎人にて、その守る御門を申すなりけり」

（同前）

真淵の論理は明快ではない。この長歌が「そこゆゑに　皇子《みこ》の宮人《みやひと》　行方《ゆくへ》知らずも」とあり、また高市皇子の殯宮《あらきのみや》のときの歌と考え合わせて、人麿を「宮人」すなわち「大舎人」と考え、また反歌に「皇子《みこ》の御門《みかど》の荒れまく惜しも」とあるから、人麿は御門を守る舎人であったと考えたのであろう。

真淵が舎人説の証拠とした高市皇子の殯宮の挽歌の長歌の方には、直接人麿を舎人と思わせる言葉はなく、また『万葉考』で真淵は格別それについて説明していない。おそらくは、ただその長歌の反歌が、真淵にとって、舎人説を支持する有力な証拠と考えられたのであろう。

埴安《はにやす》の池の堤《つつみ》の隠沼《こもりぬ》の行方《ゆくへ》を知らに舎人《とねり》はまとふ　（巻二・二〇一番）

真淵は、この二つの歌にいずれも「宮人　行方知らずも」と「行方を知らに舎人はまとふ」とあるので、人麿は春宮舎人で、若くとも二十四、五歳にして草壁皇子を失い、そして、その後七年にして次の皇太子、すなわち高市皇子を失い、二度にわたって挽歌をつくったと考えたのであろう。

以上の説明だけでは、真淵説はどう見ても根拠が薄弱であるが、後の学者は一、二の例外をのぞいて、この舎人説を採用しているのである。

真淵の呪縛力《じゅばくりょく》と土屋文明の懐疑

「これは島の宮の御門也。次の舎人等の歌どもにも、此御門の事を専ら言ひ、下の高市皇子尊の殯の時、人麻呂の御門の人とよみしをおもふに、人麻呂即舎人にて、其守る御門を申せしなるべし」（橘千蔭『万葉集略解』）

「下ノ高市ノ皇子尊の殯宮の時、この朝臣の、長歌の反歌にも、去方《ユクヘ》乎《ヲ》不知《シラニ》舎人者《トネリハ》迷惑《マドフ》とあり、かくて其ノ長歌等を見るに、春宮ノ舎人にて、此時もよまれしなるべし」（鹿持雅澄『万葉集古義』）

「且《かつ》、出身はかの日並知皇子命の舎人にて大舎人也其後に、高市皇子命の皇太子の御時も、同じ舎人なるべし」

（岸本由豆流『万葉集攷証』）

「況《いはん》や作者は東宮舎人として平生親しく出入してゐた執着があり、その上、皇子を将来は天皇陛下として奉戴《ほうたい》すべき光栄をさへ当然予期してゐたとすれば、その失望落胆はどの位であつたらう」

（金子元臣『万葉集評釈』）

「作者柿本の人麻呂は、皇子の生前、舎人として奉仕し、殯宮にも奉仕してこの歌を作つたと考へられる」

（武田祐吉『万葉集全註釈』）

「次に、そんなら人麿が日並皇子、高市皇子等に仕へていた形跡を肯定して、どういふ役であつただらうかといふに、真淵以来、東宮舎人（大舎人）だつたらうと想像してゐる。（紀の天武天皇二年五月の条に、詔二公卿大夫及諸臣連並伴造等一曰、夫出身初者先令レ仕二大舎人一、然後選二簡才能一以充二当職一、云々。）これも大体想像は当つてゐるとおもふは、そのあたりの万葉の歌に舎人と云ふことが出てゐるからである」

（斎藤茂吉『柿本人麿』）

「ここはその舎人が島宮の旧御殿や真弓岡の殯宮にあつて詠《よ》んだ作を集めたもので、人麻呂もその一人と考へられ、これらを人麻呂の作とする説もある。少くも人麻呂の作らしいものがある事は認められる」

（沢瀉久孝『万葉集注釈』）

多くの学者が皆、舎人説をとっているが、彼等は真淵以上にその理由をもっていたわけではない。彼等はただ真淵に従ってそう考えたにすぎない。この点において、私は土屋文明氏の懐疑に賛成である。

「人麿の年代の明かな作では之《これ》は最も古いものに属し、その年齢は真淵は二十四五、斎藤茂吉氏は二十七位と推定されて居るが、真淵の推定の根拠の重要なる一つは、彼が日並皇子の舎人であつたらうといふ点と、彼が蔭によつて出身した舎人であつたのでなたらうといふことから来て居るので、若《も》し之を人麿が蔭による舎人であつたのでないと考へるならば、人麿の年齢推定は一応ぐらつく筈《はず》である。そこで、此《こ》の時の年齢を二十九か三十、或は三十一か三十二といふ説も生じて来るのであるが、私見では出来る限り、即《すなは》ち没年等の推定に支障なき限度で多い方に賛同したく思はれる。彼が日並皇子の挽歌を作り、更に高市皇子の挽歌を作つたことは、真淵の言ふ様に、そのいづれにも舎人として仕へたとすれば理解に容易ではあるが、しかし其《そ》の他にも皇女の為《ため》の挽歌がある所などを見れば、必しもさうとは決し難いものであらう。其等《それら》のことから人麿の年齢をもう少し多く考へ得るのではないかと、此の歌についても思はれる次第である。

なほ人麿の舎人説について疑はしい点は、この歌についても高市皇子挽歌についても、その個人的感動の殆《ほとん》どのべられて居ないことも上げられはすまいか。勿論《もちろん》公的儀式的製作であつてみれば、個人的感動は出さないのが本来ではあらうが、若し舎人として親しく仕へたものなら、そこに自然ににじみ出る個人感情の抑へ難きものがある筈だと考へられぬこともない」（土屋文明『万葉集私注』）

土屋氏は二重の点で舎人説を疑っている。一つは、草壁皇子の挽歌および高市皇子の挽歌から、必ずしも人麿が舎人であったと結論されないことである。いわば、それは消極的な舎人説にたいする疑いといえよう。こういう消極的な疑いにおいても土屋文明氏の意見は正しいが、それに、彼はまことに実作歌人らしい疑いをつけ加えている。もし人麿が舎人だったとすると、個人的感動の抑え難きものがあるはずだ、と。これはまことに鋭い舎人説への疑問であるが、彼以前にそういう疑いが何人《なんぴと》によっても述べられなかったのは、国学の大家・賀茂真淵の、あるいは賀茂真淵という名の恐るべき呪縛力を語るものであろうか。

私は、舎人説はまことに根拠なき説であろうと思う。この説は、根拠あるに似て根拠がない。そして、歴史的にも、この説は真淵から始まる。そして誰よりも真淵の先駆者、契沖が、この舎人説を否定しているのである。

「日《ひ》毎《ごと》ニ舎人等カ、殯宮ヘ祇候《シコウ》スレトモ、昔ニ替テ物ヲモ仰《オヲセ》ラレヌナリ。ユクヘシラスモハ、下ニモユクヘヲシラストネリハマトフト有コトク、仮令《タトヘバ》道ユク人ノシルヘヲ失ヘルコトク、迷テユクヘヲシラヌナリ。〔……〕人丸ノ舎人ニテヨマレタルニハアラス。舎人ハ殊《コト》ニ朝夕馴《ナレ》ツカフマツル故《ユヱ》ニ、下ニモカヤウノ事ニハ多ク舎人ノ歎《タン》ヲヨメリ」

（契沖『万葉代匠記 精撰本』）

つまり、この歌はけっして人麿が舎人であることを意味する歌ではなく、人麿は第三者として舎人の嘆きを歌ったというのである。私は、この契沖の読み方のほうが、真淵の読み方より正しいと思う。

しかし、このことをもっとはっきりさせるためには、この歌の意味そのものを正しく解釈する必要があろう。ところが、この歌の解釈をめぐっても、真淵と契沖は全く見解を異にし、契沖説をとるものと真淵説をとるものとに、後の解釈者の見解が大きく分れるのである。

この二つの解釈のちがいを検討するために、ここに手近な二つの現代訳を比較することにしよう。

「天地の初めの時、天の河原で多くの神々が集って相談された時に、天照大神《あまてらすおおみかみ》は天界をお治めになるとて、この日本の国の地の果てまでお治めになる神として、天雲を掻《か》き別けて下し置かれた日並皇子は、この国は飛鳥の清御原の宮に神として神々しく国を領せられて（御母、持統）天皇がお治めになる国であるとて、天の原の岩戸を開いてお隠れになってしまった。この日並皇子が天下をお治めになるのだったら春の花のように貴いであろうにと、満月のように満ち足りて盛んであろうにと、天下の四方の人々が頼みにし、旱天《かんてん》に慈雨を待つように仰いで待っていたのに、（日並皇子は）何とお思いになってか、ゆかりもない真弓の岡に殯の宮をお作りになって、朝ごとの仰せ言もない月日がすでに多く流れ去ってしまった。それゆえ、皇子の宮人たちはこれからどうしてよいか分らないことである」

（日本古典文学大系『万葉集一』）

「天地のはじめの時、天の河原にたくさんの神様がお集りになつて、御相談になつた時に、天照らす大御神には天上をお治めになるやうにとて、地上の葦原の瑞穂《みづほ》の国を、天地の相接してゐるかぎり、お治めになられる神様として、八重にたなびく天雲をかきわけて、お下しになられた神々の御子孫の天皇は、浄御原の宮に神として御治世になつてをられて、やがて歴代の天皇方のおいでになるところとして、高天の原の岩戸を開いてお上りになつてしまつた。そこで我が皇子の命が、天下をお治めになつたら、春の花のやうに貴く仰ぐ事であらう、満月のやうに満ち足る思ひであらうと、四方の人々が信頼して仰ぎ待つてゐるに、どうお考へになつたのか、何のゆかりもない真弓の岡に宮柱を太くお立てになり、御殿を高く御造営になり、来る朝も来る朝も御言葉はおつしやらず、月日の数多く重なつてゆくので、それが為にお仕へ申した宮人たちも途方にくれる事であるよ」

（沢瀉久孝『万葉集注釈』）

草壁挽歌にこだまする天孫降臨神話

この二つの訳には、それぞれに苦心が見えるが、解釈には根本的なちがいがある。それは、原文の、「高照らす　日の皇子《みこ》は　飛鳥《とぶとり》の　浄《きよみ》の宮に　神ながら　太敷《ふとし》きまして　天皇《すめろき》の　敷きます国と　天の原　石門《いはと》を開き　神《かむ》あがり　あがり座《いま》しぬ」というところの、「日の皇子《みこ》」を草壁皇子と考えるか、天武帝と考えるかのちがいである。契沖の解釈ははなはだ明快である。

「アマテラスヒナメノミコトハ、御名ノ日ノ字ニヨリテ、初ヨリ後ノ神ノミコト、云マテハ日神ニ比シ奉テ申サル、ナリ。御名ヲ申コトハ臣トシテハ有マシキ事ナルヲ、日本紀ニハ草壁皇子トノミアレハ、日並ハ御徳ヲホメ申謚《マウスオクリナ》ニテヤ、カクハヨマレタラム。〔……〕天雲ノ八重掻別テ神下トハ皇子ノ生レ出サセ給ヘルヲ、天照太神ノ皇孫ヲ天降シ奉ラセ給ヘルニ譬《タトヘ》ルナリ。〔……〕高テラス日ノ皇子ハ、此亦日並ノ御事ナリ。〔……〕持統天皇モ此時ハイマタ浄御宮《キヨミノミヤ》ニマシ〳〵ケレハ、我ナクテモ世ハ安ラカニ治リヌヘシト思召《オホシメシ》テ、再天ヘ還《カヘ》ラセ給フト申ナス心ナリ」

（前掲書）

契沖は「天照日女之命」を、アマテラスヒルメノミコトではなくアマテラスヒナメノミコトと読み、この歌の前書きにある「日並皇子」と同一神であり、それは、草壁皇子を意味すると考える。そして、例の「高照日之皇子」も同じく草壁皇子であり、草壁皇子は、あとを持統帝にまかせて、再び天へ帰らせ給うたと解釈する。「日女之命」をヒナメノミコトと読み、それを「日並皇子」及び「日之皇子」と同一視することはできまい。「日女之命」は、やはり、ヒナメノミコトではなくて、ヒルメノミコトと読むべきであろう。この点、契沖の読み方は誤りであるが、しかし問題の個所は、契沖の読み方でよく分かる。草壁皇子は、この国を浄御原《きよみはら》にいらっしゃる御母・持統天皇のおさめられる国だからといって、石門《いわと》を開き、昇天し給うたというのである。

「天照《アマテラス》、日女《ヒルメ》之命《ノミコト》、一云、指上《サシノボル》日女之命、是も同御ことなり、天乎《アメヲ》波《バ》、四言、天をば、既に日女命の長く志ろしめすべければ、天孫は、豊あし原の国を、つちを久しく知《シラ》さんものとて、降し奉り給ふとなり」

「高照《タカヒカル》、日《ヒ》之皇子《ミコ》波《ハ》、是よりは、上の天孫の日嗣の御孫の命、今の天皇（天武）を申せり、さてその天皇崩ましては、又天に帰り上りますよしをいはんとて、先天孫の天降ませし事をいへり、かゝる言の勢ひ此人のわざなり」

「天皇之《スメロギノ》、敷座国等《シキマスクニト》、是より、崩ましては天を敷ます国として、上りますといへり」（賀茂真淵『万葉考』）

真淵は、原文の一句ずつに注釈をつけていて、以上は問題の個所の真淵の注釈であるが、真淵は、「天照日女之命」を、アマテラスヒルメノミコトとよむ。そしてその部分の意味を、天をアマテラスヒルメノミコトが統治し、地、つまり日本の国を天孫ニニギノミコトが支配し給う国と定められたと解釈する。

　そこまでは、なかなか見事な解釈である。真淵の頭には古事記神話があったであろうが、この部分は古事記神話の天孫降臨のことを歌ったものであろう。この点は真淵のほうが契沖より明快である。

ところが「高照日之皇子《タカヒカルヒノミコ》」を、真淵は天武帝と解釈する。ところで、天をしろしめすアマテラスにたいして、地、つまり、豊葦原の水穂国《とよあしはらみずほのくに》、日本国をしろしめすために天下りしたのは、ニニギノミコトのはずではないか。「高照日之皇子」は上の文の勢いからいえば明らかにニニギノミコトである。それがどうして天武帝になるか。その理由を、真淵は、「かゝる言の勢ひ此人のわざなり」という。つまり、天武帝のことをのべるために、天孫降臨のことをまず語り、この天孫の子孫である今の天皇・天武帝がおかくれになったという意味であると真淵は解釈したのである。

このように、「日之皇子《ヒノミコ》」を天武帝ととると、「天皇之敷座国等《スメロギノシキマスクニト》」という解釈が苦しくなる。それゆえ、その意味を「崩ましては天を敷ます国として、上りますといへり」と解釈する。つまり、天武帝は生きているうちは、飛鳥《あすか》の宮において統治なされたが、死んでもまだ、天を天皇の統治される国として、天に昇り給うたというのである。

つまり真淵は、この歌を「天地《あめつち》の」から「あがり座《いま》しぬ」までと、それ以後の「わご王《おほきみ》」から「行方《ゆくへ》知らずも」までの後半に分け、前半は天孫降臨の神話とそれをうけた代々の天皇の統治、そして天武帝の統治および死を歌ったものであると考える。

そして後半は、こうした天武帝の死後、「わが王《おおきみ》、皇子の命《みこと》——この皇子の命は、天武帝ではなくて、草壁皇子であると真淵はとる——が天下を統治あそばしたら、どんなにめでたいことかと思って、人びとが期待していたのに、どのようにお思いになったのか、真弓岡《まゆみのおか》に宮殿をたてておかくれになってしまい、物もおおせられない日が多くなり、皇子の舎人たちは思いまどっている」と解釈するのである。

表記について

新潮文庫の文字表記については、原文を尊重するという見地に立ち、次のように方針を定めました。

一、旧仮名づかいで書かれた口語文の作品は、新仮名づかいに改める。
二、文語文の作品は旧仮名づかいのままとする。
三、旧字体で書かれているものは、原則として新字体に改める。
四、難読と思われる語には振仮名をつける。
五、漢字表記の代名詞・副詞・接続詞等のうち、特定の語については仮名に改める。

本書で文中に引用の文語文の部分は原則として旧仮名づかいのままとした。この部分の振仮名は旧仮名づかいによる。

梅原猛著
隠された十字架
―法隆寺論―
毎日出版文化賞受賞

法隆寺は怨霊鎮魂の寺！ 大胆な仮説で学界の通説に挑戦し、法隆寺に秘められた謎を追い、古代国家の正史から隠された真実に迫る。

梅原猛著
天皇家の〝ふるさと〟日向をゆく

天孫降臨は事実か？ 梅原猛が南九州の旅で記紀の神話を実地検証。戦後歴史学最大の〝タブー〟に挑む、カラー満載の大胆推理紀行！

梅原猛著
葬られた王朝
―古代出雲の謎を解く―

かつて、スサノオを開祖とする「出雲王朝」がこの国を支配していた。『隠された十字架』『水底の歌』に続く梅原古代学の衝撃的論考。

梅原猛著
親鸞「四つの謎」を解く

出家の謎、法然門下入門の理由、なぜ妻帯したか、罪悪感の自覚……聖人を理解する鍵は、「異端の書」の中の伝承に隠されていた！

網野善彦著
歴史を考えるヒント

日本、百姓、金融……。歴史の中の日本語は、現代の意味とはまるで異なっていた！ あなたの認識を一変させる「本当の日本史」。

磯田道史著
殿様の通信簿

水戸の黄門様は酒色に溺れていた？ 江戸時代の極秘文書「土芥寇讎記」に描かれた大名たちの生々しい姿を史学界の俊秀が読み解く。

安部龍太郎著
血の日本史
時代の頂点で敗れ去った悲劇のヒーローたちを描く46編。千三百年にわたるわが国の歴史を俯瞰する新しい《日本通史》の試み！

安部龍太郎著
信長燃ゆ（上・下）
朝廷の禁忌に触れた信長に、前関白・近衛前久の陰謀が襲いかかる。本能寺の変に至る一年半を大胆な筆致に凝縮させた長編歴史小説。

安部龍太郎著
下天を謀る（上・下）
「その日を死に番と心得るべし」との覚悟で合戦を生き抜いた藤堂高虎。「戦国最強」の誉れ高い武将の人生を描いた本格歴史小説。

安部龍太郎著
冬を待つ城
天下統一の総仕上げとして奥州九戸城を囲んだ秀吉軍十五万。わずか三千の城兵は玉砕するのみか。奥州仕置きの謎に迫る歴史長編。

阿川弘之著
春の城
読売文学賞受賞
第二次大戦下、一人の青年を主人公に、学徒出陣、マリアナ沖大海戦、広島の原爆の惨状などを伝えながら激動期の青春を浮彫りにする。

阿川弘之著
雲の墓標
一特攻学徒兵吉野次郎の日記の形をとり、大空に散った彼ら若人たちの、生への執着と死の恐怖に身もだえる真実の姿を描く問題作。

井上靖著

猟銃・闘牛

芥川賞受賞

ひとりの男の十三年間にわたる不倫の恋を、妻・愛人・愛人の娘の三通の手紙によって浮彫りにした「猟銃」、芥川賞の「闘牛」等、3編。

井上靖著

敦（とんこう）煌

毎日芸術賞受賞

無数の宝典をその砂中に秘した辺境の要衝の町敦煌――西域に惹かれた一人の若者のあとを追いながら、中国の秘史を綴る歴史大作。

井上靖著

あすなろ物語

あすは檜になろうと念願しながら、永遠に檜にはなれない〝あすなろ〟の木に託して、幼年期から壮年までの感受性の劇を謳った長編。

井上靖著

風林火山

知略縦横の軍師として信玄に仕える山本勘助が、秘かに慕う信玄の側室由布姫。風林火山の旗のもと、川中島の合戦は目前に迫る……。

井上靖著

氷壁

前穂高に挑んだ小坂乙彦は、切れるはずのないザイルが切れて墜死した――恋愛と男同士の友情がドラマチックにくり広げられる長編。

井上靖著

天平の甍

芸術選奨受賞

天平の昔、荒れ狂う大海を越えて唐に留学した五人の若い僧――鑒真来朝を中心に歴史の大きなうねりに巻きこまれる人間を描く名作。

遠藤周作著
白い人・黄色い人
芥川賞受賞
ナチ拷問に焦点をあて、存在の根源に神を求める意志の必然性を探る「白い人」、神をもたない日本人の精神的悲惨を追う「黄色い人」。

遠藤周作著
海と毒薬
毎日出版文化賞・新潮社文学賞受賞
何が彼らをこのような残虐行為に駆りたてたのか？　終戦時の大学病院の生体解剖事件を小説化し、日本人の罪悪感を追求した問題作。

遠藤周作著
留学
時代を異にして留学した三人の学生が、ヨーロッパ文明の壁に挑みながらも精神的風土の絶対的相違によって挫折してゆく姿を描く。

遠藤周作著
母なるもの
やさしく許す〝母なるもの〟を宗教の中に求める日本人の精神の志向と、作者自身の母性への憧憬とを重ねあわせてつづった作品集。

遠藤周作著
彼の生きかた
吃るため人とうまく接することが出来ず、人間よりも動物を愛し、日本猿の餌づけに一身を捧げる男の純朴でひたむきな生き方を描く。

遠藤周作著
砂の城
過激派集団に入った西も、詐欺漢に身を捧げたトシも真実を求めて生きようとしたのだ。ひたむきに生きた若者たちの青春群像を描く。

司馬遼太郎著
梟の城
直木賞受賞

信長、秀吉……権力者たちの陰で、凄絶な死闘を展開する二人の忍者の生きざまを通して、かげろうの如き彼らの実像を活写した長編。

司馬遼太郎著
人斬り以蔵

幕末の混乱の中で、劣等感から命ぜられるままに人を斬る男の激情と苦悩を描く表題作ほか変革期に生きた人間像に焦点をあてた７編。

司馬遼太郎著
国盗り物語
（一〜四）

貧しい油売りから美濃国主になった斎藤道三、天才的な知略で天下統一を計った織田信長。新時代を拓く先鋒となった英雄たちの生涯。

司馬遼太郎著
燃えよ剣
（上・下）

組織作りの異才によって、新選組を最強の集団へ作りあげてゆく〝バラガキのトシ〟——剣に生き剣に死んだ新選組副長土方歳三の生涯。

司馬遼太郎著
新史 太閤記
（上・下）

日本史上、最もたくみに人の心を捉えた〝人蕩し〟の天才、豊臣秀吉の生涯を、冷徹な史眼と新鮮な感覚で描く最も現代的な太閤記。

司馬遼太郎著
関ケ原
（上・中・下）

古今最大の戦闘となった天下分け目の決戦の過程を描いて、家康・三成の権謀の渦中で命運を賭した戦国諸雄の人間像を浮彫りにする。

白洲正子著

日本のたくみ

歴史と伝統に培われ、真に美しいものを目指して打ち込む人々。扇、染織、陶器から現代彫刻まで、様々な日本のたくみを紹介する。

白洲正子著

西　行

ねがはくは花の下にて春死なん……平安末期の動乱の世を生きた歌聖・西行。ゆかりの地を訪ねつつ、その謎に満ちた生涯の真実に迫る。

白洲正子著

白洲正子自伝

この人はいわば、魂の薩摩隼人。美を体現した名人たちとの真剣勝負に生き、ものの裸形だけを見すえた人。韋駄天お正、かく語りき。

白洲正子著

私の百人一首

「目利き」のガイドで味わう百人一首の歌の心。その味わいと歴史を知って、愛蔵の元禄時代のかるたを愛でつつ、風雅を楽しむ。

白洲正子著

ほんもの
—白洲次郎のことなど—

おしゃれ、お能、骨董への思い。そして、白洲次郎、小林秀雄、吉田健一ら猛者と過ごした日々。白洲正子史上もっとも危険な随筆集！

牧山桂子著

次郎と正子
—娘が語る素顔の白洲家—

幼い頃は、ものを書く母親より、おにぎりを作ってくれるお母さんが欲しいと思っていた——。風変わりな両親との懐かしい日々。

杉浦日向子著
江戸アルキ帖
日曜の昼下がり、のんびり江戸の町を歩いてみませんか――カラー・イラスト一二七点とエッセイで案内する決定版江戸ガイドブック。

杉浦日向子著
百物語
江戸の時代に生きた魑魅魍魎たちと人間の、滑稽でいとおしい姿。懐かしき恐怖を怪異譚集の形をかりて漫画で描いたあやかしの物語。

杉浦日向子著
一日江戸人
遊び友だちに持つなら江戸人がサイコー。試しに「一日江戸人」になってみようというヒナコ流江戸指南。著者自筆イラストも満載。

杉浦日向子著
ごくらくちんみ
とっておきのちんみと酒を入り口に、女と男の機微を描いた超短編集。江戸の達人が現代人に贈る、粋な物語。全編自筆イラスト付き。

杉浦日向子監修
お江戸でござる
お茶の間に江戸を運んだＮＨＫの人気番組・名物コーナーの文庫化。幽霊と生き、娯楽を愛す、かかあ天下の世界都市・お江戸が満載。

杉浦日向子著
杉浦日向子の食・道・楽
テレビの歴史解説でもおなじみ、稀代の絵師にして時代考証家、現代に生きた風流人・杉浦日向子の心意気あふれる最後のエッセイ集。

隆慶一郎著

吉原御免状

裏柳生の忍者群が狙う「神君御免状」の謎とは。色里に跳梁する闇の軍団に、青年剣士松永誠一郎の剣が舞う、大型剣豪作家初の長編。

隆慶一郎著

鬼麿斬人剣

名刀工だった亡き師が心ならずも世に遺した数打ちの駄刀を捜し出し、折り捨てる旅に出た巨軀の野人・鬼麿の必殺の斬人剣八番勝負。

隆慶一郎著

かくれさと苦界行《くがいこう》

徳川家康から与えられた「神君御免状」をめぐる争いに勝った松永誠一郎に、一度は敗れた裏柳生の総帥・柳生義仙の邪剣が再び迫る。

隆慶一郎著

一夢庵《いちむあん》風流記

戦国末期、天下の傾奇者《かぶきもの》として知られる男がいた！ 自由を愛する男の奔放苛烈な生き様を、合戦・決闘・色恋交えて描く時代長編。

隆慶一郎著

影武者徳川家康（上・中・下）

家康は関ヶ原で暗殺された！ 余儀なく家康として生きた男と権力に憑かれた秀忠の、風魔衆、裏柳生を交えた凄絶な暗闘が始まった。

隆慶一郎著

死ぬことと見つけたり（上・下）

武士道とは死ぬことと見つけたり——常住坐臥、死と隣合せに生きる葉隠武士たち。鍋島藩の威信をかけ、老中松平信綱の策謀に挑む！

水《みな》底《そこ》の歌《うた》（上）
—柿本人麿論—

新潮文庫　　う-5-2

昭和五十八年二月二十五日　発行
平成二十七年四月三十日　十二刷改版
平成三十一年一月三十日　十三刷

著者　梅《うめ》原《はら》猛《たけし》

発行者　佐藤隆信
発行所　株式会社　新潮社
郵便番号　一六二―八七一一
東京都新宿区矢来町七一
電話　編集部(〇三)三二六六―五四四〇
　　　読者係(〇三)三二六六―五一一一
http://www.shinchosha.co.jp

価格はカバーに表示してあります。

乱丁・落丁本は、ご面倒ですが小社読者係宛ご送付ください。送料小社負担にてお取替えいたします。

印刷・錦明印刷株式会社　製本・錦明印刷株式会社

ISBN978-4-10-124402-0　C0192